O ACORDO

ELLE KENNEDY

O ACORDO

Tradução

JULIANA ROMEIRO

paralela

A Editora Paralela é uma divisão da Editora Schwarcz S.A.

Grafia atualizada segundo o Acordo Ortográfico da Língua Portuguesa de 1990, que entrou em vigor no Brasil em 2009.

TÍTULO ORIGINAL The Deal: An Off-Campus Novel

CAPA Paulo Cabral

PREPARAÇÃO Livia Lima

REVISÃO Renata Lopes Del Nero e Luciane Gomide Varela

Dados Internacionais de Catalogação na Publicação (CIP)
(Câmara Brasileira do Livro, SP, Brasil)

Kennedy, Elle
O acordo / Elle Kennedy ; tradução Juliana Romeiro. — 1ª ed.
— São Paulo : Paralela, 2016.

Título original: The Deal : An Off-Campus Novel.
ISBN 978-85-8439-027-4

1. Ficção norte-americana I. Título.

16-02670 CDD-813

Índice para catálogo sistemático:
1. Ficção : Literatura norte-americana 813

19ª reimpressão

EDITORA SCHWARCZ S.A.
Rua Bandeira Paulista, 702, cj. 32
04532-002 — São Paulo — SP
Telefone: (11) 3707-3500
editoraparalela.com.br
atendimentoaoleitor@editoraparalela.com.br
facebook.com/editoraparalela
instagram.com/editoraparalela
twitter.com/editoraparalela

O ACORDO

1

HANNAH

Ele não sabe que existo.

Pela milionésima vez em quarenta e cinco minutos, dou uma olhadinha na direção de Justin Kohl, e ele é tão bonito que minha garganta quase se fecha. Talvez eu devesse pensar em outro adjetivo — meus amigos dizem que homem não gosta de ser chamado de "bonito".

Mas, minha nossa, não tem outro jeito de descrever as feições fortes e os olhos castanhos emotivos. Hoje ele está de boné, mas sei o que isso esconde: cabelos escuros e grossos, o tipo que parece sedoso ao toque e que dá vontade de passar os dedos entre os fios.

Nos últimos cinco anos desde o estupro, meu coração só disparou por dois caras.

O primeiro me largou.

E este simplesmente ignora a minha presença.

No tablado do auditório, a professora Tolbert está no meio do que passei a chamar de Sermão da Decepção. É o terceiro em seis semanas.

Adivinhe como foram as notas? Setenta por cento da turma tirou seis ou menos na primeira prova.

Eu? Nota máxima. E estaria mentindo se dissesse que o dez circulado à caneta no alto da prova não foi uma surpresa completa. Apenas despejei uma sequência infinita de baboseiras para tentar encher as folhas.

Ética filosófica deveria ser moleza. O antigo professor da matéria aplicava uns testes ridículos de múltipla escolha e uma "prova" final que consistia em uma redação propondo um dilema moral e questionando como você reagiria a ele.

Mas, duas semanas antes do início do semestre, o professor Lane morreu de ataque cardíaco. Ouvi dizer que a faxineira dele o encontrou no chão do banheiro — pelado. Pobre professor.

Por sorte (isso mesmo, estou sendo sarcástica), Pamela Tolbert assumiu a turma de Lane. Ela é nova na Universidade Briar e é do tipo que espera que você faça conexões e "se envolva" com a matéria. Se isso fosse um filme, ela seria a jovem professora ambiciosa que vai parar numa escola do centro da cidade e inspira os alunos rebeldes até que, de repente, está todo mundo largando as AK-47 para pegar o lápis e, no final, quando sobem os créditos, você descobre que todos entraram para Harvard ou coisa parecida. Oscar garantido para Hilary Swank.

Só que isso não é um filme, portanto, a única coisa que Tolbert inspirou nos alunos foi ódio. E de fato ela parece não entender por que ninguém se sai bem na sua aula.

Quer uma dica? É porque ela faz o tipo de pergunta que poderia gerar uma tese de pós-graduação.

"Estou disposta a oferecer uma segunda chamada para todo mundo que não passou ou que tirou cinco ou menos." Tolbert torce o nariz como se fosse incapaz de compreender a necessidade disso.

A palavra que acabou de usar... *disposta*? Pois é. Ouvi dizer que muitos alunos reclamaram com os orientadores a respeito dela, e desconfio que o departamento a tenha obrigado a preparar outra prova. Não pega bem para a Briar ter mais de metade dos alunos de uma turma reprovados na matéria, principalmente porque não são só os preguiçosos. Gente que só tira dez, como Nell, supercabisbaixa aqui do meu lado, também se deu mal na prova.

"Para quem quiser fazer a segunda chamada, a nota final vai ser uma média das duas. Quem se sair pior na segunda, fica só com a primeira nota", conclui Tolbert.

"Não acredito que você tirou dez", sussurra Nell para mim.

Parece tão chateada que sinto uma pontada de pena. Nell e eu não somos melhores amigas nem nada parecido, mas sentamos uma do lado da outra desde setembro, então era de esperar que acabássemos nos conhecendo. Ela está fazendo o preparatório para medicina, e sei que vem de uma família de sucesso que a humilharia em praça pública se descobrisse a nota que tirou.

“Nem eu”, sussurro de volta. “Fala sério. Olha só as minhas respostas. Um monte de asneira sem sentido.”

“Pensando bem, posso mesmo dar uma olhada?” Parece interessada agora. “Estou curiosa para saber o que a Tirana considera digno de um dez.”

“Vou escanear e passar por e-mail hoje à noite”, prometo.

No instante em que Tolbert nos dispensa, o auditório ressoa com ruídos de “Me tira daqui”. Laptops se fecham, cadernos voltam para dentro de mochilas, os alunos se levantam das cadeiras.

Justin Kohl se demora perto da porta para falar com alguém, e meu olhar se fecha sobre ele como um míssil teleguiado. Lindo.

Já falei como é bonito?

As palmas das minhas mãos ficam suadas só de admirar seu perfil. Ele acabou de chegar à Briar, mas não sei de que faculdade foi transferido, e, embora não tenha demorado a se tornar a estrela do time de futebol americano, não é como os outros atletas da universidade. Não desfila pelos jardins da faculdade com um sorrisinho de quem se acha um milagre da natureza, carregando nos braços uma menina diferente a cada dia. Já o vi rindo e fazendo piada com os amigos do time, mas ele transmite uma aura intensa e inteligente que me faz achar que, no fundo, esconde algo mais. O que me deixa ainda mais desesperada para conhecê-lo.

Atletas não são muito o meu tipo, mas alguma coisa nele me faz agir como idiota.

“Você está dando bandeira de novo.”

A provocação de Nell me faz corar. Ela já me flagrou babando por Justin algumas vezes e é uma das poucas pessoas para quem admiti minha queda por ele.

Allie, que mora comigo, também sabe, mas meus outros amigos? Nem pensar. A maior parte deles está fazendo especialização em música ou teatro, então acho que isso faz de nós o grupinho de artistas. Ou talvez de emos. Tirando Allie, que tem um relacionamento desses que vai e volta com um membro de uma fraternidade desde o primeiro ano, meus amigos gostam de se divertir às custas da elite de Briar. Em geral, não participo (prefiro pensar que estou acima do hábito de fazer fofoca dos outros), mas... convenhamos, a maioria dos alunos populares são uns babacas completos.

Garrett Graham, por exemplo, o outro atleta estrela da turma. Anda por aí como se fosse o dono do pedaço. E acho que é um pouco. Basta ele estalar os dedos e uma menina desesperada aparece aos seus pés. Ou pula no seu colo. Ou enfia a língua na sua goela.

Hoje, no entanto, não está com cara de todo-poderoso. Quase todo mundo já foi embora, incluindo Tolbert, mas Garrett não levantou do lugar e está com os punhos cerrados em volta da prova.

Também deve ter reprovado, mas não tenho muita pena do cara. A Briar é conhecida por duas coisas: hóquei e futebol americano, o que não surpreende, já que Massachusetts é o lar tanto dos Patriots quanto dos Bruins. Os atletas da Briar quase sempre viram profissionais e, enquanto estão aqui, recebem tudo de mão beijada — até as notas.

Tudo bem, pode ser que isso faça de mim uma pessoa um tantinho vingativa, mas dá uma sensação de triunfo saber que Tolbert vai reprovar o capitão do nosso vitorioso time de hóquei junto com todo mundo.

"Topa tomar um café?", pergunta Nell, recolhendo os livros.

"Não posso. Tenho ensaio em vinte minutos." Fico em pé, mas não a acompanho até a porta. "Pode ir. Preciso dar uma olhada na agenda antes de sair. Não lembro que dia é a minha próxima reunião com a professora assistente."

Outra "vantagem" de estar na turma de Tolbert: além da palestra semanal, somos obrigados a fazer duas seções de trinta minutos por semana com a professora assistente, Dana, que pelo menos tem todas as qualidades que faltam a Tolbert. Como senso de humor.

"Beleza", diz Nell. "Vejo você depois."

"Até mais", respondo.

Ao som da minha voz, Justin para na porta e vira a cabeça.

Ai. Meu. Deus.

É impossível não ficar com a cara toda vermelha. É a primeira vez que fazemos um simples contato visual, e não sei como responder. Digo oi? Aceno? Sorrio?

No final, decido-me por cumprimentá-lo com um pequeno aceno. *Pronto*. Descontraído e casual, condizente com uma universitária sofisticada do terceiro ano.

Seus lábios se curvam num leve sorriso, e meu coração dá um pulo. Justin acena de volta e vai embora.

Fico olhando a entrada do auditório vazia. Meu pulso dispara porque *puta merda*. Depois de seis semanas respirando o mesmo ar neste lugar abafado, finalmente Justin notou que existo.

Queria ter coragem o suficiente para ir atrás dele. Talvez convidá-lo para um café. Ou um jantar. Ou um café da manhã... espere aí, gente da minha idade *toma* café da manhã?

Mas meus pés fincam no piso laminado e polido.

Porque sou uma covarde. Isso aí, uma covarde total e completa. Tenho pânico de que ele diga não — mas mais ainda de que diga *sim*.

Quando comecei esta faculdade, estava tudo bem na minha vida. Com meus problemas deixados para trás e a guarda baixa, estava pronta para ficar com outras pessoas. E foi o que fiz. Saí com vários caras, mas, tirando meu ex-namorado, Devon, nenhum deles fez meu corpo formigar como Justin Kohl, e isso me tira do sério.

Um passo de cada vez.

É assim mesmo. Seguir em frente com um passo de cada vez. Era o conselho preferido da minha psicóloga, e não posso negar que a estratégia tenha me ajudado muito. Se concentrar nas pequenas vitórias, era o que Carole sempre dizia.

Então... a vitória de hoje... Acenei para Justin, e ele sorriu para mim. Na próxima aula, talvez eu sorria de volta. E na outra quem sabe eu não levanto a ideia do café, do jantar ou do café da manhã.

Respiro fundo e desço o corredor, me agarrando a essa sensação de vitória, por menor que seja.

Um passo de cada vez.

GARRETT

Reprovei.

Não acredito que reprovei.

Por quinze anos, Timothy Lane distribuiu notas dez como se fossem balas. Mas justo no ano em que *eu* faço a matéria, Lane bate as botas e tenho que me contentar com Pamela Tolbert.

É oficial. A mulher é minha arqui-inimiga. Só de ver sua letrinha rebuscada — que preenche cada milímetro das margens da minha prova — quero dar uma de Incrível Hulk e destroçar o papel na minha mão.

Tirei dez em quase todas as outras matérias, mas, a partir deste exato instante, estou com zero em ética filosófica. O que, combinado com o seis em história da Espanha, faz minha média cair para cinco.

E preciso de média seis para jogar hóquei.

Em geral, não é difícil manter minhas notas lá em cima. Apesar do que muita gente imagina, não sou um atleta burro. Mas não me importo de deixar que as pessoas pensem isso. Principalmente as mulheres. Acho que elas gostam da ideia de ficar com um homem das cavernas musculoso que só sabe fazer uma coisa, e como não quero nada sério por enquanto, rolos com garotas que só querem sexo são muito bem-vindos. Sobra mais tempo para me concentrar no hóquei.

Mas se eu não melhorar a nota *não vai* mais ter hóquei. A pior coisa da Briar? O reitor exige excelência — tanto acadêmica quanto atlética. Diferente das outras faculdades, que são mais condescendentes com os atletas, a Briar tem uma política de tolerância zero.

Maldita Tolbert. Quando perguntei antes da aula se poderia fazer algum trabalho extra para melhorar a nota, ela me mandou, com aquela voz anasalada, participar das reuniões com a professora assistente e frequentar o grupo de estudos. Já faço as duas coisas. Então é isso aí, ou contrato algum garoto prodígio para usar uma máscara da minha cara e fazer a prova para mim... ou estou perdido.

Expresso minha frustração com um suspiro audível e, de canto de olho, vejo alguém levar um susto.

Também me assusto, porque achei que estivesse aqui com minha tristeza sozinho. Mas a menina que senta na última fileira continua no auditório e está descendo até a mesa de Tolbert.

Mandy?

Marty?

Não lembro o nome dela. Vai ver é porque nunca me dei ao trabalho de perguntar. Mas ela é interessante. Bem mais do que eu pensava. Rosto bonito, cabelo escuro, gostosa — cacete, como nunca prestei atenção nesse corpo antes?

Mas agora reparo. Calça justa acompanhando as curvas, a bunda arrebitada e implorando "me aperta", o suéter de gola V abraçando uma comissão de frente de respeito. Porém, não tenho tempo de admirar nenhuma dessas qualidades, porque ela percebe meu olhar encarando-a, e seus lábios se franzem.

"Tudo bem?", pergunta, com uma expressão mordaz.

Murmuro algo incompreensível. Não estou a fim de conversar com ninguém agora.

Ela ergue uma das sobrancelhas escuras para mim. "Desculpa, em que língua foi isso?"

Amasso a prova e empurro a cadeira de volta para o lugar. "Falei que tudo bem."

"Então tá." Dá de ombros e continua a descer os degraus.

Enquanto ela pega a prancheta com a escala da professora assistente, visto o casaco do time de hóquei, enfio a prova ridícula na mochila e fecho o zíper.

A menina de cabelos escuros volta até o corredor entre as cadeiras. Mona? Molly? Acho que o M está certo, mas não tenho a menor ideia do restante. Traz sua prova na mão, mas nem perco tempo tentando ver a nota, porque imagino que tenha ido mal como todo mundo.

Deixo-a passar e saio da minha fileira para o corredor. Poderia dizer que foi o meu lado cavalheiresco, mas seria mentira. Quero dar mais uma conferida nessa bunda, porque é mesmo uma bunda bem gostosa, e, agora que já vi, posso muito bem olhar de novo. Sigo-a até a porta do auditório e, de repente, me dou conta de como é baixinha — estou um degrau abaixo dela e consigo ver o topo de sua cabeça.

Assim que chegamos à porta, ela tropeça em absolutamente coisa nenhuma e seus livros se espalham no chão.

"Droga. Sou tão desastrada."

Ajoelha-se, e eu também, porque, ao contrário do que acabei de dizer, posso *sim* ser um cavalheiro quando quero, e a coisa educada a fazer é ajudá-la a pegar os livros.

"Ah, não precisa. Pode deixar", insiste.

Mas minha mão já pegou sua prova, e meu queixo despenca assim que vejo a nota.

"Cacete. Você gabaritou?", me espanto.

Ela me lança um sorriso autodepreciativo. "Pois é, nem acredito. Tinha certeza de que tinha mandado mal."

"Caramba." Começo a me sentir como se tivesse acabado de topar com o próprio Stephen Hawking, e ele exibisse os segredos do universo bem debaixo do meu nariz. "Posso ver suas respostas?"

Ela ergue as sobrancelhas de novo. "Meio atiradinho da sua parte, não? A gente nem se conhece."

Reviro os olhos. "Não estou pedindo para você tirar a roupa, gata. Só quero dar uma olhada na sua prova."

"*Gata*? Tchau, atiradinho; oi, presunçoso."

"Você prefere *senhorita*? Ou *madame*? Usaria seu nome, mas não sei."

"Claro que não." Ela suspira. "É Hannah", e, após uma pausa forçada: "*Garrett*."

Tá, eu tinha errado feio com o negócio do M.

E também não me passou despercebido o jeito como ela pronunciou o meu nome, como se dissesse: *Está vendo, eu sei o seu, babaca!*

Ela pega o restante dos livros e se levanta, mas não lhe entrego a prova. Em vez disso, fico em pé e começo a passar as páginas. Ao correr os olhos por suas respostas, meu humor despenca ainda mais, porque se esse é o tipo de análise que Tolbert espera, estou ferrado. Caramba, estou estudando história por um motivo — lido com fatos. Preto no branco. Tal coisa aconteceu a tal pessoa e aqui está o resultado.

As respostas de Hannah giram em torno de baboseira teórica e de como os filósofos responderiam a diversos dilemas morais.

"Obrigado." Devolvo a prova e, enfiando os polegares nos passadores da calça jeans, arrisco: "Ei, escuta. Você... acha que poderia...". Dou de ombros. "Você sabe..."

Ela treme os lábios como se estivesse fazendo força para não rir. "Na verdade, não sei, *não*."

Solto um suspiro. "Topa me dar umas aulas?"

Seus olhos verdes — os olhos verdes mais escuros que já vi, delineados por grossos cílios pretos — vão de surpresos a céticos em segundos.

"Eu pago", acrescento, às pressas.

"Ah. Hmm. Bom, é claro que eu cobraria. Mas..." Ela balança a cabeça. "Desculpa. Não posso."

Disfarço a decepção. "Vamos lá, quebra essa pra mim. Se eu me sair mal na segunda chamada, minha média vai pro saco. Por favor?" Abro um sorriso, o que faz minhas covinhas aparecerem, e isso nunca falha em derreter corações.

"Isso costuma funcionar?", ela pergunta, curiosa.

"O quê?"

"Esse sorriso de menino pidão... te ajuda a conseguir as coisas?"

"Sempre", respondo, sem hesitar.

"*Quase* sempre", me corrige. "Olha, sinto muito, mas realmente não tenho tempo. Já estou conciliando trabalho e estudo, e com o festival de inverno chegando, vou ter ainda menos tempo."

"Festival de inverno?", pergunto, sem entender.

"Ah, esqueci. Se não for sobre hóquei, então você não sabe o que é."

"Quem está sendo presunçosa agora? Você nem me conhece."

Após uma pausa, ela solta um suspiro. "Estou cursando música, entendeu? E o departamento de artes organiza duas apresentações por ano, o festival de inverno e o de primavera. O de inverno garante uma bolsa de cinco mil dólares. É um evento grande, na verdade. Gente importante do mercado viaja o país inteiro para acompanhar. Agentes, produtores, caça-talentos... Então, por mais que adore a ideia de ajudar você..."

"Adora coisa nenhuma", resmungo. "Você está com uma cara de que nem queria estar *falando* comigo."

O movimento de desdém que ela faz com os ombros é de tirar do sério. "Está na hora do meu ensaio. É uma pena que você vá reprovar nessa matéria, mas, para você se sentir melhor, todo mundo vai."

Estreito os olhos. "Menos *você*."

"Está fora do meu controle. Tolbert parece gostar do meu tipo de baboseira. É um dom."

"Bom, quero esse dom. Por favor, mestre, me ensina a arte da baboseira."

Estou a dois passos de me jogar de joelhos no chão e implorar, mas Hannah segue até a porta. "Tem um grupo de estudos, sabia? Posso passar o telefone..."

"Já estou no grupo de estudos", murmuro.

"Ah. Nesse caso não posso fazer muito mais por você. Boa sorte com a segunda chamada. *Gato*."

Ela dispara em direção à porta e me deixa para trás, encarando o vazio, frustrado. Inacreditável. Todas as meninas da faculdade dariam um braço para me ajudar. Mas essa? Foge como se eu estivesse sugerindo que a gente matasse um gato e fizesse um sacrifício ao demônio.

Agora estou de volta ao ponto em que estava antes de "Hannah que não começa com M" me dar um lampejo mínimo de esperança.

Totalmente ferrado.

2

GARRETT

Depois do grupo de estudos, entro na sala de estar e encontro meus colegas de república caindo de bêbados. A mesinha de centro está lotada de latas de cerveja, além de uma garrafa de Jack Daniel's quase vazia que com certeza é do Logan, porque ele é do tipo que acha que "cerveja é para os fracos". Palavras dele, não minhas.

Logan e Tucker estão jogando uma partida disputada de *Ice Pro*, os olhos fixos na tela plana enquanto apertam furiosamente os controles. Ao notar minha presença na porta, Logan se volta por um instante na minha direção, e essa distração por uma fração de segundo lhe cobra o preço.

"Mandou bem, garoto!", comemora Tuck, à medida que seu jogador de defesa acerta um passe contra o goleiro de Logan, fazendo o placar acender.

"Ah, que merda!" Logan pausa o jogo e me lança um olhar furioso. "Porra, G.! Acabei de levar um drible por sua causa."

Não respondo, porque *eu* estou distraído — pelo amasso seminu acontecendo no canto da sala. Dean se deu bem de novo. Descalço e sem camisa, está esparramado na poltrona com uma loura só de sutiã preto de renda e shortinho, montada em cima dele e se esfregando contra sua virilha.

Seus olhos azul-escuros me fitam por cima do ombro da menina, e Dean sorri em minha direção. "Graham! Onde você estava, cara?", pergunta, com a voz arrastada.

E, antes que eu possa responder ao seu questionamento embriagado, volta a beijar a loura.

Por alguma razão, Dean gosta de dar amassos em todos os lugares, *menos* no próprio quarto. É sério. É só dar as costas, e ele está se atracando com alguém. No balcão da cozinha, no sofá da sala, na mesa de jantar

— o cara já se deu bem em todos os cantos da república que nós quatro dividimos. Ele pega todas e não está nem aí.

Até aí, eu também não tenho do que reclamar. Não sou nenhum monge; Logan e Tuck muito menos. O que posso fazer? Jogadores de hóquei têm um apetite voraz. Quando não estamos no gelo, em geral estamos com uma gata ou duas. Ou três, se seu nome for Tucker e estiver na festa de Réveillon do ano passado.

"Faz uma hora que estou te mandando mensagem, cara", me avisa Logan.

Ele curva os enormes ombros para a frente e pega a garrafa de uísque da mesa de centro. Logan é um brutamontes da linha de defesa, um dos melhores com quem já joguei, e o melhor amigo que já tive. Seu primeiro nome é John, mas nós o chamamos de Logan para diferenciá-lo de Tucker, que também se chama John. Por sorte, Dean é só Dean, então não precisamos chamá-lo pelo gigantesco sobrenome: Heyward-Di Laurentis.

"Sério, onde você se meteu?", resmunga Logan.

"Grupo de estudos." Pego uma Bud Light da mesa e abro a latinha. "Que história é essa de surpresa?"

Sei o quão bêbado Logan está pela ortografia das suas mensagens. E, esta noite, ele deve estar muito louco, porque tive que dar uma de Sherlock para decodificar o que queria dizer. *Suprz* era "surpresa". E *cdvcp* eu demorei um pouco mais para entender, mas *acho* que era "cadê você, porra". Em se tratando de Logan, quem pode adivinhar?

De seu canto no sofá, ele abre um sorriso tão grande que me espanto de sua mandíbula não se romper. Em seguida, aponta para o teto e diz: "Vai lá em cima dar uma olhada".

Aperto os olhos. "Por quê? Quem está lá?"

Logan prende o riso. "Se eu contar, não vai ser surpresa."

"Por que estou com a sensação de que você está aprontando alguma coisa?"

"Nossa", dispara Tucker. "Você tem sérios problemas de confiança, G."

"Diz o idiota que colocou um guaxinim vivo no meu quarto no primeiro dia de aula."

Tucker sorri. "Ah, qual é, o Bandit era fofo pra caralho. Foi um presente de volta às aulas."

Mostro o dedo do meio. "Pois é, mas foi um inferno me livrar do seu *presente*." Faço uma cara feia para ele, porque ainda lembro que precisei chamar três empresas de dedetização para tirar os rastros do bicho do quarto.

"Pelo amor de Deus", resmungou Logan. "Custa ir lá em cima? Confia em mim, você vai me agradecer."

Os dois trocam um olhar cúmplice que reduz minhas suspeitas. Mais ou menos. Quer dizer, não dá para baixar a guarda de vez; não com *esses* babacas por perto.

Pego mais duas latinhas e subo. Não costumo beber muito durante o campeonato, mas o treinador deu uma semana de folga para as provas, e ainda tenho dois dias de liberdade. Meus colegas de time, um bando de sortudos, parecem não ter problema nenhum em virar doze cervejas e mesmo assim jogar como profissionais no dia seguinte. Já eu? O menor porrezinho me deixa com uma baita dor de cabeça na manhã seguinte, e pareço uma criança aprendendo a usar o primeiro par de patins.

Quando estivermos de volta à rotina de treino seis dias por semana, meu consumo de álcool vai voltar para o limite máximo de um por cinco. Uma cerveja em véspera de treino, cinco depois de um jogo. Sem exceção.

A ideia é aproveitar ao máximo o tempo que me sobra.

Armado com minhas cervejas, subo até o meu quarto. A suíte presidencial. Pode acreditar: eu usei mesmo o argumento de que "eu sou o capitão do time", e, vai por mim, valeu a pena. Banheira privativa, cara.

A porta está entreaberta, uma visão que me traz de volta todas as suspeitas. Olho pelo vão com cuidado, para me certificar de que não tem um balde cheio de sangue equilibrado lá no alto, em seguida, dou um empurrão de leve. A porta se abre, e passo por ela, preparado para uma emboscada.

E caio feito um patinho.

Só que é mais uma emboscada visual, porque, *puta merda*, a menina sentada na cama parece saída de um catálogo da Victoria's Secret.

Bom, sou homem. Não sei o nome de metade das coisas que ela está usando. Vejo renda, laços cor-de-rosa e muita pele de fora. E isso me deixa feliz.

"Você demorou." Kendall abre um sorriso sensual que diz *você está prestes a se dar muito bem, garotão*, e meu pau reage como era de se imaginar, ficando duro debaixo do fecho da calça. "Ia esperar mais cinco minutos e desistir."

"Então cheguei a tempo." Meus olhos percorrem a lingerie digna de babar, e pergunto, com a voz arrastada: "Ah, gata, isso tudo é só para mim?".

Seus olhos azuis escurecem, sedutores. "Você sabe que sim, gostoso."

Estou bem ciente de que soamos como personagens de um filme pornô dos mais cafonas. Mas dá um desconto... quando um homem entra em seu quarto e encontra uma mulher usando *isso*, fica disposto a reviver qualquer cena vulgar que ela queira, até aquela em que ele finge ser o entregador de pizza batendo na casa de uma coroa inteirona.

A primeira vez que Kendall e eu ficamos foi no verão, mais por conveniência do que por qualquer outra coisa, porque nós dois passamos as férias na cidade. Fomos a um bar umas duas vezes, uma coisa levou a outra, e, quando me dei conta, estava pegando uma gostosa de fraternidade. Mas quando as aulas voltaram, o negócio esfriou, e, fora umas mensagens safadas aqui e ali, não tinha visto Kendall até hoje.

"Imaginei que você iria querer se divertir um pouco antes dos treinos recomeçarem", diz ela, os dedos de unhas feitas brincando com o pequeno laço rosa no centro do sutiã.

"Acertou."

Seus lábios se curvam num sorriso, e ela fica de joelhos. Cara, os peitos quase pulam da coisa rendada que está usando. Ela me chama com o indicador. "Vem cá."

Não perco tempo e caminho a passos largos na direção dela. Porque... mais uma vez... Sou homem.

"Acho que você está um pouco vestido demais", observa. Em seguida, segura o cós da minha calça jeans e abre o botão. Baixa o zíper, e, um segundo depois, meu pau está em sua mão. Faz algumas semanas que não coloco roupa para lavar, por isso não tenho usado cueca até ajeitar melhor minha vida, e, pela forma como os olhos dela brilham, sei que gostou do que encontrou.

Quando me envolve com os dedos, deixo escapar um gemido da garganta. Isso. Não tem nada melhor do que a sensação da mão de uma mulher em seu pau.

Não, minto. A língua de Kendall entra em jogo, e, puta merda, é *muito* melhor do que a mão.

Uma hora depois, Kendall se aconchega em mim e deita a cabeça em meu peito. Nossas roupas estão espalhadas pelo chão do quarto, junto com duas embalagens vazias de camisinha e um tubinho de lubrificante que nem chegamos a usar.

Esse negócio de ficar abraçado me deixa apreensivo, mas não posso exatamente expulsá-la de casa depois de todo o esforço que fez para me agradar.

E isso também me preocupa.

Mulheres não se enfeitam com lingerie cara para uma aventura de uma noite só, não é? Eu diria que não, e as próximas palavras de Kendall confirmam meus pensamentos incômodos.

"Senti sua falta, gato."

A primeira coisa que me vem à cabeça é *merda*.

E a segunda, *por quê?*

Afinal, durante todo o tempo em que ficamos, Kendall não fez o menor esforço para me conhecer. Quando não estávamos fazendo sexo, ela só falava dela própria sem parar. É sério, acho que, desde que nos conhecemos, nunca fez uma pergunta pessoal ao meu respeito.

"Hmm..." Tento encontrar as palavras, qualquer sequência que não consista em *também*, *senti*, *sua* e *falta*. "Tenho andado meio ocupado. Sabe como é, as provas."

"Claro. Somos da mesma faculdade. Também estava estudando." Sua voz soa ligeiramente mais ríspida. "Sentiu minha falta?"

Não acredito! Como responder a essa pergunta? Não vou mentir, porque isso só lhe daria esperanças. Mas não posso ser um babaca e admitir que ela nem sequer passou pela minha cabeça desde a última vez que a gente ficou.

Kendall senta na cama e franze a testa. "É uma pergunta que só dá para responder com sim ou não, Garrett. Você. Sentiu. Minha. Falta?"

Meu olhar desvia para a janela. Isso aí, moro no segundo andar e estou considerando saltar pela janela. Tamanho é o meu desespero para evitar essa conversa.

Mas meu silêncio fala mais alto, e, de uma hora para a outra, Kendall pula da cama, os cabelos louros voando em todas as direções, e junta suas coisas. "Ai, meu Deus. Você é um *babaca*! Nem liga para mim, não é, Garrett?"

Levanto e disparo em direção à minha calça jogada no chão. "Claro que ligo para você", protesto. "Mas..."

Ela veste a calcinha, irritada. "*Mas* o quê?"

"Mas achei que a gente estava na mesma. Não quero nada sério agora." E lanço um olhar furioso na direção dela. "Avisei isso desde o início."

Sua expressão se suaviza, e Kendall morde o lábio. "Eu sei, mas... só achei que..."

Sei exatamente o que achou — que me apaixonaria perdidamente por ela, e que o nosso caso se transformaria numa porcaria de *Diário de uma paixão*.

Sério, não sei por que me dou ao trabalho de explicar as regras do jogo. Por experiência própria, mulher nenhuma entra numa relação sem compromisso achando que vai *continuar* sem compromisso. Ela pode dizer que não, quem sabe até se convencer de que topa esse negócio de sexo casual, mas, lá no fundo, torce e reza para que a relação se transforme em algo mais profundo.

É aí que eu, o vilão em minha comédia romântica pessoal, entro em cena e estouro a bolha de esperança, apesar de nunca ter escondido minhas intenções ou a enganado, nem mesmo por um segundo.

"O hóquei é a minha vida", digo, rispidamente. "Treino seis dias por semana, jogo vinte partidas por ano... mais, se chegarmos às finais. Não tenho tempo para uma namorada, Kendall. E você merece muito mais do que posso oferecer."

A infelicidade turva seus olhos. "Não quero uma aventura casual atrás da outra. Quero ser sua namorada."

Mais um *por quê?* quase me salta pela boca, mas mordo a língua. Se ela tivesse demonstrado qualquer interesse em mim fora do sentido carnal, poderia acreditar nisso, mas como esse nunca foi o caso, chego a pensar que a única razão para Kendall querer um relacionamento comigo é porque sou algum tipo de símbolo de status para ela.

Engulo a frustração e ofereço outro pedido de desculpas desajeitado. "Sinto muito. Mas é a minha palavra final."

Enquanto abotoo a calça, ela se concentra em vestir suas roupas. Embora *roupas* seja uma espécie de exagero — Kendall está só de lingerie e sobretudo. Isso explica por que Logan e Tucker estavam rindo feito dois bobos quando entrei em casa. Porque quando uma menina bate à sua porta de sobretudo, você sabe muito bem o que tem debaixo dele.

"A gente não pode mais se ver", anuncia ela, afinal, o olhar cruzando o meu. "Se a gente continuar fazendo... isso... só vou ficar mais apegada."

Não tenho como argumentar, então nem tento. "Mas pelo menos a gente se divertiu, não foi?"

Depois de um instante de silêncio, ela sorri. "É, a gente se divertiu."

Kendall se aproxima e fica na ponta dos pés para me beijar. Eu a beijo de volta, mas não com a mesma paixão de antes. Mantenho a linha. E o respeito. O caso acabou, e não vou mais dar esperanças.

"Dito isso..." Seus olhos brilham, travessos. "Se mudar de ideia sobre essa história de namorada, é só me avisar."

"Você vai ser a primeira a saber", prometo.

"Ótimo."

Ela estala um beijo em minha bochecha e sai pela porta, me deixando para trás, bobo de ver o quão fácil foi tudo isso. Tinha me preparado para uma briga, mas, fora a explosão inicial de raiva, Kendall aceitou a situação muito bem.

Se todas as mulheres fossem tão agradáveis quanto ela...

É isso aí, estou falando da tal Hannah.

Sexo sempre me desperta o apetite, então desço até o térreo em busca de comida e fico feliz em descobrir que sobrou um pouco de arroz com frango frito do Tuck, o chef da casa, porque o restante de nós é incapaz de ferver água sem se queimar. Tuck, por outro lado, cresceu no Texas com uma mãe solo que o ensinou a cozinhar quando ainda sujava a fralda.

Eu me acomodo na bancada, enfio um pedaço de frango na boca e vejo Logan se aproximar só de cueca xadrez.

Ele levanta uma sobrancelha ao me ver. "Ei. Não achei que fosse encontrar você por aqui esta noite. Imaginei que iria estar MOT."

"MOT?", pergunto, entre uma mordida e outra. Logan gosta de inventar siglas na esperança de que vamos começar a usá-las como gíria, mas na maioria das vezes não tenho a menor ideia do que está falando.

Ele ri. "Muito ocupado transando."

Reviro os olhos e dou uma garfada no arroz.

"Sério, a loura já foi?"

"Já." Mastigo antes de prosseguir. "Ela conhece as regras." As regras, no caso, são: nada de namorar, muito menos passar a noite juntos.

Logan apoia o antebraço na bancada, os olhos azuis brilhando ao mudar de assunto. "Mal posso esperar pelo jogo com o St. Anthony, neste fim de semana. Ficou sabendo? A suspensão de Braxton acabou."

Isso fisga minha atenção. "Não brinca. Ele vai jogar no sábado?"

"Certeza que vai." A expressão no olhar de Logan é de puro deleite. "Vou adorar esmagar a cara daquele idiota no rinque."

Greg Braxton é o lateral esquerda estrelinha do St. Anthony e uma criatura absolutamente desprezível, com uma índole sádica que faz questão de extravasar no gelo. Quando nossos times se encontraram num amistoso, mandou um dos nossos defensores, um aluno do segundo ano, para o pronto-socorro com um braço quebrado. Daí a suspensão por três partidas, embora, se dependesse de mim, o psicopata teria sido banido do hóquei universitário para o resto da vida.

"Senta o braço. Eu cubro você", garanto.

"Vou cobrar essa promessa, hein? Ah, e na semana que vem vamos pegar o Eastwood."

Preciso prestar mais atenção ao nosso calendário. O Eastwood College está em segundo lugar na nossa chave (atrás da gente, claro), e nossos duelos são sempre emocionantes.

E, cacete, de repente me dou conta de que preciso gabaritar a segunda chamada de ética ou não vou poder entrar no rinque contra eles.

"Merda", resmungo.

Logan rouba um pedaço de frango do meu prato. "O que foi?"

Ainda não comentei a situação das minhas notas com os meus colegas de hóquei, porque tinha esperança de não ir tão mal nas provas, mas agora parece que não tenho mais como escapar da confissão.

Com um suspiro, conto a Logan sobre o zero que tirei em ética e o que isso pode significar para o time.

"Tranca a matéria", diz ele, na mesma hora.

"Não posso. Perdi o prazo."

"Droga."

"Pois é."

Trocamos um olhar desanimado, então Logan desaba no banco ao lado do meu e passa a mão pelos cabelos. "Então você tem que tomar jeito, cara. Enfia a cara nos livros e gabarita essa porra. A gente precisa de você, G."

"Eu sei." Aperto o garfo em minha mão, frustrado, em seguida deixo-o na bancada. Perdi a fome. Este é o meu primeiro ano como capitão, o que é uma honra e tanto, considerando que ainda estou no penúltimo ano. Espera-se de mim que eu repita os feitos do capitão anterior e conquiste mais um campeonato nacional para o time, mas como vou fazer isso se não estiver no rinque?

"Estou arrumando umas aulas particulares com outra aluna", tranquilizo meu colega. "A mulher é um gênio."

"Ótimo. Pague o preço que ela pedir. Posso contribuir se você precisar."

Não consigo conter um sorriso. "Uau. Você está se oferecendo para abrir mão do seu tão querido dinheirinho? Deve estar mesmo *desesperado* para me ver no time."

"Pode apostar. Tudo pelo sonho, cara. Eu e você de uniforme do Bruins, lembra?"

Tenho que admitir que é um baita sonho. É só o que Logan e eu falamos desde que viramos colegas de república, no primeiro ano. Não tenho dúvidas de que vou virar profissional quando me formar. E não tenho dúvidas de que Logan também vai ser convocado. O cara é mais rápido que um raio e um completo animal no gelo.

"Trata de subir essa nota, G.", ordena ele. "Ou vou acabar com a sua raça."

"Quem vai acabar comigo vai ser o treinador." Forço um sorriso. "Não esquenta. Vou dar um jeito."

"Certo." Logan rouba mais um pedaço de frango antes de deixar a cozinha.

Engulo o restante da comida e subo novamente para procurar meu celular. Hora de aumentar a pressão na "Hannah que não começa com M".

3

HANNAH

“Realmente acho que você devia cantar a última nota em mi maior”, insiste Cass. Parece um disco arranhado, repetindo a mesma sugestão absurda toda vez que terminamos de repassar nosso dueto.

Considero-me uma pacifista. Não acredito em resolver problemas na base da violência. Para mim, lutas organizadas são uma verdadeira barbárie, e a ideia de uma guerra me dá náuseas.

No entanto, estou a *um passo* de dar um murro na cara de Cassidy Donovan.

“A nota é baixa demais para mim”, digo, com firmeza, mas é impossível esconder a irritação.

Frustrado, Cass ajeita o cabelo escuro ondulado com uma das mãos e se vira para Mary Jane, que está inquieta, pouco à vontade, na banqueta do piano. “Você sabe que tenho razão, M.J.”, implora a ela. “Vamos criar muito mais impacto se terminarmos na mesma nota, em vez de seguir a harmonização.”

“Pelo contrário, o impacto vai ser muito maior com a harmonização”, argumento.

Estou prestes a arrancar os cabelos. Sei exatamente o que Cass está tramando. Quer que a música termine na nota *dele*. Desde que a gente resolveu se juntar para o festival de inverno, ele tem aprontado esse tipo de coisa, fazendo o possível para ressaltar a própria voz e me colocar de escanteio.

Se eu soubesse a diva que o cara é, teria corrido desse dueto como o diabo foge da cruz, mas o filho da mãe resolveu só mostrar a que veio *depois* que começamos os ensaios, e agora é tarde demais para pular fora.

Investi muito neste número e, para falar a verdade, sou completamente apaixonada pela música. Mary Jane escreveu uma canção fantástica, e parte de mim não está com a menor vontade de decepcioná-la. Além do mais, tenho provas concretas de que a faculdade prefere duetos a solos, porque as últimas quatro apresentações dignas de bolsa foram duetos. Os juízes ficam loucos com harmonias complexas, o que essa composição tem de sobra.

"M.J.?", insiste Cass.

"Hmm..."

Dá para ver a loura mignon praticamente se derretendo sob o olhar magnético de Cass. O sujeito tem esse poder sobre as mulheres. É bonito de doer, além de ter uma voz fenomenal. Infelizmente, tem total consciência de ambas as qualidades e nenhum escrúpulo em usá-las a seu favor.

"Talvez Cass tenha razão", murmura M.J., evitando meus olhos ao me trair. "Por que a gente não tenta o mi maior, Hannah? Só uma vez, para ver qual dos dois funciona melhor."

Até tu, Brutus?!, tenho vontade de gritar, mas mordo a língua. Como eu, faz semanas que M.J. tem sido forçada a lidar com as exigências absurdas de Cass e suas ideias "geniais", e ela não tem culpa de se esforçar para encontrar uma solução.

"Certo", resmungo. "Vamos tentar."

O triunfo brilha nos olhos de Cass, mas não se demora por ali, porque quando terminamos a música, fica óbvio que a sugestão dele é uma bela porcaria. A nota é baixa demais para mim e, em vez de realçar a deslumbrante voz barítono do meu par, me faz soar tão desafinada que desvia a atenção dele.

"Acho melhor Hannah continuar na nota original." Mary Jane ergue o olhar para Cass e morde o lábio inferior, como se temesse a reação dele.

Embora seja arrogante, Cass não é burro. "Tudo bem", retruca. "A gente faz do seu jeito, Hannah."

Cerro os dentes. "Obrigada."

Felizmente, nosso tempo acaba e temos de liberar a sala de ensaios para uma das aulas do primeiro ano. Ansiosa para sair dali, pego depressa minha partitura e visto meu casaco de lã. Quanto menos tempo perto de Cass, melhor.

Nossa, não suporto esse cara.

Ironicamente, estamos ensaiando uma canção de amor.

"Mesmo horário amanhã?" Ele me fita, esperando a resposta.

"Não, amanhã é às quatro, lembra? Trabalho toda quinta à noite."

Seu rosto se cobre de desgosto. "A gente já teria essa música na ponta da língua, sabe, se a sua agenda não fosse tão... concorrida."

Arqueio uma das sobrancelhas. "Disse o cara que se recusa a ensaiar nos fins de semana. Porque *eu* estou disponível tanto nas noites de sábado *quanto* de domingo."

Cass faz uma careta e vai embora sem dizer uma palavra.

Babaca.

Deixo escapar um suspiro profundo. Então me viro e percebo que M.J. continua no piano, ainda mordendo o lábio inferior.

"Sinto muito, Hannah", diz, baixinho. "Quando chamei vocês para cantar minha música, não achei que Cass seria tão difícil."

Minha irritação desaparece quando percebo o quanto ela está chateada. "Ei, não é culpa sua", tranquilizo-a. "Também não imaginei que ele pudesse ser tão filho da mãe. Mas o cara não deixa de ser um cantor excepcional, então vamos tentar nos concentrar nisso, tá?"

"Você também é uma cantora excepcional. Por isso escolhi vocês dois. Não poderia imaginar mais ninguém dando vida a essa música, sabe?"

Sorrio para ela. É um doce de pessoa, sem contar que é uma das compositoras mais talentosas que já conheci. Todas as músicas do festival têm de ser escritas por um aluno do curso de composição musical, e, antes mesmo de M.J. vir falar comigo, já planejava pedir para usar uma das canções dela.

"Prometo que vou fazer jus à sua música, M.J. Não liga pros chiliques do Cass. Acho que ele só discute pelo prazer de discutir."

Ela ri. "É, deve ser. Até amanhã."

"Até. Quatro em ponto."

Aceno de leve, saio da sala e sigo em direção à rua.

Uma das coisas que mais gosto na Briar é o campus. Os prédios antigos e cobertos com eras se conectam aos outros por caminhos de paralelepípedos ladeados por olmos enormes e bancos de ferro forjado. A universidade é uma das primeiras do país, e o rol de ex-alunos ostenta dezenas de pessoas influentes, inclusive mais de um presidente.

Mas a melhor coisa na Briar é a segurança. É sério, a taxa de criminalidade é quase zero, o que provavelmente tem muito a ver com a dedicação do reitor Farrow. A universidade investe uma tonelada de dinheiro nisso, mantendo câmeras estrategicamente posicionadas e guardas patrulhando o campus vinte e quatro horas por dia. Para ser sincera, mal reparo neles quando estou circulando por aí.

Meu alojamento fica a cinco minutos do prédio de música, e suspiro aliviada quando passo pelas imensas portas de carvalho da Bristol House. Foi um dia longo, e tudo o que quero é tomar um banho quente e me arrastar para a cama.

O dormitório que divido com Allie parece mais uma suíte do que um quarto de alojamento normal, e essa é uma das vantagens de estar na segunda metade do curso. Temos dois quartos, uma pequena área comum e até uma cozinha — menor ainda. O único ponto negativo é que precisamos dividir o banheiro com as outras quatro meninas do nosso andar, mas, por sorte, nenhuma delas é bagunceira, então as privadas e os chuveiros em geral estão brilhando de limpos.

"Ei. Você demorou hoje", diz Allie da porta do meu quarto, sugando o canudinho do copo em sua mão. Está bebendo algo verde, grosso e absolutamente repugnante, mas é uma visão à qual aprendi a me acostumar. Faz duas semanas que minha colega de alojamento virou "a louca dos sucos", o que significa que, toda manhã, acordo com o barulho ensurdecedor do liquidificador, enquanto ela prepara a bebida-refeição nojenta do dia.

"Tive ensaio." Chuto os sapatos para um canto e jogo o casaco na cama, então começo a tirar a roupa até ficar só de calcinha e sutiã, apesar de Allie ainda estar junto à porta.

Teve uma época em que eu era tímida demais para ficar nua na frente dela. Quando dividíamos um quarto duplo no primeiro ano, passei as primeiras semanas trocando de roupa debaixo da coberta ou esperando que Allie saísse do quarto. Mas o negócio é que, na faculdade, não existe isso de privacidade, e mais cedo ou mais tarde você tem de aceitar esse fato. Ainda me lembro da vergonha que senti quando vi os peitos de

Allie, mas ela não tem o menor pudor — quando notou que eu estava olhando, deu uma piscadinha e disse: "Tá tudo em cima, né?".

Depois disso, parei de me vestir debaixo da coberta.

"Então..."

A casualidade com que ela abre a conversa me faz levantar a guarda. Tem dois anos que moro com Allie. Tempo o suficiente para saber que quando ela começa uma frase com "Então..." lá vem alguma coisa que não quero ouvir.

"O quê?", pergunto, pegando meu roupão pendurado atrás da porta.

"Vai ter uma festa na casa Sigma na quarta à noite." Seus olhos azuis adquirem um brilho fixo. "Você vai comigo."

Solto um gemido. "Uma festa de fraternidade? Nem pensar."

"Ah, vai sim." Ela cruza os braços. "As provas já acabaram, não tem desculpa. E você me prometeu fazer um esforço para ser mais sociável este ano."

Eu *tinha* mesmo prometido aquilo, mas... o problema é o seguinte: odeio festas.

Fui estuprada numa festa.

Nossa, como detesto essa palavra. Estupro. É uma das poucas que causam aquele efeito de nó nas vísceras quando você ouve. Feito um tapa estalado na cara ou o choque de um banho de água gelada na sua cabeça. É feia e desmoralizante, e faço uma força tremenda para não deixar isso controlar a minha vida. Já trabalhei em minha mente o que aconteceu comigo. Pode acreditar, trabalhei mesmo.

Sei que não foi minha culpa. Sei que não provoquei nem fiz nada para causar o que aconteceu. E isso não sepultou minha habilidade de confiar nas pessoas ou me fez temer todos os homens que cruzam meu caminho. Anos de terapia me ajudaram a enxergar que o peso da responsabilidade é inteiramente *dele*. E não meu. Nem por um segundo. E a lição mais importante que aprendi é que não sou uma vítima, mas uma sobrevivente.

Mas isso não quer dizer que a agressão não tenha me modificado. Não há dúvidas de que mudei. Existe um motivo pelo qual carrego spray de pimenta na bolsa e deixo o número de emergência na discagem automática do celular, caso esteja andando sozinha à noite. Existe um motivo pelo qual não bebo em público nem aceito bebidas de ninguém, nem mesmo de Allie, porque sempre há a chance de ela me passar sem querer um copo batizado.

E existe um motivo pelo qual não vou a festas. Acho que é a minha versão do transtorno de estresse pós-traumático. Um som, um cheiro ou um vislumbre de algo inofensivo traz à tona as memórias. Ouço a música alta e o burburinho de gente conversando e rindo. Sinto o cheiro de cerveja velha e suor. Estou no meio de uma multidão. E, de repente, tenho quinze anos de novo e estou na festa de Melissa Mayer, presa em meu próprio pesadelo.

Allie alivia o tom ao ver a aflição em meu rosto. "A gente já fez isso antes, Han-Han. Vai ser como antigamente. Não vou tirar os olhos de você, e não vamos beber uma gota sequer. Prometo."

A vergonha faz meu estômago revirar. Vergonha e arrependimento, além de uma pitada de espanto, porque, cara, ela é mesmo uma amiga inacreditável. Allie não precisa ficar sóbria nem me vigiar de perto para me deixar à vontade, e, ainda assim, é exatamente o que ela faz toda vez que saímos. E é por isso que adoro essa menina.

Mas, ao mesmo tempo, odeio que ela tenha de ter todos esses cuidados comigo.

"Tudo bem", dou o braço a torcer, não apenas por ela, mas por mim também. É verdade que prometi a ela que seria mais sociável, e também jurei a mim mesma que faria um esforço para tentar fazer coisas diferentes este ano. Relaxar um pouco e parar de ter tanto medo do desconhecido. Uma festa de fraternidade pode não ser a minha opção preferida de lazer, mas quem sabe não acabo me divertindo.

O rosto de Allie se ilumina. "Oba! Nem precisei usar meu trunfo."

"Que trunfo?", pergunto desconfiada.

Um sorriso se delineia nos cantos de seus lábios. "Justin vai estar lá."

Meu pulso dispara. "Como você sabe?"

"Sean e eu encontramos com ele no refeitório, e ele disse que vai. Acho que vários dos trogloditas do time já estavam planejando ir."

Faço uma cara feia. "Ele não é um troglodita."

"Ahn, que bonitinha, defendendo um jogador de futebol americano. Espera aí, deixa eu ver se tem alguma vaca tossindo ali fora."

"Muito engraçado."

"Sério, Han, é *esquisito*. Não me leve a mal, acho o máximo você estar a fim de alguém. Já faz, o quê, um ano desde que você e Devon terminaram? Só não entendo como você, entre todas as pessoas, possa ter se interessado por um atleta."

O desconforto sobe por minha coluna. "Justin não é... como os outros. Ele é diferente."

"Disse a menina que nunca trocou uma palavra com ele."

"Ele é diferente", insisto. "É quieto, sério e, pelo que pude perceber, não pega qualquer coisa que use saia igual aos colegas do time. Ah, e é inteligente... Semana passada estava lendo Hemingway no jardim da faculdade."

"No mínimo, alguma leitura obrigatória."

"É nada."

Ela franze a testa. "Como você sabe?"

Sinto as bochechas corarem. "Uma menina perguntou na sala outro dia, e ele disse que Hemingway era o autor de que mais gostava."

"Ai, meu Deus. Você deu para bisbilhotar a conversa dos outros agora? Que coisa de psicopata." Ela deixa escapar um suspiro. "Certo, fechado. Quarta à noite você vai estabelecer uma conversa de verdade com o cara."

"Talvez", digo, sem querer me comprometer. "Se acabar rolando..."

"*Eu* vou dar um jeito de acontecer. Sério. Não vamos sair daquela república até você falar com Justin. Não quero nem saber se vai ser só 'Oi, tudo bem'. Você *vai* falar com ele." Ela ergue o indicador no ar. "*Capisce?*"

Deixo escapar um risinho.

"*Capisce?*", repete, com firmeza.

Depois de um segundo, solto um suspiro me rendendo. "*Capisco.*"

"Ótimo. Agora anda logo com esse banho pra gente poder ver uns dois episódios de *Mad Men* antes de dormir."

"*Um* episódio. Estou muito exausta para mais do que isso." E abro um sorriso para ela. "*Capisce?*"

"*Capisco*", resmunga, antes de sair, saltitante, do meu quarto.

Sorrio comigo mesma e pego o restante das coisas para tomar banho, quando surge outra distração — mal deixei o quarto e ouço um gato miar dentro da minha bolsa. Escolhi o lamento estridente como toque de mensagem porque é o único irritante o suficiente para chamar minha atenção.

Coloco meus itens de banho na cômoda, vasculho a bolsa até achar o celular e dou uma olhada na mensagem na tela.

Oi, é o Garrett. Queria confirmar os detalhes sbr as aulas partcl.

Ah, não acredito!

Não sei se tenho vontade de rir ou de chorar. O cara é determinado, nisso tenho de dar o braço a torcer. Suspirando, digito uma resposta rápida e nem um pouco gentil.

Eu: *Como vc conseguiu esse num?*

Ele: *Lista d chamada grp d estudos.*

Droga. Eu tinha me inscrito no grupo no início do semestre, mas isso foi antes de Cass e eu decidirmos que *tínhamos* de ensaiar segundas e quartas na hora exata do grupo de estudos.

Outra mensagem aparece na tela antes que eu possa responder, e quem disse que é impossível inferir o tom de voz de uma pessoa por um torpedo estava definitivamente errado. Porque o tom de Garrett é irritante no último nível.

Ele: *Se vc tivesse aparecido no grp, eu n precisaria mandar msg.*

Eu: *E vc continua n precisando me mandar msg. Na vdd, preferia q n tivesse mandado.*

Ele: *O q vc precisa p dizer sim?*

Eu: *Absolutamente nada.*

Ele: *Ótimo. Então pode fazer d graça.*

O suspiro que estava reprimindo me escapa.

Eu: *Vai sonhando.*

Ele: *Q tal amanhã d noite? Estou livre às 8.*

Eu: *Não posso. Peguei gripe espanhola. Altamente contagiosa. Acabo d salvar sua vida, cara.*

Ele: *Ah, obrigado pela preocupação. Mas sou imune a pandemias q dizimaram quarenta milhões de pessoas de 1918 a 1919.*

Eu: *Como q vc sabe tnt assim d pandemias?*

Ele: *Sou aluno d história, gata. Sei um monte d coisas inúteis.*

Eca, lá vem ele de novo com esse negócio de gata. O.k., está mais do que na hora de pôr um fim nisso.

Eu: *Bem, mt bom falar c/ vc. Boa sorte na segunda chamada.*

Depois de vários segundos sem nenhuma resposta de Garrett, dou um *high five* mentalmente em mim mesma por ter me livrado do sujeito de uma vez por todas.

Estou quase na porta, quando uma mensagem de foto mia no meu celular. Contradizendo o bom senso, faço o download da imagem e, um segundo depois, um peito nu invade a tela. Isso mesmo. Um peitoral liso, musculoso, bronzeado e o tanquinho mais seco que já vi.

Não consigo deixar de bufar alto.

Eu: *Tá maluco?! Vc acabou d me mandar uma foto do seu peito!*

Ele: *Mandei. Ajudou?*

Eu: *A me espantar mais ainda? Sim. Parabéns!*

Ele: *A mudar d ideia. Tô tentando t convencer.*

Eu: *Tô fora. Vai tentar essa estratégia com outra. PS: a foto vai pro my-bri.*

Estou falando, claro, do MyBriar, o equivalente ao Facebook na universidade. Noventa e cinco por cento dos alunos estão lá.

Ele: *Beleza. Um monte d meninas vai gostar d ter uma imagem p lembrar na hora d dormir.*

Eu: *Deleta meu número, cara. Tô falando sério.*

Não espero a resposta. Só jogo o celular na cama e vou tomar meu banho.

4

HANNAH

A universidade fica a oito quilômetros da cidade de Hastings, em Massachusetts, que só tem uma rua principal e umas duas dúzias de lojas e restaurantes. O lugar é tão pequeno que é um milagre eu ter conseguido um trabalho de meio período ali, e agradeço a Deus por isso todos os dias, porque a maioria dos alunos é obrigada a dirigir uma hora até Boston se quiser trabalhar durante o ano letivo. Para mim, é uma viagem de dez minutos de ônibus — ou cinco, se for de carro — até o Della's, a lanchonete em que trabalho como garçonete desde o primeiro ano da faculdade.

Esta noite a sorte está do meu lado: vim de carro. Tenho um combinado com Tracy, uma das meninas no nosso andar. Ela me deixa usar o carro quando não precisa, desde que eu devolva com o tanque cheio. É o acordo perfeito, principalmente no inverno, quando tudo fica coberto de neve, parecendo um rinque de patinação.

Não morro de amores pelo meu trabalho, mas também não odeio o que faço. Paga bem e é perto do campus, não tenho do que reclamar.

Esquece que falei isso... Hoje tenho todo o direito do mundo de reclamar. Porque trinta minutos antes do fim do expediente, vejo Garrett Graham numa das mesas do meu setor.

Sério?

O cara não desiste *nunca*?

Não estou com a menor vontade de atendê-lo, mas não tenho escolha. Lisa, a outra garçonete, está ocupada tirando o pedido de um grupo de professores numa mesa do outro lado do salão, e minha chefe, Della, está atrás do balcão azul bebê de fórmica, servindo fatias de torta de nozes para três calouras sentadas nos bancos giratórios à sua frente.

Fecho a cara e caminho até Garrett, deixando minha insatisfação bem evidente ao encarar seus olhos cinzentos reluzentes. Ele passa os dedos pelos cabelos escuros e abre um sorriso torto.

"Oi, Hannah. Que prazer encontrar você aqui."

"Imenso", murmuro, puxando o bloco de pedidos do bolso do avental. "O que vai querer?"

"Uma professora particular."

"Desculpa, está em falta." Sorrio, com gentileza. "Mas a torta de nozes é uma delícia."

"Sabe o que fiz na noite passada?", ele pergunta, ignorando meu sarcasmo.

"Sei. Ficou enchendo o meu saco com aquelas mensagens."

Ele revira os olhos. "Quis dizer antes disso."

Finjo pensar um pouco. "Hmm... pegou uma líder de torcida? Não, pegou o time feminino de hóquei. Não, espera, vai ver elas não são fúteis o suficiente para você. Vou ficar com a primeira opção... líder de torcida."

"No caso, uma garota de fraternidade", responde, convencido. "Só que queria dizer antes disso." Ele ergue uma das sobrancelhas escuras. "Mas tô muito intrigado com seu interesse na minha vida sexual. Posso dar mais detalhes uma outra hora, se você quiser."

"Não quero."

"Outra hora", repete ele, num tom desdenhoso, juntando as mãos sobre o tecido xadrez azul e branco da toalha de mesa.

Garrett tem os dedos longos, as unhas curtas e as juntas ligeiramente avermelhadas e arranhadas. Me pergunto se andou brigando recentemente, mas logo me dou conta de que deve ser por causa do hóquei.

"Eu tava no grupo de estudos", me informa ele. "Tinha mais oito pessoas lá, e sabe qual era a nota mais alta?" Ele praticamente cospe a resposta antes que eu possa tentar adivinhar. "Seis. E nossa média combinada era de quatro. Como vou passar na segunda chamada se tô estudando com gente tão burra quanto eu? *Preciso* de você, Wellsy."

Wellsy? Isso foi um apelido? Como ele sabe que meu sobrenome é Wells? Nunca disse... argh! A porcaria da lista de chamada.

Garrett nota meu olhar surpreso e arqueia as sobrancelhas novamente. "Aprendi um monte de coisas sobre você no grupo de estudos. Seu telefone, seu nome completo, até onde você trabalha."

"Parabéns, você é mesmo um psicopata."

"Não, só sou meticuloso. Gosto de conhecer meu adversário."

"Ai, meu santo! Não vou dar aula para você, entendeu? Vai encher o saco de outro." E aponto para o cardápio diante dele. "Quer pedir alguma coisa? Porque se não quiser, por favor, vai embora e me deixa trabalhar em paz."

"Ai, meu santo?" Garrett dá uma risadinha antes de pegar o cardápio laminado e passar os olhos superficialmente. "Vou querer um sanduíche de peru." Ele baixa o cardápio, mas logo em seguida o levanta novamente. "E um hambúrguer duplo com bacon. Só o hambúrguer, sem batata frita. Quer dizer, mudei de ideia... vou querer batata frita sim. Ah, e *onion rings* de acompanhamento."

Meu queixo quase bate no chão. "Vai comer tudo isso?"

Ele sorri. "Claro. Sou um menino em fase de crescimento."

Menino? Tá bom. Só agora me dou conta — provavelmente porque estava distraída demais com o quão insuportável ele consegue ser —, mas Garrett Graham é um *homem* completo. Não tem nada de menino, nem nas feições esculpidas, na altura ou no peito musculoso, que, de repente, me volta à memória na imagem da foto que me mandou.

"Também vou querer uma fatia da torta de nozes. E, para beber, um Dr. Pepper. Ah, e umas aulas particulares."

"Estão em falta", digo, animada. "Mas o resto é pra já."

Antes que ele consiga argumentar, me afasto da mesa e vou até o balcão dos fundos para passar o pedido para Julio, o cozinheiro da noite. Um microssegundo depois, Lisa corre na minha direção e sussurra:

"Ai, meu Deus. Você sabe quem ele é, não sabe?"

"Sei."

"É Garrett Graham."

"Isso aí", respondo, secamente. "Por isso que eu disse *sei*."

Lisa parece chocada. "Qual é o seu problema? Por que você não tá tendo um troço? *Garrett Graham* tá *sentado* no *seu* setor da lanchonete. Ele *falou* com você."

"Minha nossa, falou? Quero dizer, os lábios dele se moveram, mas não tinha percebido que estava falando."

Reviro os olhos e vou até a área de bebidas pegar o refrigerante de Garrett. Não olho na direção dele, mas posso sentir seus olhos cinzentos acompanhando cada movimento meu. No mínimo está mandando ordens telepáticas para que eu aceite dar as aulas particulares. Bom, problema dele. De jeito nenhum vou gastar o pouco tempo livre que tenho com um jogador de hóquei universitário que se acha um astro do rock.

Lisa vem atrás de mim, alheia ao meu sarcasmo e ainda arrebatada por Garrett. "Ele é maravilhoso. Inacreditavelmente maravilhoso." Sua voz vira quase um sussurro. "E ouvi dizer que é tudo na cama."

Solto um riso de desdém. "Talvez ele mesmo tenha espalhado a fofoca."

"Não, foi Samantha Richardson que me falou. Ela ficou com ele no ano passado, na festa da casa Theta. Disse que foi o melhor sexo da vida dela."

Não tenho resposta, porque não estou nem aí para a vida sexual de uma menina que nem conheço. Limito-me a dar de ombros e pegar o refrigerante na geladeira. "Quer saber? Por que você não o atende?"

Pelo modo como Lisa arfa, é como se eu estivesse oferecendo um cheque de cinco milhões de dólares a ela. "Tem certeza?"

"Claro. É todo seu."

"Ai, meu Deus." Minha colega dá um passo à frente como se fosse me abraçar, mas logo em seguida volta o olhar na direção de Garrett e repensa a possibilidade de externar a alegria terrivelmente injustificada. "Fico devendo essa, Han."

Minha vontade é dizer que, na verdade, ela está me fazendo um favor, mas Lisa já disparou na direção da mesa para servir seu príncipe. Assisto, divertida, à expressão de Garrett se anuviar à medida que minha colega se aproxima. Garrett pega o copo que ela pousa diante dele, então ergue os olhos para mim e acena de leve com a cabeça.

Como quem diz "Não vai ser *tão* fácil se livrar de mim".

GARRETT

Ela não vai se livrar *tão* fácil de mim.

Está na cara que Hannah Wells não conhece muitos atletas. Somos pessoas obstinadas, e a principal coisa que temos em comum? Nunca, jamais desistimos.

Tenho fé que vou convencer essa menina a me dar aulas, nem que tenha que morrer tentando.

Mas agora que Hannah me passou para a outra garçonete, vai demorar até ter outra oportunidade de advogar a meu favor. Suporto o flerte descarado e o interesse não dissimulado da morena de cabelos cacheados que está me servindo, mas, apesar de ser educado com ela, não flerto de volta.

Esta noite só estou interessado em Hannah, e fixo os olhos nela enquanto circula pelo salão. Não duvido nada que resolva fugir enquanto eu não estiver de olho.

Para ser sincero, o uniforme dela é bem sexy. Vestido azul-claro de colarinho branco e botões grandes na frente, e um avental curtinho em volta da cintura. Parece uma roupa saída de *Grease*, o que faz sentido, já que Della's é uma lanchonete de temática anos 50. Posso facilmente imaginar Hannah Wells naquela época. O cabelo escuro na altura dos ombros tem um leve ondular, e a franja está presa de lado com uma presilha azul, dando um ar antiquado.

Enquanto a assisto trabalhar, fico imaginando qual será sua história. Perguntei às pessoas do grupo de estudos, mas ninguém sabia muita coisa. Um cara disse que é de uma cidade pequena no Centro-Oeste. Outro, que namorou um membro de uma banda durante todo o segundo ano. Tirando esses dois míseros detalhes, a menina é um mistério completo.

"Mais alguma coisa?", pergunta minha garçonete, ansiosa.

Ela me olha como se eu fosse uma espécie de celebridade ou sei lá o quê, mas estou acostumado com a atenção. Fato: quando você é capitão de um time de hóquei universitário de primeira divisão que ganhou dois títulos consecutivos, as pessoas sabem quem você é. E as mulheres querem transar com você.

"Não, obrigado. Só a conta, por favor."

"Ah." Sua decepção é patente. "Claro. É pra já."

Antes de se afastar, faço uma pergunta ríspida. "Sabe quando o turno da Hannah acaba?"

Seu olhar de desilusão se transforma em surpresa. "Por quê?"

"Estamos numa aula juntos. Queria falar com ela sobre um trabalho."

A morena relaxa o rosto, mas um lampejo de suspeita permanece em seus olhos. "Na verdade, já acabou, mas ela só pode ir embora quando a mesa dela também for."

Dou uma olhada na única outra mesa ocupada da lanchonete, com um casal de meia-idade. O homem acabou de pegar a carteira, enquanto a esposa está examinando a conta através de óculos com aro de tartaruga.

Pago por minha comida, digo tchau para a garçonete e saio para esperar por Hannah. Cinco minutos depois, o casal mais velho caminha para fora da lanchonete. Um minuto depois, Hannah aparece, mas se me viu rondando a porta, não transparece nada. Simplesmente abotoa o casaco e caminha em direção à lateral do prédio.

Não perco tempo correndo atrás dela. "Wellsy, espere."

Ela olha por cima do ombro, franzindo a testa profundamente. "Pelo amor de Deus, *não vou* dar aulas para você."

"Vai sim." Dou de ombros. "Só preciso descobrir o que você quer em troca."

Hannah gira feito um tornado de cabelo preto. "O que eu quero é não dar aula para você. É *isso* que quero."

"Tudo bem, então tá na cara que você não quer dinheiro", penso em voz alta, como se ela não tivesse falado isso antes. "Tem que ter outra coisa." Reflito por um instante. "Álcool? Baseado?"

"Não e não, cai fora."

Ela volta a caminhar, o tênis branco batendo na calçada com força, à medida que se aproxima do cascalho do estacionamento na lateral da lanchonete. Dispara sem perder tempo na direção de um Toyota *hatch* prateado, parado ao lado do meu Jeep.

"Tudo bem. Acho que você não liga para esse tipo de entretenimento."

Sigo-a até o assento do motorista, mas ela me ignora por completo, abre a porta e joga a bolsa no banco do carona.

"Que tal um encontro?", sugiro.

Isso parece despertá-la. Hannah se endireita como se alguém tivesse enfiado uma barra de metal ao longo de sua coluna, então se vira para mim, incrédula. "O quê?"

"Ah. Consegui sua atenção."

"Não, conseguiu o meu desgosto. Você acha que quero sair com você?"

"Todo mundo quer sair comigo."

Hannah dá uma gargalhada.

Talvez eu devesse me sentir insultado pela reação, mas gosto do som da risada dela. Tem certa qualidade musical, um tom rouco que tremula no meu ouvido.

"Só por curiosidade", sugere, "quando você acorda de manhã, se admira no espelho por uma hora ou duas?"

"Duas", respondo, animado.

"E dá um *high five* no seu próprio reflexo?"

"Claro que não." Dou uma risadinha. "Beijo cada um dos meus bíceps, aponto para o teto e agradeço ao camarada lá de cima por criar um espécime tão perfeito."

Ela solta o ar com desdém. "Ah, tá. Bom, sinto muito por quebrar a sua cara, sr. Perfeito, mas não tô interessada em sair com você."

"Acho que você não entendeu, Wellsy. Não quero uma ligação amorosa com você. Sei que você não tá a fim. Se isso a deixa feliz, também não tô."

"Isso me deixa mesmo muito feliz. Tava começando a me preocupar que eu fosse de fato o seu tipo, e é uma ideia aterrorizante demais de conceber."

Quando tenta entrar no carro, agarro a porta para mantê-la aberta. "Tô falando de imagem", explico.

"Imagem", repete ela.

"É. Você não seria a primeira menina a sair comigo para aumentar a popularidade. Acontece o tempo todo."

Hannah ri de novo. "Tô perfeitamente satisfeita com a minha posição na hierarquia social, mas muito obrigada por se oferecer para 'aumentar minha popularidade'. Muito gentil da sua parte, Garrett. Mesmo."

A frustração dá um nó em minha garganta. "O que você precisa para mudar de ideia?"

"Nada. Você tá perdendo seu tempo." Ela balança a cabeça, parecendo tão frustrada quanto eu. "Sabe de uma coisa, se você transferir toda essa dedicação em me azucrinar para os estudos, vai tirar dez na prova."

Hannah empurra minha mão, senta no banco e bate a porta. Um segundo depois, o motor está rugindo, e, se eu não tivesse dado um passo para trás, ela com certeza teria passado por cima do meu pé.

Será que Hannah Wells foi atleta em outra vida? Que mulher teimosa.

Com um suspiro, fito as lanternas vermelhas e tento pensar em meu próximo passo.

Nada me vem à cabeça.

5

HANNAH

Allie mantém a palavra. Faz vinte minutos que chegamos à festa, e ela não desgrudou de mim, apesar de o namorado estar implorando para dançar desde que pusemos o pé aqui.

Estou me sentindo uma idiota.

"Tá bom, isso é ridículo. Vai dançar com Sean de uma vez." Tenho de gritar mais alto que a música — que, por incrível que pareça, até que é decente. Estava esperando umas batidas de boate de quinta categoria ou um hip-hop vulgar, mas quem quer que esteja cuidando do som parece ter alguma afinidade com rock indie e punk inglês.

"Nem pensar!", Allie grita de volta. "Vou ficar aqui, curtindo o som com você."

Claro, porque ficar de tocaia junto da parede feito uma maníaca e me observar agarrada à garrafa de água mineral que trouxe do alojamento é *muito* melhor do que dançar com o namorado.

A sala está lotada de gente. Garotos e garotas de fraternidade aos montes, mas há muito mais variedade do que o normal nesse tipo de evento. Vejo alguns alunos de teatro em volta da mesa de sinuca. Meninas do hóquei de grama conversando junto à lareira. Um grupo de rapazes que tenho certeza que são do primeiro ano perto do bar. Os móveis foram todos empurrados contra as paredes forradas de painéis de madeira para dar espaço para a pista de dança no centro da sala. Para onde quer que olhe, vejo gente dançando, rindo e falando besteira.

E a pobre Allie está grudada em mim feito velcro, incapaz de aproveitar um segundo da festa a que *ela* queria vir.

"Anda", insisto. "É sério. Você não vê Sean desde que as provas começaram. Merece um pouco de tempo livre com seu homem."

Ela hesita.

"Vou ficar bem. Katie e Shawna estão bem aqui... Vou conversar com elas um pouco."

"Tem certeza?"

"Claro. Vim aqui para socializar, lembra?" Sorrindo, dou um tapinha em sua bunda. "Sai pra lá, gata."

Ela sorri de volta e começa a se afastar, em seguida pega o iPhone e acena para mim. "Manda um S.O.S. se precisar de alguma coisa", grita. "E nem pense em ir embora sem me avisar!"

A música encobre minha resposta, mas ela me vê acenando antes de se virar. Observo seu cabelo louro movendo-se entre a multidão, e ela logo está ao lado de Sean, que, feliz, a leva para o meio da multidão na pista.

Viu só? Também posso ser uma boa amiga.

Só que agora estou sozinha, e as duas meninas a quem planejava me juntar estão falando com outros dois garotos bem bonitinhos. Não quero interromper o festival do flerte, então procuro em meio à aglomeração algum conhecido — até Cass seria um alento para meus olhos cansados neste momento —, mas não vejo ninguém familiar. Contendo um suspiro, me encolho em meu cantinho e passo alguns minutos observando as pessoas.

Depois de vários caras olharem na minha direção com interesse descarado, me recrimino por ter deixado Allie escolher minha roupa para a festa. O vestido está longe de ser indecente, bate no joelho e tem um decote comportado, mas marca minhas curvas mais do que eu gostaria, e os saltos pretos com que completei o visual fazem minhas pernas parecerem bem mais longas do que de fato são. Não discuti, porque queria chamar a atenção de Justin, mas, em minha aflição por despontar no radar dele, não pensei nos outros radares todos em que poderia aparecer, e essa atenção toda me deixa nervosa.

"Ei."

Viro a cabeça e acompanho um garoto bonitinho de cabelos castanhos ondulados e olhos azul-claros caminhando na minha direção. Está de camisa polo, segurando um copo de plástico vermelho na mão, e sorri para mim como se nos conhecêssemos.

"Hmm. Oi", respondo.

Quando percebe minha expressão confusa, abre ainda mais o sorriso. "Sou Jimmy. A gente faz literatura inglesa juntos, lembra?"

"Ah. Claro." Sinceramente, não lembro de tê-lo visto antes, mas essa turma tem uns duzentos alunos, então, depois de um tempo, todos os rostos se misturam.

"Você é Hannah, não é?"

Aceno, me ajeitando, desconfortável, pois seu olhar já baixou para os meus seios uma dezena de vezes nos cinco segundos em que estamos conversando.

Jimmy para, como se estivesse tentando pensar no que dizer. Nada me vem à cabeça também, porque sou péssima em jogar conversa fora. Se tivesse algum interesse nele, perguntaria sobre suas aulas, ou se trabalha, ou que tipo de música ouve, mas o único cara por quem me interesso no momento é Justin... e ele ainda não apareceu.

Eu me sinto uma total idiota procurando seu rosto na multidão. Verdade seja dita, Allie não é a única que está estranhando meu comportamento. Também me vejo diante da mesma dúvida, porque, sério, que obsessão é essa? O sujeito nem sabe que existo. Além do mais, é um atleta. Que merda. Seria melhor me interessar por Garrett Graham — pelo menos *ele* se ofereceu para sair comigo.

E adivinha? No segundo em que penso em Garrett, o diabo em pessoa entra na sala.

Não achei que fosse vê-lo esta noite, e, na mesma hora, abaixo a cabeça para que não note minha presença. Talvez, se me concentrar bastante, consiga me camuflar de parede, e ele nem vai saber que estou aqui.

Por sorte, Garrett não repara em mim. Para e conversa com um grupo de garotos, então caminha descontraído até o bar do outro lado da sala, onde, na mesma hora, é cercado por meia dúzia de meninas piscando e empinando os peitos para chamar a atenção.

Jimmy, ao meu lado, revira os olhos. "Nossa. O posto de fortão da universidade não cansa, né?"

Percebo que também está acompanhando Garrett com os olhos e vejo o desprezo patente em seu rosto. "Você não é muito fã de Graham?", pergunto, secamente.

"Quer saber a verdade ou a resposta oficial?"

"Resposta oficial?"

"Ele é membro desta fraternidade", explica Jimmy. "O que, tecnicamente, faz de nós *irmãos*." Ele reforça a palavra desenhando aspas no ar. "E um membro da Sigma ama *todos* os seus irmãos."

É impossível não rir. "Certo, então essa foi a resposta oficial. E a verdade, qual é?"

A música aumenta, então ele se aproxima de mim. Seus lábios estão a centímetros de minha orelha, quando confessa: "Não suporto o cara. Tem um ego maior do que esta casa".

Ora, vejam só... encontrei um semelhante. Outra pessoa que não é fã de carteirinha de Garrett.

Só que ele interpretou errado o sorriso de cumplicidade que ofereci, porque suas pálpebras tornaram-se pesadas. "Então... quer dançar?", pergunta, com a voz mole.

Não quero. Nem um pouco. Mas quando abro a boca para dizer não, noto um lampejo de cor preta no canto de minha visão. A camiseta de Garrett. Droga. Ele me viu e está vindo na nossa direção. A julgar pelo passo determinado, está pronto para duelar comigo de novo.

"Claro", disparo, pegando depressa na mão de Jimmy. "Vamos dançar."

Um sorriso lento se abre em seu rosto.

Ih... Talvez eu tenha soado empolgada demais.

Mas agora é tarde para mudar de ideia, porque ele está me levando em direção à pista. E, que sorte a minha, a música muda no instante em que chegamos a ela. Ramones dão lugar a Lady Gaga. E não é uma das faixas mais rápidas, mas a versão lenta de "Poker Face". Ótimo.

Jimmy pousa as mãos em meus quadris.

Um segundo depois, seguro seus ombros, relutante, e começamos a nos mover ao som da música. É embaraçoso pra caramba, mas pelo menos consegui me livrar de Garrett, que está nos encarando com a testa franzida, os dedos envolvendo os passadores da calça jeans desbotada.

Quando nossos olhares se cruzam, abro um meio-sorriso e uma cara de "o que posso fazer", e ele semicerra os olhos, como se soubesse que só estou dançando com Jimmy para não ter que falar com ele. Em seguida, uma loura bonita toca seu braço, e ele interrompe nosso contato visual.

Jimmy vira a cabeça para ver para quem estou olhando. "Você conhece Garrett?", pergunta, soando um pouco mais que receoso.

Dou de ombros. "Faz uma aula comigo."

"São amigos?"

"Não."

"Bom saber."

Garrett e a loura saem da sala, e, na mesma hora, me parabenizo pelo sucesso da minha tática de evasão.

"Ele mora aqui com vocês?" Meu Deus, essa música não acaba, estou tentando puxar papo porque me sinto obrigada a terminar a dança, depois de ter parecido tão "animada".

"Não, nem brinca", responde Jimmy. "Mora fora do campus. Está sempre tirando onda por causa disso, mas aposto que é o pai que paga o aluguel."

Enrugo a testa. "Por que você diz isso? A família dele é rica ou algo assim?"

Jimmy parece surpreso. "Você não sabe quem é o pai dele?"

"Não. Por quê? Deveria saber?"

"Phil Graham." Quando o vinco em minha testa se aprofunda, Jimmy explica. "Atacante do New York Rangers? Duas vezes campeão da Copa Stanley? Lenda do hóquei?"

O único time de hóquei de que já ouvi falar é o Chicago Blackhawks, e isso porque meu pai é torcedor fanático e me faz assistir às partidas com ele. Portanto, nunca ouvi falar num cara que jogou pelos Rangers há, o quê, vinte anos? Mas não é surpresa saber que Garrett vem da realeza do esporte. O senso de superioridade dele deve estar no sangue.

"Por que não fez faculdade em Nova York, então?", pergunto, educadamente.

"O pai terminou a carreira em Boston", explica Jimmy. "Imagino que a família tenha decidido ficar em Massachusetts depois que ele se aposentou."

Finalmente a música acaba, e invento a desculpa de que preciso usar o banheiro. Jimmy me faz prometer dançar com ele de novo, então dá uma piscadinha e se afasta para junto de um grupo que está jogando *beer pong*.

Como não quero que pense que menti a respeito do banheiro, sigo com a farsa da vontade de fazer xixi, deixando a sala de estar para vagar pela sala de visitas por um tempo, que é onde Allie me encontra, alguns minutos depois.

"Ei! Está se divertindo?" Seus olhos estão brilhando e tem as bochechas coradas, mas sei que não estava bebendo. Allie prometeu se manter sóbria, e ela nunca quebra suas promessas.

"É, acho que sim. Mas estava pensando em ir embora."

"Ah, não, você não pode ir agora! Acabei de te ver dançando com o Jim Paulson. Parecia estar se divertindo."

Sério? Então sou melhor atriz do que tinha imaginado.

"Ele é bonitinho", acrescenta ela, com um olhar sugestivo.

"Ah... não faz o meu tipo. Mauricinho demais."

"Bom, eu sei de alguém que *faz* o seu tipo." Allie mexe as sobrancelhas antes de baixar a voz para um sussurro. "Não vire agora, mas ele acabou de entrar."

Meu coração dispara feito uma pipa num tufão. *Não vire agora*? As pessoas não entendem que dizer esse tipo de coisa é garantia de conseguir exatamente o oposto?

Giro em direção a porta, então giro de volta para minha amiga, porque, *ai, meu Deus*. Ela tem razão. Justin finalmente apareceu.

E já que a olhadela que dei foi rápida demais, preciso de Allie para conseguir informações adicionais. "Está sozinho?", murmuro.

"Está com alguns colegas do time", sussurra ela de volta. "Mas nenhum deles está acompanhado."

Faço minha melhor interpretação de alguém apenas conversando com uma amiga e que não tem nenhum interesse no cara a três metros de distância. E funciona, porque Justin e os amigos passam direto por mim e por Allie, as risadas altas logo encobertas pela música.

"Você está vermelha", provoca ela.

"Eu sei." Solto um gemido baixo. "Droga. Essa paixonite é tão idiota, A. Por que você me deixa me envergonhar desse jeito?"

"Porque não vejo nada de idiota. E não tem vergonha nenhuma... é saudável." Ela pega meu braço e começa a me arrastar de volta para a sala de estar. O som da música está mais baixo agora, mas o burburinho continua a ressoar pelo ambiente. “Sério, Han, você é jovem e bonita, e quero que se apaixone. Não importa por quem, desde que... Por que Garrett Graham está encarando você?”

“Ele está me seguindo”, resmungo.

Ela ergue as sobrancelhas. “Jura?”

“É, pois é. Está reprovando em ética e sabe que fui bem na prova, então quer que eu dê aulas para ele. O cara não aceita ‘não’ como resposta.”

Ela prende o riso. “Acho que você deve ser a única que deu um fora nele.”

“Se o restante da população feminina fosse tão inteligente quanto eu...”

Olho por cima do ombro de Allie e vasculho a sala em busca de Justin, e meu pulso dispara assim que o vejo perto da mesa de sinuca. Está de calça preta e um suéter cinza e grosso de lã, o cabelo bagunçado cobrindo a testa larga. Nossa, como adoro esse visual “acabei de acordar”. Não é cheio de gelzinho no cabelo como os amigos, nem está usando a jaqueta do uniforme do time como os outros.

“Allie, traz essa bundinha linda de volta pra cá!”, grita Sean da mesa de pingue-pongue. “Preciso de minha parceira de *beer pong*!”

Seu rosto se colore com um rubor bonito. “Quer ver a gente detonar na mesa de pingue-pongue? Sem a cerveja”, acrescenta depressa. “Sean sabe que não tô bebendo hoje.”

Sinto outra pontada de culpa. “Não tem a menor graça sem cerveja”, digo, descontraída.

Ela faz que não com a cabeça, resoluta. “Prometi que não vou beber.”

“Não vou ficar muito mais mesmo”, argumento. “Então não tem por que você não se divertir.”

“Mas quero que você fique”, reclama ela.

“E se a gente fizer assim: eu fico mais meia hora, mas só se você se permitir se divertir de verdade? Sei que fizemos um acordo no primeiro ano, mas não quero mais te atrapalhar, A.”

Falo do fundo do coração, porque realmente odeio que ela tenha de ficar de babá toda vez que a gente sai. Não é justo. E depois de dois anos na Briar, está na hora de relaxar, pelo menos um pouco.

“Anda, quero ver você exibindo essas habilidades no *beer pong*.” Engancho meu braço no dela, que ri e me arrasta até Sean e seus amigos.

"Hannah!", exclama Sean, animado. "Você vai jogar?"

"Não", respondo. "Só vim torcer pra minha melhor amiga."

Allie se junta a Sean de um dos lados da mesa, e, pelos próximos dez minutos, assisto à partida mais intensa do planeta. Mesmo assim, não me desligo um segundo da presença de Justin conversando com os amigos do time do outro lado da sala.

Acabo me afastando, porque, enfim, realmente preciso usar o banheiro. Tem um no segundo andar da casa, perto da cozinha, mas a fila está imensa, e demora uma vida até a minha vez. Faço o que tenho de fazer depressa e saio do banheiro... batendo de cara com um peito musculoso.

"Cuidado por onde anda", uma voz rouca me repreende.

Meu coração para.

Os olhos escuros de Justin brilham divertidos, enquanto ele pousa a mão em meu braço para me equilibrar. No instante em que me toca, um calor percorre meu corpo e me deixa arrepiada.

"Desculpa", gaguejo.

"Sem problemas." Sorrindo, ele dá uma batidinha no próprio peito e acrescenta: "Você não quebrou nada".

De repente, me dou conta de que não há mais ninguém na fila do banheiro e somos só eu e Justin no corredor. Deus do céu, ele é ainda mais bonito de perto. E também muito mais alto do que eu tinha percebido — tenho de deitar a cabeça para trás para conseguir encará-lo nos olhos.

"Você está na turma de ética comigo, não é?", pergunta, em sua voz grave e sensual.

Assinto com a cabeça.

"Justin", se apresenta, como se houvesse alguém na Briar que não soubesse seu nome. Mas acho a modéstia uma graça.

"Hannah."

"Como foi na prova?"

"Dez", admito. "E você?"

"Sete."

Não consigo esconder a surpresa. "Sério? Então acho que somos sortudos. Todo mundo se deu mal."

"Acho que isso faz de nós inteligentes, não sortudos."

Seu sorriso me faz derreter. Sem brincadeira. Sou uma poça de meleca no chão, incapaz de me desviar daqueles olhos escuros e magnéticos. E que cheiro maravilhoso, parece sabonete e loção pós-barba com essência de limão. Seria muito estranho se eu enfiasse o rosto em seu pescoço para me sentir melhor?

Hmm... acho que sim. Seria.

"Então..." Tento pensar em algo inteligente ou interessante para falar, mas estou muito nervosa para ser espirituosa no momento. "Você joga futebol americano, né?"

Ele faz que sim. "No ataque. É uma fã?" Uma covinha surge em seu queixo. "Do jogo, digo."

Não sou, mas acho que posso mentir e fingir que gosto do esporte. O problema é que é uma jogada arriscada, porque ele pode tentar puxar assunto comigo, e não sei o suficiente para conduzir uma conversa inteira sobre futebol americano.

"Na verdade, não", confesso, com um suspiro. "Já assisti a uma partida ou duas, mas, para ser sincera, é devagar demais pro meu gosto. Parece que os jogadores correm por cinco segundos, alguém sopra um apito, e eles ficam parados por horas antes da próxima jogada."

Justin ri. Tem uma risada fantástica. Baixa e rouca, e posso senti-la até o dedão do pé. "É, já ouvi essa reclamação antes. Mas é diferente quando se está jogando. Muito mais intenso do que você pode imaginar. E quando você se interessa por um time ou alguns jogadores específicos, aprende as regras muito mais depressa." Ele deita a cabeça de lado. "Você deveria assistir a um de nossos jogos. Aposto que iria se divertir."

Caramba. Ele está me chamando para uma de suas partidas?

"Hmm, é, quem sabe eu..."

"Kohl!", uma voz me interrompe. "Está na nossa vez!"

Nós dois viramos, e um gigante de cabelos louros passa a cabeça pela porta da sala. É um dos colegas de time de Justin, está com uma expressão de total impaciência.

"Já vou", responde Justin. Em seguida, abre um sorriso arrependido ao dar um passo na direção do banheiro. "Big Joe e eu precisamos mostrar para todo mundo como que se joga sinuca, mas antes tenho que ir ao banheiro. Mais tarde a gente se fala?"

"Claro", respondo, casualmente. Mas não há nada de casual no jeito como meu coração está disparado.

Assim que Justin fecha a porta atrás de si, corro para a sala de estar com as pernas bambas. Estou doida para contar a Allie sobre o que acaba de acontecer, mas não tenho oportunidade. No segundo em que entro na sala, me deparo com os noventa quilos e os quase dois metros de Garrett Graham bloqueando meu caminho.

"Wellsy", diz, animado. "Você é a última pessoa que esperava ver aqui hoje."

Como sempre, sua presença me faz ficar tensa de novo. "Ah, é? Por quê?"

Ele dá de ombros. "Não achei que festas de fraternidade fossem a sua cara."

"Bom, você não me conhece, lembra? Talvez eu seja arroz de festa."

"Mentirosa. Teria visto você antes."

Ele cruza os braços sobre o peito, uma pose que faz os bíceps flexionarem. Reparo na pontinha de uma tatuagem aparecendo debaixo da manga, mas não dá para ver o que é, só que é preta e parece complexa. Chamas, talvez?

"E aí, sobre esse negócio das aulas... acho que a gente devia parar um minuto para montar uma agenda."

Uma onda de irritação sobe a minha coluna. "Você não desiste, não é?"

"Nunca."

"Pois pode começar a desistir, porque não vou dar aula para você." Estou distraída. Justin voltou para a sala, o corpo alto e ágil movendo-se pela multidão em direção à mesa de sinuca. Está na metade do caminho, quando uma morena bonita o intercepta. Para minha surpresa, ele para e conversa com ela.

"Por favor, Wellsy, ajude o cara aqui", implora Garrett.

Justin ri de algo que a menina disse. Do mesmo jeito que estava rindo para mim há um minuto. E quando ela toca seu braço e se aproxima, ele não se afasta.

"Olha, se você não quiser se comprometer com o semestre inteiro, pelo menos me ajude a passar na prova. Vou ficar te devendo essa."

Já não estou mais prestando a menor atenção em Garrett. Justin se abaixa para sussurrar junto à orelha da menina. Ela ri, suas bochechas se coram, e meu coração desce até a barriga.

Tinha tanta certeza de que a gente tinha tido uma... *conexão*. E ele já está flertando com outra pessoa?

"Você não tá me ouvindo", acusa Garrett. "Tá olhando pra quem?"

Afasto os olhos de Justin e da morena, mas não rápido o suficiente.

Garrett abre um sorriso ao notar o meu olhar. "Qual deles?", exige saber.

"Qual deles o quê?"

Ele aponta com a cabeça para Justin, em seguida, vira um metro e meio para a direita, onde vejo Jimmy conversando com seus amigos de república. "Paulson ou Kohl... com quem você quer trepar?"

"Trepar?" Ele consegue minha atenção de volta. "Eca. Quem fala esse tipo de coisa?"

"Tudo bem, prefere que diga de outro jeito? Com quem você quer transar — ou *fazer amor*, se essa for a sua praia."

Faço uma cara feia. O cara é um babaca.

Quando fico em silêncio, ele responde por mim. "Kohl", conclui. "Vi você dançando com Paulson antes, e, definitivamente, seus olhos não estavam brilhando por ele."

Não confirmo nem nego. Simplesmente me afasto. "Tenha uma boa noite, Garrett."

"Odeio ser eu a dar a notícia, mas não vai acontecer, Wellsy. Você não faz o tipo dele."

Uma sensação de raiva e vergonha toma conta de minha barriga. Uau. Ele acabou mesmo de dizer isso?

"Obrigada pela dica", respondo com frieza. "Agora, se me dá licença..."

Garrett tenta me segurar pelo braço, mas eu o atropelo e o deixo no vácuo. Procuro por Allie pela sala e não demoro a vê-la aos beijos com Sean no sofá. Não quero interrompê-los, por isso dou meia-volta em direção à porta.

Meus dedos tremem ao digitar uma mensagem para ela, avisando que fui embora. A avaliação direta de Garrett — *você não faz o tipo dele* — ecoa em minha mente como um mantra depressivo.

Mas, verdade seja dita, é justamente o que eu precisava ouvir. E daí se Justin falou comigo no corredor? É claro que não significou nada, porque no minuto seguinte ele xavecou outra pessoa. É hora de encarar a realidade. Justin e eu não vamos ficar, não importa o quanto eu queira.

Que burrice a minha vir aqui hoje.

Ondas de vergonha varam meu corpo, enquanto deixo a casa Sigma e saio na brisa fria da noite. Me arrependo de não ter trazido um casaco, mas não queria ficar com as mãos ocupadas a noite inteira e achei que aguentaria as temperaturas de outubro nos cinco segundos entre o táxi até a porta da frente.

Allie me responde assim que piso na varanda, oferecendo-se para sair e me fazer companhia até o táxi chegar, mas digo a ela para ficar com o namorado. Pego o número do serviço de táxi da faculdade e, quando estou prestes a digitar no celular, ouço o meu nome. Digo, uma variação irritante dele.

"Wellsy. Espere."

Desço os degraus da varanda dois de cada vez, mas Garrett é muito mais alto do que eu, o que significa que tem uma passada mais comprida e me alcança em dois segundos.

"Por favor, espere." Ele me detém pelo ombro.

Afasto sua mão e me viro para encará-lo. "O que foi? Resolveu me ofender um pouco mais?"

"Não queria ofender você", reclama ele. "Só estava constatando um fato."

Que ódio. "Nossa. Obrigada."

"Merda." Ele parece frustrado. "Ofendi você de novo. Não foi minha intenção. Não estou tentando dar uma de babaca, o.k.?"

"Claro que não está *tentando*. Você já faz isso naturalmente."

Ele tem a cara de pau de sorrir, mas seu bom humor desaparece depressa. "Olha, conheço o cara, tá legal? É amigo de um dos meus colegas de república e já foi lá em casa algumas vezes."

"Que bom pra você. Pode ficar com ele então, porque não estou interessada."

"Ah, está sim." Ele parece muito confiante, e o odeio por isso. "Só estou dizendo que Kohl tem um tipo."

"Tudo bem, então me diga, qual é o tipo dele? Não que eu esteja interessada ou qualquer coisa assim", acrescento depressa.

Ele sorri como quem entendeu tudo. "Ah, sim. Claro que não está." Em seguida, dá de ombros. "Faz uns dois meses que entrou na universidade, não é? Até agora só o vi com uma líder de torcida e duas integrantes da Kappa Beta. Sabe o que isso me diz?"

"Não, mas isso *me* diz que você passa tempo demais prestando atenção em quem os outros caras pegam."

Ele ignora as farpas. "Isso me diz que Kohl está interessado em garotas de certo status social."

Reviro os olhos. "Se isso é mais uma proposta de me fazer popular, vou ter que deixar passar."

"Ei, se você quer chamar a atenção de Kohl, vai ter que fazer algo drástico." Ele faz uma pausa. "Tô dizendo que a proposta de sair com você ainda está de pé."

"E continuo recusando. Agora, se me dá licença, preciso chamar um táxi."

"Não, não precisa."

A tela do meu celular apagou, e digito minha senha depressa, para desbloqueá-lo.

"É sério, não precisa", insiste Garrett. "Te deixo em casa."

"Não preciso de motorista."

"É isso que taxistas são. Motoristas."

"Não preciso de você como meu motorista", me corrijo.

"Você prefere pagar dez dólares para voltar para casa do que aceitar uma carona minha de graça?"

Sua observação sarcástica acertou na mosca. Porque sim, definitivamente confio mais num taxista empregado pela universidade para me levar para casa do que em Garrett Graham. Não entro em um carro com estranhos. Ponto.

Garrett semicerra os olhos como se tivesse lido meus pensamentos. "Não vou tentar nada, Wellsy. É só uma carona para casa."

"Volte para a festa, Garrett. Seus amigos devem estar se perguntando onde você se meteu."

"Vai por mim, eles não ligam a mínima para onde estou. Só estão interessados em encontrar uma menina bebaça pra comer."

Engasgo. “Meu Deus. Você é nojento, sabia?”

“Não, só sincero. Além do mais, não disse que *eu* estou interessado nisso. Não preciso embebedar uma mulher para dormir comigo. Elas aparecem sóbrias e por vontade própria.”

“Parabéns.” Solto um grito quando ele puxa o telefone da minha mão. “Ei!”

Para minha surpresa, ele vira a câmera na sua direção e tira uma foto.

“O que você está fazendo?”

“Pronto”, diz, me devolvendo o aparelho. “Pode mandar essa carinha bonita para toda a sua lista de contatos e dizer que eu estou te levando para casa. Se você aparecer morta amanhã, todo mundo vai saber quem foi o responsável. E, se quiser, pode deixar o dedo no botão de chamada de emergência o tempo inteiro, caso precise ligar para a polícia.” Ele solta um suspiro exasperado. “Posso te levar pra casa agora?”

Embora a ideia de ficar esperando um táxi em pé do lado de fora, sem casaco, não me agrade, faço uma última exigência. “Quanto você bebeu?”

“Meia cerveja.”

Ergo uma das sobrancelhas.

“Meu limite é uma”, insiste ele. “Tenho treino amanhã de manhã.”

Minha resistência se esvai diante do olhar de franqueza em seu rosto. Já ouvi muitos boatos a respeito de Garrett, mas nenhum deles envolvendo álcool ou drogas, e o serviço de táxi da universidade é famoso por demorar horrores, por isso, sério mesmo, acho que não vou morrer se passar cinco minutos no carro com o cara. Se eu me irritar, posso ignorá-lo sem problemas.

Ou melhor, *quando* eu me irritar.

“Tudo bem”, aceito. “Pode me levar pra casa. Mas isso não significa que vou dar aulas para você.”

Seu sorriso é o cúmulo da presunção. “No carro a gente discute.”

6

GARRETT

Hannah Wells está a fim de um jogador de futebol americano. Não dá para acreditar nisso, mas como já a ofendi uma vez hoje, tenho de pisar em ovos se quero dobrar a menina.

Espero até estarmos no Jeep e coloco o cinto antes de lançar, com cuidado, a pergunta. "E aí, há quanto tempo você quer pegar... digo, fazer amor com Kohl?"

Ela não responde, mas posso sentir seu olhar mortal em meu rosto.

"Deve ser bem recente, já que ele só foi transferido há dois meses." Pressiono os lábios. "Certo, vamos considerar que faz um mês."

Sem resposta.

Viro-me para ela de relance e vejo que seu olhar é ainda mais ameaçador. No entanto, mesmo com a expressão fulminante, continua gata. Tem um dos rostos mais interessantes que já vi — as maçãs do rosto bem arredondadas, a boca um tanto arrebitada, e, combinados com a pele morena, os olhos verdes vívidos e uma pintinha perto dos lábios. O visual é quase exótico. E o corpo... cara, agora que reparei nele, não consigo "desreparar".

Mas me lembro de que não estou levando Hannah para casa na esperança de me dar bem. Preciso muito dela, e dormirmos juntos só estragaria as coisas.

Hoje, depois do treino, o treinador me chamou num canto e me deu um sermão de dez minutos sobre a importância de manter as notas na média. Bem, chamar aquilo de *sermão* é bondade minha. Suas palavras exatas foram: "Mantenha as notas azuis, ou vou enfiar o pé com tanta força na sua bunda que você vai passar anos sentindo o gosto da graxa do meu sapato na boca".

Inteligente que sou, perguntei se as pessoas ainda engraxam o sapato, e ele respondeu com uma sequência de impropérios eloquentes, antes de sair feito um furacão.

Não estou exagerando quando digo que hóquei é tudo na vida para mim — e acho que eu não teria escolha, sendo filho de um fodão do rinque como meu pai é. O velho tinha meu futuro inteirinho planejado quando eu ainda estava na barriga da minha mãe — aprender a patinar, aprender a bater com o taco, chegar à liga profissional, fim. Afinal de contas, Phil Graham tem uma reputação a zelar. Quer dizer, imagina só como ele se sentiria se o filho não virasse um jogador profissional...

Não vou negar, tem um quê de sarcasmo aí. E aqui vai uma confissão: não gosto do meu pai. Ou melhor, eu o *odeio*. A ironia é que o filho da mãe acha que tudo que fiz foi por ele. Os treinos pesados, os hematomas pelo corpo inteiro, me matar vinte horas por semana para progredir no rinque. Ele é arrogante o suficiente para acreditar que faço tudo isso por *ele*.

Mas está errado. Faço por mim. E, em menor grau, para *superar* o meu pai. Para ser *melhor* do que ele.

Não me leve a mal — adoro o jogo. Vivo pelo barulho da torcida, a sensação do ar gelado no rosto ao voar sobre o gelo, o som do disco quando acerto uma tacada que acende a luz do gol. Hóquei é adrenalina. É empolgante. É... relaxante até.

Olho para Hannah mais uma vez, imaginando o que fazer para persuadi-la, quando, de repente, percebo que estou encarando essa situação com o Kohl de forma errada. Porque, de fato, não acho que ela seja o tipo dele... mas como é que ele pode ser o *dela*?

Kohl é do tipo forte e calado, mas já conversei com o cara o suficiente para enxergar por debaixo da máscara. Faz pinta de misterioso para atrair as garotas e, assim que elas mordem a isca, ele abusa do seu charme para entrar debaixo da saia delas.

Então por que uma menina centrada como Hannah Wells ficaria babando por um cafajeste feito Kohl?

"É só tesão ou você quer namorar com ele?", pergunto, curioso.

Um suspiro exasperado ecoa dentro do carro. "Será que dá para mudar de assunto?"

Dou seta para a direita e me afasto da rua das repúblicas, em direção ao campus.

"Me enganei a seu respeito", digo, com franqueza.

"Como assim?"

"Achei que você fosse mais corajosa. Destemida. Não alguém que fizesse esse drama todo só para admitir que está a fim de um cara."

Contenho o sorriso ao ver que ela fechou a cara. Não me surpreende que tenha acertado na mosca. Sou bom de ler as pessoas e sei muito bem que Hannah Wells não é do tipo que recusa um desafio, mesmo que seja um desafio velado.

"Tudo bem. Você venceu." Parece estar falando por entre os dentes. "Talvez eu esteja a fim dele. Um pouquinho."

Meu sorriso se abre. "Nossa, foi tão difícil assim?" Tiro o pé do acelerador à medida que nos aproximamos de uma placa de PARE. "Por que não chamou o cara para sair?"

O nervosismo permeia sua voz. "E por que eu faria isso?"

"Hmm, porque você acabou de dizer que está a fim dele?"

"Nem conheço o cara."

"E como vai conhecer se não chamar ele pra sair?"

Ela se ajeita no assento do carro, parecendo tão pouco à vontade que não posso deixar de rir.

"Você tá com medo", provoco, incapaz de disfarçar o quanto estou me divertindo.

"*Medo* coisa nenhuma", revida ela imediatamente. Então faz uma pausa. "Bom, talvez um pouco. Ele... me deixa nervosa, tá legal?"

Tenho de me esforçar para mascarar a surpresa. Acho que não esperava que fosse ser tão sincera. E a vulnerabilidade que irradia dela é ligeiramente desconcertante. Não a conheço há muito tempo, mas tinha me habituado ao seu sarcasmo e autoconfiança. A incerteza em seu olhar parece deslocada.

"Então vai esperar ele tomar alguma iniciativa?"

Ela me olha feio. "Deixa eu adivinhar... Você acha que ele não vai fazer nada?"

"*Sei* que não vai fazer nada." Dou de ombros. "Homens gostam de correr atrás, Wellsy. Você está facilitando muito as coisas."

“Acho difícil”, retruca ela, secamente. “Considerando que nem disse a ele que tô interessada.”

“Ah, ele sabe.”

Isso a faz virar-se para mim num sobressalto. “Não sabe, não.”

“Um homem sempre sabe quando a mulher está a fim dele. Pode acreditar, você não precisa dizer em voz alta para ele captar suas vibrações.” Sorrio. “Eu só precisei de cinco segundos para descobrir.”

“E você acha que, se eu sair com você, ele magicamente vai se interessar por mim?” Ela parece não acreditar, mas já não soa tão hostil, o que é um bom sinal.

“Sem dúvida vai ajudar na sua causa. Mais do que correr atrás, sabe o que deixa um cara intrigado?”

“Mal posso esperar pra saber.”

“Uma mulher inalcançável. As pessoas querem o que não podem ter.” Não consigo esconder um risinho. “Você aí, por exemplo, a fim do Kohl.”

“Aham. Bem, se não posso ficar com ele, por que me dar ao trabalho de sair com você?”

“Você não pode ficar com ele *agora*. Mas isso não quer dizer que *nunca* vá ficar.”

Chego a outra placa de PARE e percebo, irritado, que já estamos quase no campus. Droga, preciso de mais tempo para persuadi-la. Reduzo a velocidade e torço para que não perceba que estou quinze quilômetros abaixo do limite mínimo.

“Confie em mim, Wellsy, se aparecer de braço dado comigo, ele vai reparar em você.” Paro um instante, fingindo estar tendo uma ideia. “Quer saber de uma coisa? Sábado que vem tem uma festa, e seu gato vai estar lá.”

“Em primeiro lugar, ‘gato’ não. E. segundo, como você sabe que ele vai estar lá?”, acrescenta, em tom de suspeita.

“Por que é aniversário de Beau Maxwell. Sabe quem é, né? O quarterback. O time inteiro vai estar lá.” Dou de ombros. “E a gente também.”

“Sim, claro. E o que acontece quando a gente chegar lá?”

Ela está se fazendo de desentendida, mas sei que logo vai comer na minha mão.

"A gente socializa, toma umas cervejas. Eu apresento você como minha namorada. As meninas vão querer pular no seu pescoço. Os caras vão ficar curiosos sobre quem você é, porque nunca prestaram atenção em você antes. Kohl também, mas a gente vai ignorar o cara."

"E por que a gente faria isso?"

"Para deixar o sujeito maluco. Fazer você parecer ainda mais inatingível."

Ela morde o lábio. Eu me pergunto se tem ideia de como é fácil ler suas emoções. Irritação, raiva, vergonha. Seus olhos revelam tudo, e isso me fascina. Esforço-me tanto para esconder o que estou sentindo — uma lição que aprendi desde criança —, mas o rosto de Hannah é um livro aberto. E isso é bastante animador.

"Você é muito autoconfiante", afirma, afinal. "Acha mesmo que tá com essa bola toda e que o simples fato de ir a uma festa com você vai me transformar numa celebridade?"

"Acho." Não estou sendo arrogante, só honesto. Depois de dois anos nesta faculdade, sei a reputação que tenho.

Mas, sério, às vezes não me sinto nem metade desse cara que as pessoas têm certeza que sou, e não tenho dúvidas de que, se elas se dessem ao trabalho de me conhecer de verdade, provavelmente mudariam de ideia. É como aquele lago em que esquiava quando era criança — de longe, o gelo parecia tão lisinho e brilhoso, mas, ao chegar perto, a superfície irregular e as marcas de patins se tornavam visíveis. É a mesma coisa comigo, acho. Coberto de marcas de patins que ninguém nunca parece perceber.

Nossa, estou dando uma de filósofo hoje.

Ao meu lado, Hannah ficou quieta, mordendo o lábio como se considerasse a proposta.

Por uma fração de segundo, quase digo para deixar para lá. Parece... *errado* que essa menina se importe com o que um canalha feito Kohl pensa a respeito dela. Que desperdício gastar essa inteligência e essa língua ferina com aquele cara.

Mas logo penso no meu time e em todos os caras que estão contando comigo, e me forço a deixar de lado as dúvidas.

"Pensa com carinho", insisto. "A segunda chamada é sexta que vem, o que nos dá uma semana e meia para estudar. Eu faço a prova, e no sábado a gente vai à festa do Maxwell e mostra para o seu gato o quão sexy e atraente você é. Ele não vai resistir, pode acreditar."

"Um: 'gato' não. Dois: para de me dizer pra acreditar em você. Nem te conheço." Mas, apesar dos protestos, dá para ver que está mudando de ideia. "Olha, não posso me comprometer a dar aulas para você pelo semestre inteiro. Realmente não tenho tempo."

"Vai ser só essa semana", prometo.

Ela hesita.

Não a culpo por duvidar de mim. A verdade é que já estou pensando em como convencê-la a me ajudar até o fim do curso de Tolbert, mas... uma batalha de cada vez.

"Então, temos um acordo?", arrisco.

Hannah fica em silêncio, mas quando estou prestes a perder as esperanças, ela suspira e diz: "Tudo bem. Fechado".

Excelente.

Uma parte de mim está francamente surpresa por ter conseguido dobrá-la. Parece que faz uma eternidade que estou no pé dela, e, agora que venci, é quase como se estivesse experimentando uma sensação de derrota. Vai entender.

Ainda assim, comemoro mentalmente enquanto dirijo pelo quarteirão nos fundos dos alojamentos. "Qual é o seu prédio?", pergunto encostando o Jeep.

"Bristol House."

"Acompanho você até lá." Tiro o cinto de segurança, mas ela faz que não com a cabeça.

"Não preciso de guarda-costas." Ela me mostra o celular. "Prontinho para ligar para a polícia, lembra?"

Ficamos os dois em silêncio.

"Bom." Ofereço a mão. "Foi um prazer fazer negócios com você."

Ela olha para a mão estendida com se eu fosse um portador do ebola. Reviro os olhos e recolho a mão.

"Trabalho até às oito, amanhã", anuncia. "A gente pode se encontrar depois. Você não mora no alojamento, né?"

"Não, mas posso vir até aqui."

Ela fica pálida, como se eu tivesse sugerido raspar sua cabeça. "E deixar as pessoas acharem que somos amigos? De jeito nenhum. Passo na sua casa."

Nunca encontrei alguém com tanta aversão à minha popularidade e não sei como lidar com isso.

Acho que posso gostar da ideia.

"Sabe, você vai ser a mais popular do seu andar se eu aparecer aqui."

"Manda o endereço por mensagem", ordena, com firmeza.

"Sim, senhora", abro um sorriso. "Vejo você amanhã à noite."

Tudo que recebo em troca é um olhar azedo e a linha de seu perfil, à medida que se vira para abrir a porta. Hannah salta do carro sem uma palavra e, relutante, dá um tapinha no vidro.

Reprimindo o riso, aperto o botão para abrir a janela. "Esqueceu alguma coisa?", brinco.

"Obrigada pela carona", agradece, com recato.

E, no instante seguinte, some, o vestido verde se agitando na brisa, enquanto ela corre em direção aos prédios escuros.

7

HANNAH

Em geral, orgulho-me de ter a cabeça no lugar e de tomar decisões sensatas, mas concordar em dar aulas para Garrett? Mais idiota impossível.

Na noite seguinte, no caminho até a casa dele, ainda me crucifico por isso. Quando me encurralou na festa da Sigma, tinha total intenção de lhe dar um fora para ele parar de encher o meu saco, mas aí ele ficou exibindo Justin bem diante do meu nariz como se fosse uma cenoura, e caí feito um patinho.

Perfeito. Agora estou misturando as metáforas.

Acho que está na hora de admitir a triste verdade: meu bom senso é zero quando se trata de Justin Kohl. Na noite passada, saí da festa com o propósito único de esquecê-lo, e, em vez disso, deixei Garrett Graham me alimentar da emoção mais destrutiva para a humanidade — a esperança.

Esperança de que Justin possa prestar atenção em mim. Esperança de que possa me querer. Esperança de que talvez tenha finalmente encontrado alguém capaz de me fazer *sentir* alguma coisa.

É vergonhoso como estou caidinha pelo cara.

Paro o carro na entrada da casa, atrás do Jeep de Garrett, ao lado de uma picape preta reluzente, mas deixo o motor ligado. Fico me perguntando o que minha antiga psicóloga acharia se soubesse do acordo que acabei de fechar com o capitão do time de hóquei. Acho que seria contra, mas Carole vive batendo na tecla do empoderamento. Sempre me encorajou a tomar as rédeas da minha vida e agarrar qualquer oportunidade que me permitisse deixar a agressão no passado.

E de uma coisa sei: saí com dois caras desde o estupro. Dormi com os dois. E nenhum deles me fez sentir tão excitada quanto Justin Kohl conseguiu com um único olhar.

Carole me diria que vale a pena explorar a oportunidade.

Garrett mora numa casa geminada de dois andares, revestimento de estuque, uma varanda na entrada e um gramado supreendentemente bem cuidado. Apesar da relutância, forço-me a sair do carro e caminhar até a porta. As paredes reverberam um rock alto. Uma parte de mim torce para que ninguém escute a campainha, mas ouço o som abafado de passos atrás da porta, ela se abre, e me vejo diante de um cara alto, com cabelo louro espetado e um rosto esculpido que parece saído de uma capa da *GQ*.

"Ah, oi", ele cumprimenta com a voz arrastada, me olhando de cima a baixo. "Meu aniversário é só semana que vem. Mas, se isso for um presente adiantado, quem sou eu para reclamar, gata."

Claro. Eu deveria ter imaginado que os companheiros de república de Garrett são tão detestáveis quanto ele.

Aperto os dedos ao redor do elástico da minha pasta enorme, me perguntando se sou capaz de voltar para o carro antes que Garrett saiba que estou aqui, mas meu plano maligno vai por água abaixo quando ele aparece na porta. Está descalço, usando uma calça jeans desbotada e uma camiseta cinza surrada, e o cabelo está molhado como se tivesse acabado de sair do banho.

"Oi, Wellsy", cumprimenta, descontraído. "Está atrasada."

"Eu disse oito e quinze. São oito e quinze." Encaro friamente o sr. *GQ*. "E se você estava sugerindo que pareço com uma prostituta, considere-me ofendida."

"Você achou que ela fosse uma prostituta?" Garrett arregala os olhos para o amigo. "É a minha *professora*, cara. Mais respeito."

"Não achei que fosse uma prostituta... Achei que fosse uma stripper", retruca o louro, como se isso melhorasse as coisas. "Tá até fantasiada, caramba."

Ele não deixa de estar certo. Meu uniforme de garçonete não é exatamente muito discreto.

"Aliás, quero uma stripper de presente de aniversário", anuncia *GQ*. "Acabei de decidir. Se vira."

"Vou ligar para umas pessoas", promete Garrett, mas, no segundo em que o amigo se afasta, revela: "Que stripper que nada. Fizemos uma vaquinha para comprar um iPod novo. Ele deixou o velho cair no laguinho atrás da Hartford House."

Solto uma risada contida, e Garrett pula feito um lince. "Nossa! Isso foi uma risada? Não achei que você fosse capaz de se divertir. Faz de novo para eu filmar?"

"Rio o tempo todo." Faço uma pausa. "Mas, em geral, é de *você*."

Ele leva as mãos ao peito num gesto de dor, como se tivesse levado um tiro. "Você é capaz de acabar com o ego de um cara, sabia?"

Reviro os olhos e fecho a porta atrás de mim.

"Vamos para o meu quarto", diz ele.

Merda. Ele quer estudar no quarto? Sei que esse é o sonho de qualquer menina da faculdade, mas a possibilidade de ficar a sós com Garrett me deixa apreensiva.

"G., essa é a sua professora particular?", grita uma voz masculina ao passarmos pelo que concluo ser a sala de estar. "Ei, professora, dá um pulo aqui! Preciso ter uma palavrinha com você."

Lanço um olhar alarmado na direção de Garrett, mas ele apenas sorri e me leva até o corredor. A sala é típica de uma casa de jovens solteiros: dois sofás de couro arrumados em L, um home theater muito complexo e uma mesinha de centro cheia de garrafas de cerveja. Um sujeito de cabelos escuros e olhos azuis intensos levanta do sofá. É tão bonito quanto Garrett e GQ, e, pela forma como seu corpo esguio caminha na minha direção, sei que é inteiramente consciente de sua aparência.

"O negócio é o seguinte", olhos azuis anuncia numa voz muito séria. "O menino aqui precisa gabaritar essa prova. É melhor que ele consiga."

Meus lábios se contraem. "Senão...?"

"Senão vou ficar muito, muito chateado." Seu olhar provocante percorre meu corpo lenta e deliberadamente, demorando-se no decote antes de voltar para o meu rosto. "Você não quer me deixar chateado, né, gata?"

Garrett solta um suspiro cansado. "Não perca seu tempo, cara. Ela é imune a xavecos. Vai por mim, já tentei." Então se vira para mim. "Esse é Logan. Logan, Wellsy."

"Hannah", corrijo.

Logan pensa por um segundo e balança a cabeça. "Hmm... Prefiro Wellsy."

"Você conheceu Dean lá na entrada, e aquele ali é Tucker", acrescenta Garrett, apontado para o rapaz de cabelos castanhos no sofá, que — adivinha? — é tão bonito quanto os outros.

Fico imaginando se ser gostoso é pré-requisito para morar nesta casa. Não que um dia vá perguntar isso a Garrett. Seu ego já é grande o suficiente.

"E aí, Wellsy?", cumprimenta Tucker.

Deixo escapar um suspiro. Ótimo. Acho que daqui para a frente serei Wellsy.

"Wellsy é a estrela da apresentação de Natal", Garrett explica aos amigos.

"Festival de inverno", murmuro.

"E o que foi que eu disse?", devolve ele, com um aceno displicente da mão. "Certo, vamos acabar logo com essa merda. Até mais, pessoal."

Sigo Garrett pela escada estreita até o segundo andar. Seu quarto fica no final do corredor e, pelo tamanho do cômodo e do banheiro particular, deve ser o quarto principal da casa.

"Se importa se eu me trocar?", pergunto, desconfortável. "Trouxe minhas roupas normais na bolsa."

Ele senta na beira da cama e joga o corpo para trás, apoiando-se nos cotovelos. "Vá em frente. Vou sentar aqui e aproveitar o show."

Ranjo os dentes. "Quis dizer no banheiro."

"Não tem a menor graça."

"Nada disso tem a menor *graça*", resmungo.

O banheiro é muito mais limpo do que eu esperava, e um leve aroma almiscarado de loção pós-barba permeia o ambiente. Coloco depressa uma calça de ginástica e um suéter preto, prendo o cabelo num rabo de cavalo e enfio o uniforme na bolsa.

Garrett ainda está na cama quando volto. Está entretido com o celular e nem ergue os olhos quando despejo uma pilha de livros na cama.

"E aí? Pronto para encarar essa merda, como você mesmo falou?", pergunto, sarcástica.

Ele responde, distraído: "Pronto. Um segundo". Seus dedos digitam uma mensagem, e ele joga o telefone no colchão. "Foi mal. Estou prestando atenção agora."

Minhas opções de assento são limitadas. Tem uma escrivaninha junto da janela, mas com uma cadeira só, que está coberta por uma montanha de roupas. O mesmo vale para a poltrona no canto do quarto. O piso de madeira parece desconfortável.

Só me resta a cama.

Sento, relutante, de pernas cruzadas no colchão. "Certo, acho que a gente devia repassar todas as teorias antes. Ter certeza de que você sabe os pontos-chave de cada uma, e então começar a aplicá-las à lista de conflitos de dilemas morais."

"Parece bom."

"Vamos começar com Kant. A ética dele é bem simples."

Abro o fichário de leituras que Tolbert entregou no começo do ano e passo as páginas até encontrar o material sobre Immanuel Kant. Garrett escorrega o corpo grandalhão até o alto da cama e se recosta na cabeceira de madeira. Jogo o material em seu colo, e ele solta um suspiro profundo.

"Leia", ordeno.

"Em voz alta?"

"É. Depois que terminar, quero que faça um resumo do que acabou de ler. Acha que dá conta disso?"

Ele fica em silêncio por um segundo, então seu lábio inferior treme. "Talvez não seja a melhor hora de dizer isso, mas... não sei ler."

Fico boquiaberta. Puta merda. Ele não pode estar falando sé...

Garrett explode numa gargalhada. "Relaxa, estava brincando com você." E faz uma cara feia para mim. "Você achou mesmo que eu não sabia *ler*? Meu Deus, Wellsy."

Abro um sorriso caloroso. "Não teria me surpreendido nem um pouco."

Só que Garrett *acaba* me surpreendendo. Ele não só lê o material numa voz calma e articulada, como é capaz de resumir o imperativo categórico de Kant quase palavra por palavra.

"Você tem memória fotográfica ou alguma coisa assim?", questiono.

"Não. Sou bom com fatos." Dá de ombros. "Só tenho dificuldade em aplicar teorias a situações morais."

Dou uma colher de chá para o cara. "Se quer saber o que acho, isso é tudo balela. Como a gente pode ter certeza do que esses filósofos — todos mortos há séculos — achariam das hipóteses de Tolbert? No mínimo, analisariam as coisas caso a caso. Certo e errado não são coisas tão exatas. É mais complexo do que..."

O telefone de Garrett apita.

"Merda, só um segundo." Ele dá uma olhada para a tela, franze a testa e manda outra mensagem. "Foi mal, o que você tava falando?"

Passamos os próximos vinte minutos revisando os detalhes das opiniões éticas de Kant.

Garrett manda mais umas cinco mensagens nesse intervalo.

"Ai, meu Deus", extravaso. "Vou ter que confiscar esse negócio?"

"Foi mal", desculpa-se, pela milionésima vez. "Vou colocar no silencioso."

O que dá no mesmo, porque ele deixa o celular em cima do fichário, e o aparelho fica acendendo toda vez que chega uma mensagem nova.

"Então, basicamente, a lógica é a espinha dorsal da ética kantiana..." Interrompo o raciocínio quando a tela acende mais uma vez. "Isso é ridículo. Com quem você tá falando?"

"Ninguém."

Ninguém, uma ova. Pego o celular e abro a mensagem. Não aparece nome nenhum, só um número, mas não é preciso ser astrofísico para perceber que as mensagens são de uma mulher. A menos que tenha algum cara por aí que queira "chupar Garrett todinho".

"Você está mandando mensagens *eróticas* no meio da aula? Qual é o seu problema?"

Ele suspira. "Eu não, é *ela* quem está mandando."

"Aham. A culpa é todinha dela, né?"

"Leia minhas respostas", insiste. "Fico dizendo que estou ocupado. O que posso fazer se ela não entende o recado?"

Repasso as mensagens e vejo que é verdade. Todas as que ele mandou nos últimos trinta minutos giram em torno das palavras "ocupado", "estudando" e "depois a gente se fala".

Com um suspiro, começo a digitar uma nova mensagem. Garrett reclama e tenta tomar o telefone da minha mão. Só que demora demais. Já apertei ENVIAR.

"Pronto", anuncio. "Problema resolvido."

"Juro por Deus, Wellsy, se você..." Ele para ao ler o que escrevi.

Aqui é a professora particular de Garrett. Você está me irritando. Nossa aula termina em trinta minutos. Tenho certeza de que você é capaz de manter a calcinha no lugar até lá.

Em seguida, ergue os olhos para mim e ri tão alto que não consigo conter um sorriso.

"Aposto que vai funcionar melhor do que essas suas tentativas de meia-tigela, não acha?"

Ele dá mais uma risada. "Não tem como discutir."

"Bom, espero que isso sossegue sua namorada por um tempo."

"Não é minha namorada. É só uma maria-patins que peguei ano passado e..."

"Maria-patins?", repito, escandalizada. "Você é *tão* machista. É assim mesmo que chama as mulheres?"

"Quando só estão interessadas em dormir com um jogador de hóquei para se gabar para as amigas dizendo que pegaram um atleta? É assim que a gente chama, sim", responde, com um quê de sarcasmo na voz. "Se tem alguém sendo objetificado nesta situação, sou *eu*."

"Se isso o faz dormir bem à noite..." Pego o fichário. "Agora, utilitarismo. Vamos dar uma olhada em Bentham."

No final, faço perguntas a ele sobre os dois filósofos que discutimos esta noite e fico satisfeita de vê-lo responder tudo certinho, mesmo as questões mais traiçoeiras.

Certo. Então talvez Garrett Graham não seja tão burro quanto eu imaginava.

Quando a nossa aula termina, tenho certeza de que não estava só repetindo a informação que acabara de decorar. Ele realmente havia entendido tudo, como se tivesse assimilado de verdade as ideias éticas. Uma pena que a segunda chamada não seja de múltipla escolha, pois tenho certeza de que passaria com o pé nas costas.

"Amanhã a gente dá uma olhada em pós-modernismo." Suspiro. "Que, na minha humilde opinião, é provavelmente a escola de pensamento mais complicada da história da humanidade. Tenho ensaio até às seis, mas depois estou livre."

Garrett assente. "Meu treino termina às sete. Que tal marcar às oito?"

"Por mim, tudo bem." Enfio os livros de volta na pasta, então entro no banheiro para um xixi rápido antes de ir embora. Quando volto para o quarto, vejo Garrett mexendo no meu iPod.

"Você mexeu na minha bolsa", exclamo. "Sério?"

"Seu iPod estava no bolso frontal", ele se defende. "Só estava curioso para ver o que tem aqui." Seus olhos cinzentos permanecem colados na tela à medida que começa a ler os nomes em voz alta. "Etta James, Adele, Queen, Ella Fitzgerald, Aretha, Beatles... cara, que eclético." De repente, balança a cabeça em desaprovação. "Ei, você sabia que tem One Direction aqui?"

"Não brinca!", transbordo sarcasmo. "Deve ter baixado sozinho."

"Acho que perdi todo o respeito por você. Que decepção para alguém que está cursando *música*."

Pego o iPod de volta das mãos dele e enfio na bolsa. "One Direction tem harmonias muito boas."

"Discordo plenamente." Ele ergue o queixo, decidido. "Vou montar uma seleção. Você obviamente precisa aprender a distinção entre música boa e porcaria."

Respondo, por entre os dentes: "Até amanhã".

Garrett caminha até o iMac em sua escrivaninha e pergunta em tom preocupado: "O que você acha de Lynyrd Skynyrd? Ou você só gosta de bandas em que os caras usam roupas combinando?".

"Boa noite, Garrett."

Saio do quarto prestes a arrancar os cabelos. Não acredito que concordei com uma semana e meia disso.

Que Deus me ajude.

8

HANNAH

Na tarde seguinte, Allie liga bem na hora em que estou saindo do prédio de música num rompante, depois de mais um ensaio desastroso com Cass.

"Uau", exclama, diante do meu jeito seco. "Que bicho te mordeu?"

"Cassidy Donovan", respondo irritada. "O ensaio foi um inferno."

"Ele tá tentando roubar todas as notas boas de novo?"

"Pior." Sinto muita raiva para repassar o que aconteceu, por isso não me dou ao trabalho. "Minha vontade é de apunhalar o cara pelas costas, A. Não, melhor fazer isso pela frente, para que ele olhe bem nos meus olhos e veja a minha alegria."

Sua risada é um alento aos meus ouvidos. "Caramba, ele realmente pisou no seu calo, hein? Quer desabafar durante o jantar?"

"Não posso, vou encontrar Graham hoje à noite." Outro compromisso que preferia deixar passar. Minha vontade agora é tomar um banho e ver TV, mas, conhecendo a peça, Garrett vai vir atrás de mim e fazer uma cena se eu ousar dar um bolo nele.

"Ainda não tô acreditando que você concordou com essa história de aulas particulares", admite Allie. "Ele deve ser muito insistente."

"É mais ou menos isso", comento, vagamente.

Não contei a Allie sobre o acordo com Garrett, principalmente porque quero adiar a provocação inevitável de quando ela se der conta do meu nível de desespero para fazer Justin prestar atenção em mim. Sei que não vou ser capaz de esconder a verdade para sempre — sem dúvida, Allie vai me encher de perguntas quando descobrir que vou a uma *festa* com o cara. Mas tenho certeza de que posso inventar uma boa desculpa até lá.

Algumas coisas são vergonhosas demais para admitir, mesmo para a melhor amiga.

"Quanto ele está pagando?", pergunta, curiosa.

Feito uma idiota, respondo com o primeiro número que me vem à cabeça "Hmm, sessenta."

"*Sessenta* dólares por hora? Gente do céu. Que loucura. Vou querer um jantar chique quando isso acabar!"

Um jantar chique? Droga. Lá se vão uns três turnos na lanchonete.

Viu só, esse é o motivo por que sempre se deve falar a verdade. Mentiras invariavelmente voltam para pegar no seu pé.

"Claro", respondo descontraída. "Enfim, tenho que desligar. Tracy está com o carro esta noite, então vou precisar chamar um táxi. Vejo você em duas horas."

O táxi da universidade me leva até a casa de Garrett, e marco de ser buscada em uma hora e meia. Garrett me disse para entrar direto na casa, porque ninguém escuta a campainha com o barulho da TV ou do som. Mas, quando abro a porta, está tudo em silêncio.

"Graham?", chamo da entrada.

"Aqui em cima", ouço o som abafado de sua voz.

Encontro-o em seu quarto, com uma calça de moletom e uma regata branca que exibe os bíceps e os braços bem torneados. Não dá para negar, Garrett tem um corpo... atraente. É grande, mas não como um daqueles brutamontes da linha de defesa, e sim alto, esguio e musculoso. A camiseta sem mangas também me oferece uma visão e tanto da tatuagem no braço direito.

"E aí, cadê os seus amigos?"

"É sexta à noite... o que você acha? Na balada." Parece triste ao pegar os livros da mochila jogada no chão.

"E você preferiu estudar", observo. "Não sei dizer se devo me impressionar ou ter pena de você."

"Não faço baladas durante a temporada, Wellsy. Já falei."

É verdade, falou mesmo, mas eu não tinha acreditado. Como assim ele não sai *todas* as noites? Quero dizer, olha só para a criatura. O cara é mais maravilhoso e mais popular que o Bieber. Bom, isso até ele perder a linha e abandonar um pobre macaco no exterior.

Sentamos na cama e vamos direto ao trabalho, mas toda vez que Garrett gasta uns poucos minutos para ler a teoria, o ensaio de hoje volta à minha cabeça. A raiva continua a borbulhar em meu estômago, e, embora tenha vergonha de admitir, o mau humor transparece em nossa aula. Sou mais implicante do que era minha intenção e muito mais ríspida do que o necessário quando Garrett não capta a matéria.

"Não é tão complicado assim", resmungo, quando não compreende um tópico pela terceira vez. "Ele tá dizendo que..."

"O.k., já entendi", me interrompe, a irritação evidente em sua testa. "Não precisa pegar no meu pé, Wellsy."

"Desculpa." Fecho os olhos por um instante, para me acalmar. "Vamos passar para o próximo filósofo. Depois a gente volta para o Foucault."

Garrett franze o cenho. "A gente não vai passar pra filósofo nenhum. Não até você me explicar por que tá sendo tão dura comigo desde que chegou aqui. O que foi, seu gato ignorou você no jardim da faculdade ou algo parecido?"

Seu sarcasmo só intensifica minha irritação. "Não."

"Tá menstruada?"

"Ai, meu Deus. Você é um babaca. Quer fazer o favor de ler a teoria?"

"Não vou ler coisa nenhuma." Ele cruza os braços. "Olha, dá para desfazer essa sua cara feia aí em dois tempos. Você só tem que me dizer por que está com raiva, aí eu respondo que você tá sendo ridícula, e a gente segue em frente com o estudo em paz."

Havia subestimado a teimosia dele. Mas deveria ter imaginado, considerando a forma como sua tenacidade me venceu em mais de uma ocasião. Não estou com vontade de me abrir com ele, mas minha discussão com Cass parece uma nuvem preta pairando sobre a minha cabeça. Preciso extravasar a energia negativa antes que ela me consuma.

"Ele quer um *coral*!"

Garrett pisca, sem entender. "Quem quer um coral?"

"Meu parceiro de dueto", respondo, sombriamente. "Também conhecido como praga da minha vida. Juro por Deus que, se não tivesse medo de quebrar os dedos, acertava a mão bem no meio daquela cara convencida e idiota."

"Quer que eu te ensine a dar uns socos?" Garrett aperta os lábios como quem está contendo o riso.

"Tô tentada a dizer que sim. Sério, é impossível trabalhar com esse cara. A música é linda, mas tudo o que ele sabe fazer é botar defeito nos detalhes mais microscópicos. O tom, o tempo, o arranjo, a porcaria das *roupas* que a gente vai usar."

"Tá... e que história é essa de coral?"

"Pois é... Cass quer um coral para nos acompanhar no último refrão. Uma droga de um coral. A gente tá ensaiando essa música há *semanas*, Garrett. A ideia é simples e elegante, só nós dois exibindo as nossas vozes, e de repente ele inventa que quer fazer uma superprodução?"

"Parece uma diva."

"É exatamente o que ele é. Tô prestes a pular no pescoço dele." Minha raiva é tão visceral que me dá um nó na garganta e faz minhas mãos tremerem. "E aí, como se não bastasse, dois minutos antes do final do ensaio, ele decide mudar o arranjo."

"Qual o problema do arranjo?"

"Nenhum. Não tem *nada* de errado com o arranjo. E Mary Jane, a menina que *escreveu* a merda da música, fica lá sentada e não diz nada! Não sei se ela tem medo do Cass, se tá apaixonada por ele ou sei lá o quê, mas ela não ajuda. Se fecha num casulo toda vez que a gente começa a brigar, sendo que ela tinha mais é que dar uma opinião e tentar resolver o problema."

Garrett contrai os lábios. Mais ou menos como minha avó faz quando está pensando profundamente. É bem bonitinho.

Mas se eu dissesse que acabou de me lembrar da minha avó no mínimo ele me mataria.

"O que foi?", pergunto, diante do seu silêncio.

"Quero ouvir a música."

A surpresa me invade. "O quê? Por quê?"

"Porque você só fala disso desde quando a gente se conheceu."

"É a primeira vez que toco no assunto!"

Ele me responde com um aceno displicente com a mão, um gesto que estou começando a suspeitar que faça o tempo todo. "Não importa, quero ouvir. Se essa Mary Jane não tem coragem de fazer uma crítica merecida, eu tenho." Ele dá de ombros. "Talvez seu parceiro... como é mesmo o nome dele?"

"Cass."

"Talvez Cass tenha razão, e você seja teimosa demais para perceber."

"Pode acreditar, ele está errado."

"Certo, deixa que eu decido isso. Canta aí as duas versões da música para mim, do jeito que é agora e do jeito que Cass quer. Então eu digo o que acho. Você toca, né?"

Franzo o cenho. "Toco o quê?"

Garrett revira os olhos. "Um instrumento."

"Ah. Toco. Piano e violão... por quê?"

"Já volto."

Ele sai do quarto e ouço seus passos no corredor, seguidos pelo ranger de uma porta. Logo depois, volta com um violão na mão.

"É do Tuck", explica. "Ele não vai se importar se você tocar."

Ranjo os dentes. "Não vou ficar aqui fazendo serenata para você."

"Por que não? Tá com vergonha?"

"Não. Só tenho mais o que fazer." Lanço um olhar contundente na direção dele. "Por exemplo, conseguir que você passe na segunda chamada."

"Já estamos quase acabando o pós-modernismo. A parte mais difícil começa aula que vem." Sua voz assume um tom zombeteiro. "Vamos lá. Temos tempo. Me mostra a música."

Em seguida, abre um sorriso de menino ao qual sou incapaz de dizer não. O sujeito definitivamente treinou bem a cara de cachorro pidão. Só que não é um menino. É um homem, com um corpo grande, forte e um queixo expressivo, determinado. Sorrisos provocantes à parte, sei que Garrett vai me encher o saco a noite toda se não concordar em cantar.

Pego o violão e o coloco no colo, dedilhando de leve. Está afinado, é um pouco menor do que o que tenho em casa, mas o som é ótimo.

Garrett sobe na cama e deita, descansando a cabeça numa montanha de travesseiros. Nunca conheci ninguém que dormisse com tantos travesseiros. Talvez precise deles para caber o ego gigante.

"Certo", digo. "O negócio é o seguinte. Finge que tem um cara cantando comigo no primeiro refrão, e depois seguindo com a segunda estrofe."

Conheço um monte de gente tímida demais para cantar na frente de estranhos, mas nunca tive esse problema. Desde criança, a música sempre foi um escape para mim. Quando canto, o mundo desaparece. Sou só eu, a música e um profundo sentimento de tranquilidade que nunca fui capaz de encontrar em lugar nenhum, não importa o quanto tente.

Respiro, toco os acordes de abertura e começo a cantar. Não olho para Garrett, porque já estou em outro lugar, perdida na melodia e nas palavras, concentrada por inteiro no som da minha voz e na ressonância do violão.

Adoro essa música. De verdade. É estonteante de tão bonita e, ainda que não tenha o barítono volumoso de Cass para complementar minha voz, causa o mesmo impacto, a mesma emoção lancinante que M.J. verteu em palavras.

Minhas ideias clareiam e meu coração fica mais leve quase que imediatamente. Eu me sinto inteira de novo, porque a música tem esse efeito sobre mim, foi assim que me ajudou depois do estupro. Sempre que as coisas ficavam pesadas ou dolorosas demais, eu ia para o piano ou pegava meu violão e sabia que a alegria não estava tão fora de alcance. Estava logo ali, sempre disponível para mim, desde que fosse capaz de cantar.

Vários minutos depois, a nota final paira no ar como um traço de perfume adocicado, e flutuo de volta ao presente. Viro-me para Garrett, mas seu rosto é inexpressivo. Não sei o que estava esperando dele. Um elogio? Uma provocação?

O que quer que fosse, não era silêncio.

"Quer ouvir a versão de Cass?", pergunto.

Ele faz que sim. Um gesto mínimo. Só um movimento rápido da cabeça e nada mais.

Seu rosto impenetrável me perturba, por isso, desta vez, fecho os olhos. Coloco a ponte onde Cass acha que deve ser, acrescento um segundo refrão como ele insistiu — e, honestamente, não acho que estou de implicância quando digo que prefiro o original. A segunda versão é arrastada, e o coral adicional é um exagero.

Para minha surpresa, Garrett concorda comigo quando termino. "Fica muito longa desse jeito", diz, com a voz rouca.

"Fica, não é?" Sinto-me emocionada de ouvi-lo dando voz à minha preocupação. É uma pena que M.J. seja incapaz de falar o que pensa perto de Cass.

"E esqueça o coral. Você não precisa. Aliás, acho que não precisa *nem* do Cass." Ele balança a cabeça, espantado. "Sua voz é... porra, Wellsy, é linda."

Minhas bochechas ficam quentes. "Você acha?"

Sua expressão apaixonada me diz que está falando sério. "Toca outra coisa", ordena.

"Hmm. O que você quer ouvir?"

"Qualquer coisa. Não me importo." Fico espantada com a intensidade da sua voz, a emoção brilhando naqueles olhos cinzentos. "Só preciso ouvir você cantar de novo."

Uau. Tudo bem. Toda a minha vida as pessoas me disseram que era talentosa, mas, além dos meus pais, ninguém nunca me implorou para cantar.

"Por favor", acrescenta, em voz baixa.

Então canto. Uma música minha desta vez, mas, como ainda precisa de uns ajustes, acabo mudando para outra. "Stand by Me", a preferida da minha mãe, a que canto para ela todos os anos em seu aniversário, e a memória me leva de volta para aquele lugar calmo.

No meio da música, Garrett fecha os olhos lentamente. Vejo seu peito firme subir e descer, minha voz embargada de emoção pela letra. Então meu olhar viaja para o rosto dele e noto a pequena cicatriz branca no queixo, que divide em dois o rastro de barba por fazer em sua mandíbula. Me pergunto o que pode ter acontecido. Hóquei? Acidente quando era criança?

Ele mantém os olhos fechados durante toda a música, e quanto toco o último acorde, concluo que dormiu. Deixo a última nota morrer e pouso o violão no chão.

Garrett abre os olhos antes que eu possa me levantar da cama.

"Ah, você tá acordado." Engulo em seco. "Achei que tivesse pegado no sono."

Ele senta na cama, a voz impregnada de admiração pura. "Onde você aprendeu a cantar assim?"

Dou de ombros, sem jeito. Ao contrário de Cass, sou modesta demais para fazer elogios a mim mesma. "Sei lá. É só uma coisa que sempre fiz."

"Você fez algum curso?"

Nego com a cabeça.

"Só abriu a boca um belo dia e saiu *isso*?"

Deixo escapar uma risada. "Você parece os meus pais. Eles costumavam dizer que devo ter sido trocada na maternidade ou algo assim. Ninguém na minha família tem ouvido musical. Ainda estão tentando entender de onde veio o gene."

"Preciso de um autógrafo seu. Assim, quando você ganhar um Grammy, posso vender no eBay e ganhar uma grana."

Deixo escapar um suspiro. "A indústria musical é cruel, cara. Até onde sei, vou quebrar a cara se tentar viver de música."

"Não vai nada." Sua voz ressoa de convicção. "E quer saber mais? Acho que é um erro você se apresentar em dueto no festival. Deveria estar sozinha no palco. Sério, se você sentar lá com um único holofote na cabeça e cantar como fez agora, vai deixar todo mundo arrepiado."

Acho que Garrett pode estar certo. Não sobre os arrepios, mas sobre ter cometido um erro em aceitar a parceria com Cass. "Bom, agora é tarde demais. Já me comprometi."

"Você sempre pode mudar de ideia", sugere ele.

"De jeito nenhum. Seria passar a perna."

"Só tô dizendo que se você voltar atrás agora, ainda dá tempo de ensaiar um solo. Se esperar demais, vai estar ferrada."

"Não posso fazer isso." Fito-o, com ar de desafio. "Você deixaria seus colegas de time na mão se eles tivessem contando com você?"

Ele nem hesita. "Nunca."

"Então por que você pensa que *eu* faria isso?"

"Porque Cass não é seu colega de time", responde Garrett, calmamente. "Pelo que eu entendi, desde o início ele tem trabalhado exclusivamente contra você."

Mais uma vez, meu medo é de que esteja certo. Ainda assim, é mesmo tarde demais para fazer uma mudança. Me comprometi com o dueto e agora tenho de seguir em frente.

"Concordei em cantar com ele", digo com firmeza. "E a minha palavra tem significado." Olho para o despertador de Garrett e solto um palavrão quando reparo na hora. "Tenho que ir. Meu táxi já deve estar esperando lá fora." Salto depressa para fora da cama. "Só preciso fazer um xixi rapidinho."

Ele faz uma cara feia. "Informação demais."

"As pessoas fazem xixi, Garrett. Lide com isso."

Quando saio do banheiro alguns minutos depois, Garrett está com a expressão mais inocente do planeta. Claro que fico desconfiada na mesma hora. Olho para os livros espalhados pela cama, em seguida para minha pasta, que deixei no chão, mas nada parece fora do lugar.

"O que você fez?", exijo saber.

"Nada", responde ele, indiferente. "De qualquer forma, amanhã à noite tenho um jogo, então nossa próxima sessão vai ter que ser no domingo. Tudo bem por você? Lá para o final da tarde?"

"Claro", respondo, mas não sou capaz de afastar a certeza de que ele está tramando alguma coisa.

Só quando entro em meu quarto, quinze minutos depois, é que descubro que minhas suspeitas eram justificadas. Recebo uma mensagem de Garrett, e meu queixo cai de indignação.

Ele: *Confissão: apaguei todas as músicas do One Direction do seu iPod qd vc tava no banheiro. D nada.*

Eu: *O q?? Vou mamar vc!*

Ele: *Qd quiser!*

Levo um segundo para entender o que aconteceu e fico pasma.

Eu: *Matar vc! Quis dizer q vou MATAR vc. Maldito corretor.*

Ele: *Claaaaaro. Põe a culpa no corretor.*

Eu: *N enche.*

Ele: *Acho q tem alguém passando vontade...*

Eu: *Boa noite, Graham.*

Ele: *Tem certeza d q n quer voltar aqui? Saciar esse desejo.*

Eu: *Eca. Nunca.*

Ele: *Aham. PS: dá uma olha no seu e-mail. Mandei uma playlist p vc ouvir. Músicas de vdd.*

Eu: *Q vai direto p a minha lixeira.*

Allie decide entrar no meu quanto justamente quando estou sorrindo satisfeita ao mandar a mensagem.

"Com quem você tá falando?" Ela está bebendo um dos seus sucos nojentos, e o canudinho salta de sua boca com seu arquejo de espanto. "Ai, meu Deus! É o Justin?"

"Não... só o Graham. Tá sendo um pé no saco, como sempre."

"Como assim? Vocês viraram amigos agora?", provoca.

Não sei o que dizer. Minha primeira reação é negar, mas, quando me lembro de que passei as últimas duas horas dividindo com ele meus problemas com Cass e depois praticamente fiz uma serenata para o cara, isso parece errado. E, para falar a verdade, por mais insuportável que ele seja às vezes, Garrett Graham não é tão ruim como eu pensava.

Por isso, dou um sorriso murcho e digo: "É. Acho que sim".

9

GARRETT

Greg Braxton é um monstro. Estou falando de um metro e noventa e cinco de altura e cem quilos de pura força, e do tipo de velocidade e precisão que um dia vai lhe render um belo contrato com um time da Liga Nacional de Hóquei. Bom, isso se a liga estiver disposta a ignorar o tempo que passa no banco, por causa de uma falta. Estamos no segundo período do jogo, e Braxton já cometeu três pênaltis, um dos quais resultou num gol, cortesia de Logan, que passou deslizando diante do banco adversário com um sorriso presunçoso no rosto. Grande erro, porque agora Braxton voltou ao gelo e está determinado.

Ele me espreme contra o vidro de proteção do rinque com tanta força que sacode todos os meus ossos, mas, por sorte, consigo dar o passe e chacoalho as teias de aranha do meu cérebro desorientado em tempo de ver Tuck acertar uma tacada de pulso e desviar do goleiro do St. Anthony. O placar acende, e mesmo as vaias da torcida não diminuem a sensação de vitória em minhas veias. Jogar fora de casa nunca é tão emocionante quanto jogar no próprio rinque, mas a energia da multidão me alimenta, mesmo quando é negativa.

Quando o relógio apita, vamos para o vestiário com uma vantagem de dois gols no St. Anthony. Está todo mundo nas nuvens porque não tomamos gol por dois períodos, mas o treinador Jensen não deixa ninguém comemorar. Não importa que estejamos na frente... ele nunca nos deixa esquecer o que estamos fazendo de errado.

"Di Laurentis!", grita com Dean. "Você tá deixando o número 34 fazer gato e sapato de você! E você..." Olha para um dos nossos defensores do segundo ano. "Deixou a defesa aberta para eles *duas* vezes! Seu trabalho é ficar em cima daqueles desgraçados. Viu o empurrão do Logan no início do período? É esse tipo de jogo físico que espero de você, Renaud. Chega dessa frescura de ficar esbarrando de leve neles. Bate com vontade, rapaz."

O treinador caminha até o outro canto do vestiário para continuar distribuindo críticas, e Logan e eu trocamos um sorriso. Jensen é um cara durão, mas é muito bom no que faz. Elogia quando merecemos, mas, no geral, exige muito de nós e melhora o nosso jogo.

"Foi uma pancada feia." Tuck me lança um olhar de comiseração à medida que levanto a camisa para examinar com cuidado o lado esquerdo do meu peito.

Braxton me deu uma surra, e já posso ver uma coloração azulada surgindo na pele. Vai deixar um hematoma gigante.

"Vou sobreviver", respondo, dando de ombros.

O treinador bate palmas para sinalizar que é hora de voltar para o gelo; tiramos os protetores das lâminas dos patins e seguimos em fila pelo túnel até o rinque.

A caminho do banco, posso sentir seus olhos em mim. Não o procuro, mas sei que vou vê-lo se me virar. Meu pai, encolhido em seu lugar de sempre no alto das arquibancadas, um boné do Rangers cobrindo o rosto, os lábios comprimidos numa linha fina.

O campus do St. Anthony não é muito longe da Briar, o que significa que ele só teve de dirigir uma hora de Boston para chegar aqui. Mas, mesmo que estivéssemos jogando a horas de distância num torneio de fim semana, durante a tempestade de neve do século, ele estaria lá. Meu velho nunca perde um jogo.

Phil Graham, lenda do hóquei e pai orgulhoso.

Até parece.

Sei muito bem que não vem assistir ao filho jogar. Vem assistir a uma extensão de si mesmo jogar.

Às vezes, me pergunto o que teria acontecido se eu fosse um perna de pau. Se não soubesse patinar? Não conseguisse dar uma tacada decente? Se tivesse virado um magricela com a coordenação de um rolo de papel higiênico? Ou se tivesse nascido com talento para arte, música ou engenharia química?

Ele provavelmente teria infartado. Ou talvez convencesse minha mãe a me dar para adoção.

Engulo o sabor amargo de desgosto e me junto aos meus colegas de time.

Esquece esse cara. Ele não é importante. Ele não está aqui.

É o que digo a mim mesmo toda vez que pulo a barreira e pouso os patins no gelo. Phil Graham não é nada para mim. Deixou de ser meu pai há muito tempo.

O problema é que meu mantra não é infalível. Tudo bem, sou capaz de bloqueá-lo, e ele não é importante para mim, nem um pouco. Mas *está* aqui. Está sempre aqui, cacete.

O terceiro período é intenso. St. Anthony está dando tudo de si, desesperado para não ser desclassificado. Simms está na mira deles desde o apito inicial, e Logan e Hollis lutam para manter o ataque do St. Anthony longe da nossa rede.

O suor escorre por meu rosto e meu pescoço, à medida que nós, da linha de frente — eu, Tuck e um aluno do último ano com apelido de Birdie —, partimos para a ofensiva. A defesa do St. Anthony é uma piada. Os caras dependem de os atacantes fazerem gol e de o goleiro defender as tacadas que eles deixam livres por pura falta de habilidade. Logan se embola com Braxton atrás do nosso gol e consegue sair com o disco. Passa para Birdie, que dispara feito um raio em direção à linha azul. Birdie joga o disco para Tucker e nós três voamos no território inimigo com um homem a mais, caindo em cima dos defensores desesperados que não têm nem ideia do que aconteceu.

O disco vem na minha direção, e o rugido da multidão pulsa em meu sangue. Braxton cruza o rinque comigo em sua mira, mas não sou bobo. Passo o disco para Tuck, esbarrando em Braxton, enquanto meu colega dribla o goleiro, finge uma tacada e me devolve o disco para eu rebater de primeira.

Minha tacada desliza até a rede, e o cronômetro zera. Vencemos o St. Anthony por 3 a 0.

Até o treinador está de bom humor quando fazemos fila em direção ao vestiário depois do terceiro período. Fechamos a defesa, paramos o monstro do Braxton e acrescentamos uma segunda vitória ao nosso recorde. A temporada ainda está no início, mas estamos certos de que o campeonato é nosso.

Logan desaba no banco ao meu lado e se abaixa para desamarrar os patins. "Então, qual é a sua com a professora?" Seu tom é absolutamente descontraído, mas o conheço bem, e a pergunta não tem nada de casual.

"Wellsy? O que tem ela?"

"Solteira?"

Ele me pega de surpresa. Logan é do tipo que se interessa por mulheres magras demais e mais doces que açúcar. Com aquele monte de curvas e a língua afiada, Hannah não se encaixa em nenhum dos pré-requisitos.

"É", digo, cauteloso. "Por quê?"

Ele dá de ombros. Mais uma vez, como quem não quer nada. E, mais uma vez, sei direitinho o que tem em mente. "É gostosa." Faz uma pausa. "Tá pegando?"

"Não. Nem você vai pegar. Tá de olho num babaca aí."

"Eles estão juntos?"

"Não."

"E isso não quer dizer que ela tá disponível?"

Ajeito as costas, só um pouco, e acho que Logan não chega a reparar. Por sorte, Kenny Simms, o goleiro mágico da Briar, aparece e põe fim ao assunto.

Não sei dizer por que de repente fico tão incomodado. Não gosto de Hannah desse jeito, mas o interesse de Logan por ela me deixa inquieto. Talvez porque saiba o quanto Logan pode ser sacana. Já perdi a conta de quantas vezes vi uma garota fazer a caminhada da vergonha para fora de seu quarto.

E me irrita imaginar Hannah se esgueirando do quarto dele, com o cabelo desgrenhado de quem acabou de transar e os lábios inchados. Não achei que isso fosse acontecer, mas meio que gosto daquela menina. Ela me mantém na linha, e, na última noite, quando a ouvi cantar... Cacete. Já escutei as palavras *altura* e *tom* serem usadas no *American Idol*, mas não tenho a menor noção dos aspectos técnicos da música. O que sei é que a voz rouca de Hannah me deu calafrios.

Afasto esses pensamentos e sigo para os chuveiros. Todo mundo está comemorando a vitória, mas esta é a parte que temo. Vitória ou derrota, sei que meu pai vai estar me esperando no estacionamento quando o time for para o ônibus.

Deixo a arena com o cabelo molhado e a bolsa de hóquei pendurada no ombro. Como previsto, o velho está lá. Está em pé, perto de uma fileira de carros, o zíper da jaqueta fechado até o queixo e o boné protegendo os olhos.

Logan e Birdie seguem comigo, um de cada lado, tagarelando sobre a vitória, mas o último para ao ver meu pai. "Não vai dizer oi?", murmura.

Não deixo de notar o tom de ansiedade em sua voz. Meus colegas de time não conseguem entender por que não grito para o mundo inteiro que sou filho de *Phil Graham*. Pensam que o cara é um deus, e acho que isso faz de mim um semideus, por ter tido a sorte de ser gerado por ele. Quando entrei na Briar, eles me enchiam o saco pedindo autógrafos dele, mas inventei uma história de que meu pai é muito reservado, e felizmente pararam de me atormentar para apresentá-lo ao time.

"Não." Continuo caminhando em direção ao ônibus, virando a cabeça ao passar pelo velho.

Nossos olhares se cruzam por um momento, e ele acena para mim.

Depois de um pequeno aceno de cabeça, ele dá a volta e se arrasta na direção de sua SUV prateada reluzente.

É a mesma rotina de sempre. Se vencemos, ganho um aceno de cabeça. Se perdemos, não ganho nada.

Quando eu era mais jovem, ele ao menos dava um showzinho paternal de apoio após uma derrota, um sorriso falso de incentivo ou um tapinha consolador nas minhas costas, caso alguém estivesse olhando. Mas, no instante em que ficávamos sozinhos, o pau comia.

Entro no ônibus com meus colegas e respiro aliviado quando o motorista sai do estacionamento, deixando meu pai em nosso espelho retrovisor.

De repente, percebo que, dependendo de como for na segunda chamada de ética, posso não jogar na semana que vem. O velho definitivamente não vai ficar feliz com isso.

Ainda bem que não dou a mínima para o que ele pensa.

10

HANNAH

No domingo de manhã, minha mãe liga para a nossa conversa semanal, pela qual faz alguns dias que estou ansiosa. Quase não temos tempo de bater papo durante a semana, porque estou em aula durante o dia, ensaiando no fim da tarde, trabalhando ou dormindo na hora em que minha mãe termina seu turno da noite no supermercado.

A pior coisa da vida em Massachusetts é não poder ver meus pais. Sinto uma falta imensa deles, mas, ao mesmo tempo, precisava me afastar, ir embora de Ransom. Só voltei uma vez desde a formatura da escola e, depois disso, todos nós concordamos que seria melhor se eu não aparecesse mais em casa. Minha tia e meu tio moram na Filadélfia, então meus pais e eu passamos o feriado de Ação de Graças e o Natal lá. No restante do tempo, nos falamos por telefone, e, com sorte, eles vão conseguir juntar um dinheiro para poder vir me visitar.

Não é o melhor esquema, mas eles entendem por que não posso voltar para casa. E eu não só entendo por que não podem sair, como sei que a culpa é minha. Também sei que vou passar o resto da vida tentando compensá-los.

"Oi, querida." A voz de minha mãe envolve meu ouvido como um abraço caloroso.

"Oi, mãe." Ainda estou na cama, enrolada nas cobertas e olhando para o teto.

"Como foi a prova de ética?"

"Tirei dez."

"Parabéns! Está vendo? Disse que você não tinha nada com que se preocupar."

"Confia em mim, tinha sim. Metade da turma reprovou." Rolo para o lado e descanso o telefone no ombro. "Como está o papai?"

"Bem." Ela faz uma pausa. "Pegou turnos extras na fábrica, mas..."

Meu corpo fica tenso. "Mas o quê?"

"Mas parece que a gente não vai conseguir passar o feriado de Ação de Graças na tia Nicole, querida."

A dor e o pesar em sua voz me dilaceram como uma faca. Lágrimas ardem em meus olhos, mas pisco, afastando-as.

"Você sabe que acabamos de consertar o vazamento no telhado e que isso foi um golpe e tanto nas nossas economias", explica minha mãe. "Não temos dinheiro para a passagem."

"Por que vocês não vão de carro?", pergunto, baixinho. "Não é tão longe assim..." Aham, só umas quinze horas de volante. Pertinho, *só que não.*

"Se a gente fizer isso, seu pai vai ter que tirar mais dias de folga, e não dá para ficar sem esse dinheiro."

Mordo o lábio para impedir que as lágrimas caiam. "Talvez eu pudesse..." Faço uma conta rápida das minhas finanças. Definitivamente não tenho dinheiro para três passagens de avião para a Filadélfia.

Mas tenho para *uma* até Ransom.

"Posso pegar um avião até aí", sussurro.

"Não." Sua resposta é rápida e inequívoca. "Você não precisa fazer isso, Hannah."

"É só um fim de semana." Estou tentando me convencer, e não a ela. Tentando ignorar o pânico que me sobe pela garganta diante da simples ideia de voltar lá. "A gente não precisa ir até o centro nem ver ninguém. Posso só ficar em casa com você e o papai."

Outra pausa longa. "É isso o que você quer mesmo? Porque se for, então vamos recebê-la de braços abertos, você sabe disso, querida. Mas se você não está cem por cento confortável com isso, então quero que fique na Briar."

Confortável? Acho que nunca mais vou me sentir confortável em Ransom de novo. Eu era uma pária antes de sair, e, na única vez em que voltei para visitar, meu pai foi preso por agressão. Então, não, voltar é tão atraente quanto cortar os braços e dar de comer aos lobos.

Meu silêncio, ainda que breve, é toda a resposta de que minha mãe precisa. "Você não vai voltar", diz com firmeza. "Seu pai e eu adoraríamos passar o dia de Ação de Graças com você, mas não vou colocar minha própria felicidade à frente da sua, Hannah." Sua voz falha. "Já basta a gente ter que viver nesta cidade esquecida por Deus. Não tem motivo nenhum para você colocar os pés aqui de novo."

É, motivo nenhum para eu fazer isso. Exceto meus *pais*. Sabe? Aquelas pessoas que me criaram, que me amam incondicionalmente e que me apoiaram durante a experiência mais terrível da minha vida.

E que agora estão presas num lugar em que todos as desprezam... por *minha* causa.

Deus, como quero que se livrem daquela cidade. Me sinto tão culpada de ter sido capaz de sair, e, pior, de deixá-los *para trás*. Os dois pensam em se mudar na primeira oportunidade, mas o mercado imobiliário está em queda, e, com o segundo empréstimo que fizeram para pagar os advogados, irão à falência se tentarem vender a casa agora. E, embora as reformas que meu pai esteja fazendo um dia aumentem o valor da casa, enquanto isso estão drenando o bolso dele.

Engulo o nó na garganta, desejando com todas as minhas forças que as coisas fossem diferentes. "Vou mandar o dinheiro que tenho guardado", sussurro. "Você pode abater do empréstimo."

O fato de que ela não recusa me diz que estão numa situação pior do que transparecem.

"E se eu ganhar a bolsa de estudos do festival", acrescento, "vou ser capaz de pagar minha moradia e as taxas de refeição do ano que vem, assim você e papai não vão ter que se preocupar com isso." Sei que vai ajudá-los ainda mais, porque a bolsa integral que tenho da Briar só cobre as mensalidades. Meus pais precisam arcar com as outras despesas.

"Hannah, não quero você se preocupando com dinheiro. Seu pai e eu vamos ficar bem, prometo. Assim que terminarmos as reformas, vamos poder anunciar a casa de novo. Enquanto isso, quero que você aproveite a faculdade, querida. Pare de se preocupar com a gente e se concentre em você." Seu tom torna-se brincalhão. "Algum namorado de quem eu deva saber?"

Sorrio para mim mesma. "Não."

"Ah, vamos lá, deve ter alguém em que esteja interessada."

Minhas bochechas ardem quando penso em Justin. "Bom, tem. Quer dizer, não estamos namorando nem nada, mas eu aceitaria numa boa. Se ele estivesse interessado."

Mamãe ri. "Então o chame para sair."

Por que todo mundo acha que é assim tão fácil?

"É, talvez. Você me conhece, gosto de fazer tudo devagar." Ou melhor, não fazer. Não saí com ninguém desde que Devon e eu terminamos, no ano passado.

Mudo de assunto depressa. "Conta aí desse novo gerente de quem você reclamou no último e-mail. Parece que tá te deixando maluca."

Conversamos por um tempo sobre o trabalho dela como caixa de supermercado, mas é doloroso demais ouvir isso. Ela era professora de escola primária e foi demitida depois do meu escândalo, e os filhos da mãe do sistema educacional ainda acharam uma brecha para darem a indenização mais miserável possível — que foi direto para pagar a montanha de dívidas da minha família. E mal fez cócegas.

Mamãe me conta sobre a nova obsessão do meu pai por aeromodelismo, me diverte com as travessuras de nosso cão e me enche de tédio com os detalhes da horta que vai plantar na primavera. Não cita amigos, jantares nem os eventos comunitários pelos quais toda cidade pequena é conhecida. Porque, como eu, meus pais também são os párias de Ransom.

Mas, ao contrário de mim, não correram de Indiana como se tivessem que tirar o pai da forca.

Em minha defesa, eu precisava desesperadamente de um novo começo.

Só queria que eles também fossem capazes de recomeçar.

Quando desligamos, estou dividida entre uma alegria imensa e um profundo pesar. Adoro falar com minha mãe, mas saber que não vou ver meus pais no feriado me deixa com vontade de chorar.

Por sorte, Allie aparece no meu quarto antes de eu me render à tristeza e passar o restante do dia chorando na cama. "Ei", diz, animada. "Quer tomar café da manhã na cidade? Tracy emprestou o carro."

"Só se formos a qualquer lugar que não o Della's." Não há nada pior do que comer onde se trabalha, principalmente porque, em geral, Della me faz ficar para pegar um turno extra.

Allie revira os olhos. "Não tem mais lugar nenhum que sirva café da manhã. Mas tudo bem. A gente pode comer no refeitório."

Pulo para fora da cama, e Allie se joga no colchão, se esparramando em cima das cobertas enquanto caminho até a cômoda para pegar umas roupas.

"Estava no telefone com quem? Sua mãe?"

"É." Visto um suéter azul-claro e ajeito a bainha. "Não vamos nos encontrar no dia de Ação de Graças."

"Ah, sinto muito, amiga." Allie senta na cama. "Por que não vem para Nova York comigo?"

É uma oferta tentadora, mas prometi à minha mãe mandar um dinheiro, e não quero torrar minha poupança de vez com um bilhete de trem e um fim de semana em Nova York. "Não tenho dinheiro", respondo, desanimada.

"Droga. Eu pagaria se pudesse, mas ainda estou quebrada por causa da viagem ao México com Sean, na primavera."

"De qualquer maneira, não deixaria você pagar para mim." Sorrio. "Depois da formatura, vamos ser duas artistas passando fome, lembra? Precisamos guardar todos os nossos mínimos centavos."

Ela me mostra a língua. "De jeito nenhum. Vamos ser famosas já de cara. Você vai fechar um contrato para vários discos, e eu vou ser protagonista de uma comédia romântica com o Ryan Gosling. Que, por sinal, vai ficar perdidamente apaixonado por mim. E vamos morar numa casa de praia em Malibu."

"Você e eu?"

"Não, eu e *Ryan*. Mas você pode visitar a gente. Sabe, quando não estiver saindo com a Beyoncé e a Lady Gaga."

Dou risada. "Você sonha grande."

"Isso vai acontecer, amiga. Pode apostar."

Sinceramente, espero que sim, em especial por causa da Allie. Ela está pensando em se mudar para Los Angeles assim que se formar, e, juro, realmente posso vê-la estrelando uma comédia romântica. Allie não é um mulherão como a Angelina Jolie, mas tem um olhar bonito, um rosto jovem e um timing para comédia que cairia como uma luva em papéis românticos excêntricos. A única coisa que me preocupa é... bem, ela é boazinha demais. Allie Hayes é, de longe, a pessoa mais compassiva que já conheci. Recusou uma bolsa integral no curso de teatro da UCLA para ficar na Costa Leste, porque o pai está com esclerose múltipla e ela queria poder ir a Nova York num piscar de olhos, caso ele precisasse dela.

Às vezes, tenho medo de que Hollywood a coma viva, mas Allie é tão forte quanto gentil, além de ser a pessoa mais ambiciosa que já conheci. Por isso, se alguém é capaz de transformar seus sonhos em realidade, é ela.

"Vou escovar os dentes e me arrumar, e a gente vai." No caminho para a porta, olho para trás por cima do ombro. "Vai estar em casa hoje à noite? Vou dar aula até as seis, mas achei que a gente podia assistir a alguns episódios de *Mad Men* depois."

Ela balança a cabeça. "Vou jantar com Sean. Acho que vou dormir por lá."

Meus lábios se abrem num sorriso. "Ah, então o negócio tá ficando sério de novo?" Allie e Sean já terminaram três vezes desde o primeiro ano, mas os dois sempre acabam voltando para os braços um do outro.

"Acho que sim", admite ela e me segue até a sala. "Amadurecemos muito desde o último término. Mas não tô pensando no futuro. Estamos bem agora, e isso basta para mim." Ela dá uma piscadinha. "Com o bônus de que o sexo é incrível."

Forço outro sorriso, mas, no fundo, não posso deixar de me perguntar como é isso. A parte do sexo incrível.

Minha vida sexual não foi exatamente um mar de rosas. Ela se resumiu a medo, raiva e anos de terapia, e quando estava finalmente pronta para tentar esse negócio de sexo, as coisas não funcionam do jeito que gostaria. Dois anos após o estupro, no primeiro ano de faculdade, dormi com um cara que conheci num café, na Filadélfia, quando estava visitando minha tia. Passamos o verão inteiro juntos, mas o sexo era desajeitado e não tinha paixão. No começo, achei que talvez só faltasse alguma química entre a gente... até que aconteceu o mesmo com Devon.

Devon e eu tínhamos o tipo de sintonia de incendiar um quarto. Fiquei com ele por oito meses e era insanamente atraída pelo cara, mas não importa o quanto tentasse, não fui capaz de contornar minha... Certo, vou dar nomes aos bois: minha disfunção sexual.

Não conseguia ter orgasmos com ele.

Só de pensar é um suplício. É ainda mais humilhante quando lembro a frustração que foi para Devon. Ele tentou me agradar. Nossa, tentou *mesmo*. E não é como se eu não pudesse ter meus próprios orgasmos sozinha, porque posso. Com muita facilidade. Mas simplesmente não conseguia fazer acontecer com Devon, e ele acabou cansando de se dedicar tanto e não colher resultado nenhum.

E me largou.

Não o culpo. Deve ser um baque e tanto na masculinidade de um cara quando a namorada não gosta da vida sexual dos dois.

"Ei, você ficou branca feito uma folha de papel." A voz preocupada de Allie me traz de volta ao presente. "Tudo bem?"

"Tudo", afirmo. "Foi mal, viajei um pouco."

Seus olhos azuis se suavizam. "Você tá mesmo chateada por não poder ver seus pais no dia de Ação de Graças, né?"

Ansiosamente, agarro-me ao pretexto que ela oferece e assinto com a cabeça. "Como você disse, é uma droga." Dou de ombros. "Mas vou vê-los no Natal. Já é alguma coisa."

"É tudo!", exclama, com firmeza. "Agora vá escovar os dentes e ficar bonita, gata. Vou passar um café enquanto isso."

"Ah, nossa, você é a melhor esposa do mundo."

Ela sorri. "Só por isso, vou cuspir no seu café."

11

GARRETT

Hannah aparece lá pelas cinco, usando casacão grosso com capuz de pele e luvas vermelhas berrantes. Na última vez que olhei pela janela, não havia um floco de neve no chão, mas agora estou me perguntando se rolou uma nevasca durante a minha soneca e nem reparei.

"Você tava no Alasca?", pergunto, enquanto ela abre o zíper do casaco imenso.

"Não." Suspira. "Não consegui achar meu outro casaco, então saí com o de inverno. Achei que pudesse ter deixado aqui." Ela olha ao redor do quarto. "Mas acho que não. Droga. Tomara que não tenha esquecido na sala de ensaio. Tenho certeza de que uma daquelas calouras vai pegar. E *amo* aquele casaco."

Solto um riso contido. "E qual é a desculpa para as luvas?"

"Minhas mãos tavam frias." Ela ergue a cabeça para mim. "Qual é a sua para o gelo?"

Percebo que ainda estou segurando um saco de gelo na lateral direita do corpo, onde o gigante do Greg Braxton me atropelou. Estou todo roxo, e Hannah leva um susto quando levanto a barra da camiseta para mostrar o hematoma do tamanho de um punho na minha pele.

"Ai, meu Deus! Foi no jogo?"

"Foi." Levanto da cama e vou até a escrivaninha pegar os livros de ética. "O St. Anthony tem o Incrível Hulk no time. Ele adora espancar a gente."

"Não acredito que você submete o seu corpo a isso por vontade própria", ela se admira. "Não vale a pena, vale?"

"Vale. Vai por mim, uns arranhões e umas contusões não são nada comparados à emoção de estar no gelo." Olho para ela. "Sabe andar de patins?"

"Não. Quer dizer, *já andei*. Mas no geral fico só girando em círculos na pista. Nunca tive que segurar um taco nem correr atrás de um disco."

"É isso que você acha que é o hóquei?", pergunto, com um sorriso. "Segurar um taco e correr atrás de um disco?"

"Claro que não. Sei que tem um monte de habilidades envolvidas, e sem dúvida é intenso de assistir", admite.

"É intenso de jogar."

Ela senta na beira da cama, deitando a cabeça com curiosidade. "Você sempre quis jogar? Ou foi seu pai que o empurrou para o hóquei?"

Fico tenso. "O que faz você pensar isso?"

Hannah dá de ombros. "Alguém me disse que seu pai é uma espécie de celebridade do hóquei. Sei que tem um monte de pais por aí que obrigam os filhos a seguirem seus passos."

Meus ombros se enrijecem ainda mais. Estou surpreso de que ela não tenha falado no meu pai até agora — duvido que haja alguém na Briar que *não saiba* que sou filho de Phil Graham —, mas também me espanto pela sua perspicácia. Ninguém nunca me perguntou se gosto mesmo de jogar hóquei. Todo mundo simplesmente presume que *amo* o esporte porque meu pai foi jogador.

"Ele acabou me empurrando sim", confesso, com uma voz rouca. "Antes do primeiro ano do fundamental, já sabia andar de patins. Mas continuei jogando, porque amo o esporte."

"Isso é bom", diz ela, baixinho. "É importante fazer o que se ama."

Tenho medo que ela faça mais perguntas sobre meu pai, então limpo a garganta e mudo de assunto. "E aí, por qual filósofo devemos começar... Hobbes ou Locke?"

"Você escolhe. Ambos são incrivelmente chatos."

Solto uma risada. "Muito animador, Wellsy."

Mas ela tem razão. A hora seguinte é brutal, e não apenas por causa das teorias supermaçantes. Estou morrendo de fome, porque dormi na hora do almoço, mas me recuso a terminar a sessão até ter dominado o assunto. Quando estudei para a primeira prova, me concentrei só nos pontos principais, mas Hannah me faz examinar todos os detalhes. Também me obriga a reformular cada teoria, o que, tenho de admitir, me dá um controle maior do emaranhado de complexidades que estamos estudando.

Depois de repassarmos toda a matéria, Hannah me faz perguntas sobre tudo o que li nos últimos dias e, satisfeita ao constatar que aprendi tudo, fecha o fichário.

"Amanhã a gente começa a aplicar as teorias a dilemas éticos de verdade."

"Acho uma boa." Meu estômago ruge tão alto que praticamente sacode as paredes, e faço uma careta.

Ela deixa escapar uma risada. "Com fome?"

"Faminto. Tuck é quem cozinha aqui, mas hoje ele não está, então ia pedir uma pizza." Hesito. "Quer me acompanhar? Comer algumas fatias e, quem sabe, assistir a alguma coisa?"

Ela parece surpresa com o convite. Eu também me surpreendo, mas, para ser sincero, ter uma companhia viria bem a calhar. Logan e os outros caras foram a uma festa, mas não estava com vontade de me juntar a eles. E já terminei todas as leituras do curso, então não tenho nada para fazer hoje à noite.

"O que você quer ver?", pergunta ela, com cautela.

Aponto para a pilha de Blu-rays perto da TV "Dean acabou de comprar todas as temporadas de *Breaking Bad*. Sempre penso em assistir, mas nunca tenho tempo."

"É o seriado do traficante de heroína?"

"Fabricante de metanfetamina. Ouvi dizer que é demais."

Hannah corre os dedos pelos cabelos. Parece relutante em ficar, mas igualmente relutante em ir.

"O que mais você tem para fazer hoje à noite?", pergunto.

"Nada", responde, cabisbaixa. "Minha colega de alojamento vai dormir na casa do namorado, então ia acabar só vendo televisão mesmo."

"Pode fazer isso aqui." Pego o celular. "Gosta de pizza de quê?"

"Hmm... cogumelos. E cebola. E pimentão verde."

"Ah, todos os ingredientes sem graça?" Balanço a cabeça. "Vamos comer bacon, linguiça e queijo extra."

"Por que perguntou o que gosto se não vai pedir?"

"Porque tava torcendo para você ter um gosto melhor."

"Não tenho culpa se você acha legumes uma coisa chata, Garrett. Dá uma pesquisada em escorbuto e vem falar comigo depois, tá legal?"

"Escorbuto é uma deficiência de vitamina C. Não dá para colocar luz do sol nem laranja em pizza, gata."

No final, cedo e peço duas pizzas, uma com os ingredientes maçantes de Hannah, outra cheia de carne e queijo. Cubro o bocal do telefone e olho para ela. "Coca Zero?"

"O que você acha que sou, fresca? Coca normal, por favor."

Rindo, termino de fazer o pedido e, logo em seguida, coloco o primeiro DVD de *Breaking Bad*. Vinte minutos depois, toca a campainha.

"Uau. É o entregador de pizza mais rápido da história", comenta Hannah.

Meu estômago não achou nada ruim. Desço até o primeiro andar e recebo a comida, em seguida, passo na cozinha para buscar papel-toalha e uma garrafa de Bud Light na geladeira. No último segundo, pego uma garrafa a mais, caso Hannah queira.

Mas quando ofereço a ela no segundo andar, Hannah balança a cabeça com veemência. "Não, obrigada."

"O quê, é certinha demais para tomar uma cerveja?"

O desconforto cintila em seus olhos. "Não sou de beber muito, tá legal?"

Dou de ombros e abro a minha garrafa, dando um gole profundo, enquanto Hannah arranca uma folha do rolo de papel-toalha e puxa da caixa uma fatia gordurosa coberta de legumes.

Nós nos ajeitamos na cama para comer, os dois em silêncio, enquanto aperto play de novo. O episódio piloto é incrível, e Hannah não se opõe quando passo para o seguinte.

Tem uma mulher no meu quarto e nenhum de nós está pelado. É estranho. Mas meio legal. Não falamos muito durante o seriado — estamos absortos demais com o que está acontecendo na tela —, só que, quando o segundo episódio termina, Hannah se vira para mim de queixo caído.

"Ai, meu Deus, imagina não saber que o marido está produzindo metanfetamina? Pobre Skylar."

"Com certeza ela vai descobrir."

Hannah prende a respiração. "Ei. Sem *spoilers*!"

"Não é um *spoiler*", protesto. "É um pressentimento."

Ela relaxa. "Certo, tudo bem, então."

Hannah pega sua lata de Coca-Cola e dá um gole demorado. Já destruí minha pizza, mas a dela ainda está pela metade, então roubo um pedaço e dou uma mordida grande.

"Uhhhh, olha só quem não resistiu à minha pizza *sem graça*. Tem algum hipócrita aqui?"

"Não é culpa minha que você coma feito um passarinho, Wellsy. Não posso desperdiçar comida."

"Comi quatro fatias!"

Tenho que admitir: "É, isso na verdade faz de você uma glutona completa se comparada às meninas que conheço. O máximo que comem é metade de uma entradinha de salada".

"Isso é porque precisam ficar magras feito um palito para caras como você as acharem bonitas."

"Não tem nada de atraente numa mulher que é só pele e osso."

"Aham, tenho certeza de que você não vê *a menor graça* em mulheres magras."

Reviro os olhos. "Não. Só estou dizendo que prefiro curvas." Engulo a última mordida antes de pegar outra fatia. "Homem gosta de ter onde pegar quando... você sabe." Arqueio as sobrancelhas para ela. "Mas vale para os dois lados. Quero dizer, você não preferiria pegar um cara musculoso do que um magrelo?"

Ela solta um riso de desdém. "Esta é a parte em que devo elogiar seu corpo musculoso?"

"Você gosta do meu corpo musculoso? Obrigado, gata."

"Não, *você* acha que tem um corpo musculoso." Ela franze os lábios. "Mas você não deixa de estar certo. Não me sinto atraída por homens magros."

"Que bom que o seu gato tem tanquinho, então, né?"

Ela suspira. "Quer parar de falar assim?"

"Não." Mastigo pensativo. "Vou ser sincero com você. Não sei o que viu nele."

"Por quê, porque não é o machão da faculdade? Porque é sério e inteligente e não um pegador desenfreado?"

Merda, acho que ela caiu na do Kohl. Se eu usasse chapéu, provavelmente tiraria o meu para ele, por ter sido tão bem-sucedido em criar um personagem que enlouquece as mulheres — o atleta nerd.

"Kohl não é o que parece", digo, bruscamente. "Sei que passa por atleta misterioso e inteligente, mas tem algo... duvidoso nele."

"Não vejo nada duvidoso nele", discorda.

"Claro, porque vocês dois já tiveram uma infinidade de conversas profundas e significativas", rebato. "Vai por mim, é só uma máscara."

"Eu discordo." Ela sorri. "Além do mais, você não está em posição de julgar em quem estou interessada. Pelo que ouvi, só namora garotas vazias."

Sorrio de volta. "Aí é que você se engana."

"Ah, é?"

"É. Só *durmo* com garotas vazias. Não namoro ninguém."

"Galinha." Ela faz uma pausa, a curiosidade estampada em seu rosto. "Por que você não namora? Tenho certeza de que todas as garotas da faculdade matariam para ser sua namorada."

"Não estou à procura de um relacionamento."

Isso a surpreende. "Por que não? Relacionamentos podem valer muito a pena."

"Disse a solteira."

"Estou solteira porque não encontrei ninguém com que me conectasse, não porque sou contra a ideia de ter um relacionamento. É bom ter alguém pra passar o tempo. Sabe, para conversar, abraçar, todas essas coisas meladas. Você não quer isso?"

"Um dia. Mas agora não." Abro um sorriso convencido. "Se algum dia sentir a necessidade de conversar com alguém, tenho você."

"Ah, então suas garotas vazias ficam com o sexo, e eu tenho que aturar sua tagarelice?" Ela balança a cabeça. "Estou me sentindo no prejuízo nesse negócio."

Arqueio as sobrancelhas. "Ah, você quer o sexo também, Wellsy? Fico feliz em oferecer para você."

Suas bochechas se coram do tom de vermelho mais vivo que já vi, e começo a rir.

"Relaxa. Tô brincando. Não sou tão burro assim de dormir com a minha professora particular. Vou acabar te fazendo sofrer, aí você vai me ensinar a matéria errado e vou mandar mal na prova."

"De novo", corrige ela, com gentileza. "Vai mandar mal na prova *de novo*."

Levanto o dedo do meio, mas estou sorrindo ao fazê-lo. "Você precisa ir ou posso botar o terceiro episódio?"

"Terceiro episódio. Claro."

Nós nos acomodamos na cama mais uma vez, eu de barriga para cima com a cabeça em três travesseiros, Hannah de bruços, ao pé da cama. O episódio seguinte é intenso, e, assim que acaba, estamos ansiosos para assistir ao próximo. Quando me dou conta, acabamos o primeiro disco e estamos passando para o segundo. Entre um suspense e outro, discutimos o que acabamos de ver e fazemos previsões. E, para ser sincero, não me divirto de um jeito assim platônico com uma menina desde... bom, *nunca*.

"Acho que o cunhado está desconfiando", divaga Hannah.

"Tá brincando? Aposto que vão guardar essa revelação pro final. Mas acho que Skylar não vai demorar pra descobrir."

"Tomara que peça o divórcio. Walter White é um cretino. Sério mesmo. Odeio o cara."

Dou risada. "Ele é um anti-herói. Foi feito para você odiar."

O episódio seguinte começa, e ficamos em silêncio na mesma hora, porque é o tipo de seriado que exige sua total atenção. Em dois tempos, chegamos ao último episódio da primeira temporada, que termina com uma cena que deixa nós dois com os olhos arregalados.

"Puta merda", exclamo. "Acabamos a primeira temporada."

Hannah morde o lábio e dá uma olhada no despertador. São quase dez horas. Acabamos de assistir sete episódios sem uma pausa para ir ao banheiro.

Achei que ia dizer que é hora de ir embora, mas em vez disso ela suspira e pergunta: "Você tem a segunda temporada?".

Não posso controlar o riso. "Você quer continuar assistindo?"

"Depois desse final? Como não assistir?"

Não deixa de ser verdade.

"Só o primeiro", implora ela. "Você não quer ver o que acontece?"

Claro que quero, por isso não me oponho quando ela se levanta para colocar o próximo disco. "Quer fazer um lanche ou algo assim?", ofereço.

"Pode ser."

"Vou ver o que temos."

Acho dois pacotes de pipoca de micro-ondas no armário da cozinha, faço os dois e volto com duas tigelas de pipoca nas mãos.

Hannah roubou meu lugar, o cabelo escuro esparramado na minha pilha de travesseiros, as pernas esticadas à sua frente. As meias de bolinhas vermelhas e pretas me fazem sorrir. Reparei que não usa roupas de grife ou de patricinha como a maioria das meninas na faculdade, nem as roupas de festa ousadas comuns nas fraternidades e nos bares do campus nos fins de semana. Hannah gosta de calça jeans skinny, leggings e suéteres justos, o que ficaria elegante, se ela não combinasse sempre com alguma coisa de cor chamativa. Como as meias, ou as luvas, ou aqueles grampos de cabelo engraçados de que ela gosta.

"Uma dessas é para mim?" Ela aponta para as tigelas que estou segurando.

"É."

Passo para ela. Hannah se ajeita, enfia a mão na tigela e ri. "Não consigo comer pipoca sem lembrar do Napoleão."

Pisco, confuso. "O imperador?"

Ela ri mais ainda. "Não, meu cachorro. Quero dizer, o *nosso* cachorro, da minha família. Mora em Indiana, com meus pais."

"Que tipo de cachorro?"

"Um vira-lata enorme, cruza de um zilhão de raças, mas lembra um pouco um pastor-alemão."

"E o Napoleão gosta de pipoca?", pergunto educadamente.

Ela sorri. "Adora. Nós o pegamos quando era filhote, e teve uma vez... Eu tinha uns dez anos, e meus pais haviam me levado ao cinema. Ele abriu os armários enquanto estávamos fora e conseguiu tirar uma caixa de pacotes de pipoca de micro-ondas. Devia ter uns cinquenta pacotes lá dentro. Minha mãe gosta de uma promoção e, sempre que tem alguma coisa com o preço bom, ela compra a prateleira inteira. Acho que aquele mês foi algum tipo de pipoca gourmet. Juro que o cachorro comeu todos os pacotes, até a embalagem. Passou dias colocando caroço de milho e pedaço de papel para fora."

Dou uma risada.

"Meu pai ficou louco", continua ela. "Achou que Napoleão ia ter uma intoxicação alimentar ou algo assim, mas o veterinário disse que não era nada demais e que um dia ia acabar saindo tudo." Ela faz uma pausa. "Você tem algum animal de estimação?"

"Não, mas meus avós tinham uma gata quando eu era criança. O nome dela era Peaches, e era louquinha de pedra." Enfio um punhado de pipoca na boca e rio ao mastigar. "Era carinhosa comigo e com a minha mãe, mas odiava meu pai. O que não é uma surpresa, acho. Meus avós também o odiavam, então ela deve ter percebido. Mas, cara, como aterrorizava o velho."

Hannah sorri. "O que ela fazia?"

"Arranhava sempre que podia, mijava nos sapatos dele, esse tipo de coisa." De repente, desato a rir. "Ai, merda, a melhor coisa que ela fez? Era dia de Ação de Graças, e estávamos na casa dos meus avós, em Buffalo. Todo mundo reunido à mesa, prestes a comer, quando Peaches entra pela portinhola de gato. Logo atrás da casa tinha um barranco, e ela costumava rondar por lá. Enfim, ela entra pela casa trazendo uma coisa na boca, mas ninguém consegue ver o que é."

"Meu Deus. Isso não tá cheirando bem."

Estou sorrindo tanto que minhas bochechas doem. "Peaches salta em cima da mesa como se fosse a rainha da cocada ou sei lá o quê, caminha ao longo da beirada e despeja um coelho morto no prato do meu pai."

Hannah arqueja. "Sério? Que nojo!"

"Meu avô se escangalhou de rir, minha avó teve um treco porque achou que toda a comida em cima da mesa tinha ficado contaminada, e meu pai..." Meu humor desaparece, quando lembro o olhar no rosto dele. "Vamos apenas dizer que não ficou muito satisfeito."

Eufemismo do ano. Um arrepio corre por minha espinha à medida que vou me lembrando do que aconteceu quando voltamos para Boston, alguns dias depois. O que fez com minha mãe como punição por "envergonhá-lo", conforme a acusou durante seu ataque de raiva.

A única coisa positiva é que minha mãe morreu um ano depois. Não estava lá para testemunhar quando ele voltou sua raiva contra mim, e sou grato por isso todos os dias da minha vida.

Ao meu lado, Hannah também fica sombria. "Não vou encontrar meus pais no dia de Ação de Graças."

Olho para ela, avaliando seu rosto. É óbvio que está chateada, e sua confissão me distrai das memórias esmagadoras apertando meu peito. "Você costuma ir para casa?"

"Não, passamos as férias na casa da minha tia, mas este ano meus pais não podem pagar a passagem, e eu... não posso bancar uma viagem para a casa deles."

Parece estar escondendo alguma coisa, mas não consigo imaginar sobre o que estaria mentindo.

"Não tem problema", murmura, ao notar o olhar de simpatia em meu rosto. "Sempre tem o Natal, não é?"

Faço que sim, embora, para mim, não existam esses feriados. Prefiro cortar os pulsos a voltar para casa e passar as festas com meu pai.

Coloco minha tigela de pipoca na mesa de cabeceira e pego o controle remoto. "Pronta para a segunda temporada?", pergunto, casualmente. A conversa ficou muito pesada, e estou ansioso para mudar de assunto.

"Manda ver."

Desta vez, sento ao lado dela, mas ainda tem uns sessenta centímetros entre a gente. É estranho como estou gostando disso — passar o tempo com uma garota sem me preocupar sobre como vou me livrar dela ou sobre as exigências que ela logo vai começar a fazer.

Assistimos ao primeiro episódio da segunda temporada, e ao segundo, terceiro... e, quando dou por mim, são três da manhã.

"Ai, merda, que horas são?", Hannah deixa escapar. Assim que termina de falar, um enorme bocejo se abre em seu rosto.

Esfrego os olhos cansados, incapaz de entender como pode ter ficado tão tarde sem nenhum um de nós perceber. Assistimos literalmente a uma temporada e meia da série numa sentada só.

"Merda", murmuro.

"Não acredito que já é tão tarde." Ela boceja de novo, o que desencadeia um bocejo em mim, e, em pouco tempo, estamos os dois sentados no meu quarto escuro — não me lembro de ter desligado a luz —, bocejando feito duas pessoas que não dormem há meses.

"Tenho que ir." Ela tropeça para fora da cama e ajeita o cabelo com as mãos. "Onde tá meu celular? Preciso chamar um táxi."

Meu próximo bocejo quase quebra meu maxilar. "Levo você", digo, grogue, escorregando para fora da cama.

"De jeito nenhum. Você bebeu duas cervejas."

"Horas atrás", argumento. "Estou bem para dirigir."

"Não."

Deixo a irritação tomar conta de mim. "Você não vai entrar num táxi e andar pelo campus às três da manhã, de jeito nenhum. Ou eu levo você ou você fica aqui."

Ela parece assustada. "Não vou ficar aqui."

"Então eu levo você. Sem discussão."

Seu olhar recai sobre as duas garrafas de Bud na mesa de cabeceira. Sinto sua relutância, mas também vejo o cansaço encobrindo suas feições. Depois de um instante, ela relaxa os ombros e deixa escapar um suspiro. "Tudo bem. Durmo no sofá."

Balanço a cabeça depressa. "Não. Melhor dormir aqui."

Foi a coisa errada a se dizer, porque ela fica mais rígida do que um poste. "Não vou dormir no seu quarto."

"Moro com três jogadores de hóquei, Wellsy. Que, aliás, ainda não chegaram em casa de uma noitada. Não estou dizendo que alguma coisa vá acontecer, mas há uma chance de um deles, sei lá, tropeçar bêbado na sala e passar a mão em você se a achar no sofá. Eu, por outro lado, não tenho o menor interesse em passar a mão em você." Aponto para a cama enorme. "Cabem sete nessa coisa. Você nem vai reparar que estou aqui."

"Um cavalheiro se ofereceria para dormir no chão, sabe?"

"Pareço um cavalheiro para você?"

Ela ri disso. "Não." Há um momento de silêncio. "Certo, vou ficar aqui. Mas só porque mal consigo manter os olhos abertos, e realmente não quero ter que esperar por um táxi."

Vou até minha cômoda. "Quer alguma coisa para dormir? Camiseta? Moletom?"

"Uma camiseta seria ótimo." Mesmo na escuridão, posso senti-la corando. "Você tem uma escova de dentes sobrando?"

"Tenho. No armário embaixo da pia." Entrego uma camiseta velha a ela, e Hannah desaparece no banheiro.

Tiro a camisa e a calça jeans e entro na cama de cueca. Ao me ajeitar para dormir, ouço a descarga e a torneira da pia ligar e desligar. Em seguida, Hannah volta, os pés descalços batendo suavemente no piso de madeira. Fica parada ao lado da cama por tanto tempo, que acabo resmungando de irritação.

"Dá para deitar na cama logo?", reclamo. "Não mordo. E mesmo que mordesse, estou quase dormindo. Então para de ficar aí me olhando feito uma doida e vem dormir."

O colchão afunda ligeiramente à medida que ela sobe na cama. Sinto um puxão no cobertor, um farfalhar de lençóis e um suspiro, e Hannah está deitada ao meu lado. Bem, não exatamente. Está lá do outro lado da cama, no mínimo agarrada à beirada do colchão, para não cair.

Estou cansado demais para fazer uma observação sarcástica, então apenas murmuro: "Boa noite", e fecho os olhos de novo.

"Boa noite", ela sussurra de volta.

Poucos segundos depois, estou morto para o mundo.

12

GARRETT

Adoro aquele momento logo antes de acordar, quando as finas teias de aranha em meu cérebro se tecem para formar um novelo coerente de consciência. É o cúmulo do "Onde estou?". Aquele momento desorientado e nebuloso em que metade dos meus neurônios ainda estão perdidos em seja qual for o sonho que estou tendo.

Mas, esta manhã, tem alguma coisa diferente. Meu corpo está mais quente do que o normal, e me dou conta de um cheiro adocicado. Morango, talvez? Não, cereja. Definitivamente cereja. E algo pinicando embaixo do queixo, algo macio e duro ao mesmo tempo. Uma cabeça? É, tem uma cabeça aninhada na curva do meu pescoço. E um braço fino por cima da minha barriga. Uma perna quente enganchada na minha coxa, e um seio macio descansando no lado esquerdo do meu peitoral.

Abro os olhos lentamente e encontro Hannah aconchegada em mim. Estou deitado de costas, os braços em volta dela, segurando-a com força junto ao meu corpo. Não admira que meus músculos estejam tão rígidos. Será que passamos a noite inteira assim? Lembro de estarmos em lados opostos da cama quando peguei no sono, tão distantes que até esperava encontrá-la no chão ao acordar.

Mas, agora, estamos emaranhados nos braços um do outro. É gostoso.

Estou ficando mais desperto. Desperto o suficiente para assimilar este último pensamento. É *gostoso*? O que está acontecendo comigo? Dormir abraçadinho é exclusividade de namoradas.

E não tenho namoradas.

Mas também não a solto. Estou completamente acordado agora, respirando o cheiro dela e desfrutando do calor do seu corpo.

Olho para o despertador, que vai tocar em cinco minutos. Sempre acordo antes do alarme, como se meu corpo soubesse que é hora de se levantar, mas ainda ligo o despertador por precaução. São sete da manhã. Só tive quatro horas de sono, mas me sinto estranhamente descansado. Em paz. Não estou pronto para deixar esse sentimento ir embora ainda, então fico ali, deitado, com Hannah em meus braços, ouvindo sua respiração estável.

"Você está *duro*?"

A voz horrorizada de Hannah corta o silêncio sereno. Ela senta num sobressalto, e logo cai de volta no colchão. É isso aí, a srta. Piadista se desequilibra deitada, porque ainda está com a perna enganchada nas minhas coxas. E sim, definitivamente tem algo acontecendo lá nos países baixos.

"Relaxa", digo numa voz sonolenta e grave. "É só uma meia-bomba matinal."

"Meia-bomba matinal?", repete ela. "Ai, meu Deus. Você é tão..."

"Homem?", sugiro, secamente. "Sou sim, e é isso que acontece com os homens de manhã. Pura biologia, Wellsy. Acordamos duros. Se isso faz você se sentir melhor, não estou com o menor tesão neste momento."

"Tudo bem, vou aceitar sua justificativa biológica. Agora pode me explicar por que decidiu me abraçar no meio da noite?"

"Eu não decidi *nada*. Estava dormindo. Até onde sei, foi você que se arrastou para cima de mim."

"Jamais. Nem em sonho. Meu inconsciente me conhece melhor do que isso." Ela enfia o indicador no centro do meu peito e pula para fora da cama num movimento rápido.

Assim que se afasta, sinto uma sensação de perda. Já não estou quente e aconchegado, mas frio e sozinho. Enquanto sento e espreguiço os braços por cima da cabeça, seus olhos verdes se fixam no meu peito nu, e ela torce o nariz de desgosto.

"Não acredito que a minha cabeça estava nessa coisa a noite toda."

"Meu peito não é uma *coisa*." Faço uma cara feia para ela. "Outras mulheres parecem não ter o menor problema com ele."

"Não sou 'outras mulheres'."

Não, ela não é. Porque "outras mulheres" não me divertem tanto quanto Hannah. De repente, me pergunto como passei a vida inteira sem os comentários sarcásticos e os resmungos irritados de Hannah Wells.

"Para de sorrir", exige ela.

Estou sorrindo? Nem percebi.

Hannah estreita os olhos enquanto cata as roupas no chão. Minha camiseta bate em seus joelhos, enfatizando o quanto ela é pequena.

"Não se atreva a contar a ninguém sobre isso", ameaça.

"Por que não? Só vai aumentar a sua credibilidade nas ruas."

"Não quero ser mais uma de suas maria-patins, e não quero que as pessoas pensem que sou, entendeu?"

Seu uso do termo me faz sorrir ainda mais. Gosto que esteja pegando o jargão do hóquei. Talvez, um dia desses, até consiga convencê-la a assistir a um jogo. Tenho a sensação de que iria vaiar bastante o outro time, o que é sempre uma vantagem em jogos em casa.

Mas, conhecendo a peça, provavelmente ela vaiaria *a gente*, o que daria a vantagem ao outro time.

"Bom, se você não quer mesmo que ninguém pense isso, melhor se vestir depressa." Arqueio a sobrancelha. "A menos que você queira meus colegas de time testemunhando a sua caminhada da vergonha. E eles vão, porque temos treino em trinta minutos."

O pânico brilha em seus olhos. "Merda."

Preciso admitir, esta é a primeira vez que uma garota se preocupa em ser pega no meu quarto. Em geral, elas saem daqui como se tivessem acabado de fisgar o Brad Pitt.

Hannah respira fundo. "A gente estudou. Assistiu TV. Fui pra casa tarde. Foi isso que aconteceu. Entendido?"

Luto contra o riso. "Como quiser."

"Nem venha com essa de *A princesa prometida* para cima de mim, ouviu?"

"Nossa, essa veio do fundo do baú!"

Ela me olha furiosa; em seguida, aponta um dedo na minha direção. "Quando sair do banheiro, quero ver você vestido e pronto para ir embora. Você vai me deixar em casa antes de os seus amigos acordarem."

Uma risada contida me escapa, enquanto ela vai pisando duro na direção do banheiro e bate a porta.

HANNAH

Estou funcionando com quatro horas de sono. Por favor, alguém me mate. O lado bom é que ninguém viu Garrett me deixar na porta do alojamento hoje cedo, então pelo menos minha honra ainda está intacta.

As aulas da manhã não acabam nunca. Tenho uma de teoria seguida de um seminário sobre história da música — e ambas exigem minha atenção, o que é difícil, quando mal consigo manter os olhos abertos. Já bebi três cafés, mas, em vez de me dar energia, a cafeína só está drenando os resquícios da que eu tinha.

Vou almoçar tarde, num dos refeitórios do campus, escolho uma mesa bem no fundo e fico enviando vibrações de "Me deixem em paz", porque estou cansada demais para jogar conversa fora. A comida me acorda um pouco, e passo pelas portas de carvalho do edifício de filosofia com tempo sobrando para a aula seguinte.

Aproximo-me do auditório de ética e paro, num sobressalto. Ninguém menos que Justin está caminhando pelo corredor largo, as sobrancelhas escuras franzidas, enquanto digita no celular.

Mesmo tendo tomado banho e trocado de roupa no alojamento, me sinto uma completa idiota. Estou de calças de ginástica, um moletom verde e botas de borracha vermelhas. A previsão do tempo tinha dito que ia chover, o que não aconteceu, então agora me sinto ridícula por ter escolhido esse sapato.

Justin, por outro lado, é pura perfeição. A calça jeans escura abraça suas pernas compridas e musculosas, e o suéter preto se estica sobre os ombros largos de um jeito que me faz tremer nas bases.

Meu coração bate mais rápido à medida que me aproximo. Estou tentando decidir se deveria dizer "oi" ou só cumprimentar com um aceno, mas ele resolve o dilema, falando primeiro.

"Oi." Seus lábios se curvam num meio-sorriso. "Belas galochas."

Suspiro. "Ia chover."

"Não foi sarcasmo. Gosto de galochas. Me fazem lembrar de casa." Ele percebe meu olhar interrogativo e explica depressa: "Sou de Seattle".

"Ah. Foi de lá que você pediu transferência?"

"Foi. E, vai por mim, se *não* estiver chovendo em Seattle, é porque tem alguma coisa errada. Botas de chuva são um item de sobrevivência quando se vive em Seattle." Ele enfia o smartphone no bolso, adotando um tom casual. "Então, o que aconteceu com você na quarta-feira?"

Franzo o cenho. "Como assim?"

"A festa. Procurei por você depois da sinuca, mas já tinha ido."

Ai, meu Deus. Ele me *procurou*?

"É, saí cedo", respondo, torcendo para parecer casual também. "Tinha aula às nove no dia seguinte."

Justin deita a cabeça de lado. "Ouvi dizer que foi embora com Garrett Graham."

Isso me pega desprevenida. Não achei que alguém nos tivesse visto saindo juntos, mas é claro que estava enganada. Aparentemente, os boatos circulam mais rápido que a velocidade da luz, na Briar.

"Ele me deu uma carona para casa", respondo, dando de ombros.

"Ah. Não sabia que eram amigos."

Abro um sorriso travesso. "Tem muita coisa ao meu respeito que você não sabe."

Deus do céu. Estou flertando com ele.

Ele também sorri, e a covinha mais sensual que já vi aparece em seu queixo. "Acho que você tem razão." Faz uma pausa significativa. "Talvez devêssemos mudar isso."

Deus do céu. Ele está flertando *de volta*.

Por mais que odeie admitir, estou começando a achar que a teoria de Garrett de dar uma de difícil realmente faz sentido. Justin parece curiosamente fixado no fato de que saí da festa com Garrett.

"Então..." Seus olhos brilham, alegres. "O que você vai fazer depois da..."

"Wellsy!"

Engulo um gemido exasperado diante da interrupção alegre de — quem mais? — Garrett. Ele caminha na nossa direção, e Justin fecha o rosto ligeiramente, mas logo em seguida sorri e cumprimenta o intruso indesejável com a cabeça.

Garrett está trazendo dois copos de isopor e passa um para mim com um sorriso no rosto. "Trouxe um café. Achei que estaria precisando."

Não deixo de notar o olhar estranho que Justin lança em nossa direção, ou o brilho de desagrado em seus olhos, mas aceito o café com gratidão e abro a tampa, soprando o líquido quente, antes de dar um pequeno gole. "Salvou minha vida", suspiro.

Garrett acena para Justin e o cumprimenta: "Kohl".

Os dois trocam uma espécie de tapa viril, que não chega a ser um aperto de mãos, mas também não é bem um soco com os punhos.

"Graham", devolve Justin. "Ouvi dizer que vocês destruíram o St. Anthony. Bela vitória."

"Obrigado." Garrett ri. "Ouvi dizer que vocês *foram destruídos* pelo Brown. Que merda."

"Lá se vai nossa temporada perfeita, né?", lamenta-se Justin.

Garrett dá de ombros. "Vocês vão se recuperar. Maxwell tem um braço do outro mundo."

"Nem me fale."

Como considero que conversas sobre esportes estão no mesmo grau de chatice das de política e jardinagem, dou um passo em direção à porta. "Vou entrar. Obrigada pelo café, Garrett."

Meus batimentos cardíacos continuam acelerando enquanto caminho pelo auditório. É engraçado, mas minha vida de repente parece estar se movendo na velocidade da luz. Antes da festa, o máximo de contato que tive com Justin foi um aceno a míseros três metros de distância — e isso em dois meses. Agora, em menos de uma semana, tivemos duas conversas, e, a menos que esteja imaginando coisas, ele estava prestes a me convidar para sair, antes de Garrett interromper.

Sento na cadeira de sempre, ao lado de Nell, que me cumprimenta com um sorriso. "Oi", diz ela.

"Oi." Abro a bolsa e pego um caderno e uma caneta. "Como foi o fim de semana?"

"Um inferno. Tive uma prova de química bizarra hoje de manhã e virei a noite estudando."

"E como foi?"

"Ah, moleza." Ela sorri feliz, mas a alegria desaparece depressa. "Agora só preciso me sair melhor na segunda chamada de sexta, e tudo vai ficar bem no mundo de novo."

"Você recebeu meu e-mail, não recebeu?" Tinha mandado uma cópia da minha prova para ela, no início da semana, mas Nell não chegou a responder.

"Recebi. Desculpa não ter escrito, precisava me concentrar em química. Estou pensando em dar uma olhada nas suas respostas hoje à noite."

Uma sombra cai sobre nós, e quando me dou conta, Garrett ocupa a cadeira ao meu lado. "Wellsy, tem uma caneta sobrando?"

As sobrancelhas de Nell quase batem no teto, e ela me encara como se, nos últimos três segundos, tivesse brotado um cavanhaque na minha cara. Não a culpo. Sentamos uma do lado da outra desde o início do semestre, e não lancei um olhar sequer na direção de Garrett Graham, muito menos falei com ele.

Nell não é a única que está fascinada por esta nova disposição dos lugares. Quando olho pelo corredor, noto Justin nos observando com uma expressão indecifrável no rosto.

"Wellsy? Caneta?"

Volto-me para Garrett. "Você veio para a aula despreparado? Que surpresa." Abro a bolsa de novo e procuro uma caneta; em seguida, enfio-a em sua mão.

"Obrigado." Ele me oferece aquele sorriso arrogante antes de abrir seu caderno numa página limpa. Em seguida, inclina-se para a frente e dirige-se a Nell. "Prazer, Garrett."

Ela fita, boquiaberta, a mão estendida dele e, enfim, a aperta. "Nell", responde. "Prazer."

Tolbert chega logo em seguida, e, enquanto Garrett volta sua atenção para o tablado, Nell me lança outro olhar de "o que foi isso". Levo os lábios bem perto de seu ouvido e sussurro: "Somos meio que amigos agora".

"Ouvi isso", se intromete Garrett. "E não tem nada de 'meio' nessa história. Somos melhores amigos, Nelly. Não deixe a Wellsy dizer o contrário."

Nell ri baixinho.

Só consigo deixar escapar um suspiro.

A aula de hoje se concentra em algumas questões bem pesadas. Sobretudo, o conflito entre a consciência de um indivíduo diante de sua responsabilidade com a sociedade. Tolbert dá os nazistas como exemplo.

Não preciso nem dizer que a próxima hora e meia é bem deprimente.

Depois da aula, estou morrendo de vontade de terminar a conversa com Justin, mas Garrett tem outros planos. Em vez de me deixar ficar, ou melhor, de disparar em linha reta até meu jogador de futebol preferido, segura meu braço com firmeza e me ajuda a levantar. Dou uma olhadinha na direção de Justin, que está descendo o corredor depressa, como se quisesse nos alcançar.

"Ignore o cara." A voz de Garrett é quase inaudível ao me conduzir pela porta.

"Mas quero falar com ele", reclamo. "Tenho certeza de que ia me convidar para sair antes."

Garrett simplesmente segue em frente, a mão parecendo um torno de ferro em volta do meu antebraço. Preciso correr para acompanhar seus passos largos e estou morrendo de raiva quando saímos no ar fresco de outubro.

Me sinto tentada a olhar por cima do ombro para ver se Justin está atrás de nós, mas sei que Garrett vai brigar comigo se o fizer, então resisto.

"O que foi isso?", exijo saber, tirando a mão dele de cima de mim.

"Você deveria ser inatingível, lembra? Tá facilitando muito as coisas pra ele."

A raiva borbulha dentro de mim. "A questão toda era fazer com que ele me notasse. Bem, ele está me notando. Por que não posso parar de fazer joguinhos?"

"Você despertou o interesse dele", diz Garrett, enquanto caminhamos pela trilha de paralelepípedos em direção ao pátio. "Mas se você quiser *manter* esse interesse, precisa fazê-lo trabalhar por isso. Homens gostam de desafios."

Quero argumentar, mas talvez ele tenha razão.

"Segure a onda até a festa de Maxwell", aconselha.

"Sim, senhor", resmungo. "Ah, por falar nisso, vou ter que desmarcar a nossa aula de hoje. Estou exausta da maratona de ontem e, se não dormir um pouco, vou ficar um zumbi pelo resto da semana."

Garrett não parece feliz. "Mas a gente ia começar a parte pesada hoje."

"Sabe o que a gente pode fazer? Vou enviar um e-mail com um exemplo de pergunta para você fazer uma redação, algo que a Tolbert inventaria. Você tem duas horas para escrever alguma coisa, e amanhã a gente repassa juntos. Assim, vou ter uma noção do que precisamos trabalhar."

"Certo", aceita ele. "Tenho treino de manhã e aula depois. Pode vir ao meio-dia?"

"Claro, mas tenho que sair às três, por causa do ensaio."

"Legal. Vejo você amanhã, então." Ele bagunça meu cabelo como se eu fosse uma criança de cinco anos de idade e vai embora, caminhando descontraído.

Meus lábios se curvam num sorriso irônico ao vê-lo se afastar, o casaco do time de hóquei preto e prata se colando ao peito ao andar na direção do vento. Não sou a única a observá-lo — várias mulheres também voltam a cabeça em sua direção, e quase posso ver suas calcinhas derretendo quando ele exibe aquele sorriso canalha para todo mundo ver.

Revirando os olhos, vou na direção oposta. Não quero chegar atrasada ao ensaio, principalmente porque Cass e eu ainda não chegamos a um acordo sobre a sua ideia ridícula de incluir um coral.

Mas, quando entro na sala de música, não vejo Cass em lugar nenhum.

"Oi", cumprimento M.J., que está ao piano, estudando as partituras.

Ela ergue a cabeça loura, com um sorriso desconfortável no rosto. "Ah, oi." Faz uma pausa. "Cass não vem hoje."

Sinto a irritação aflorando em meu estômago. "Como assim ele não vem?"

"Mandou uma mensagem agorinha. Tá com enxaqueca."

Tudo bem. Sei que um monte dos nossos colegas de turma, entre eles Cass, saiu para beber na noite passada, porque um deles me mandou uma mensagem me convidando quando estava assistindo a *Breaking Bad* com Garrett. Não é muito difícil de deduzir: Cass está de ressaca, e é por isso que não vem.

"Mas ainda podemos ensaiar", diz M.J. Desta vez, o sorriso transparece em seus olhos. "Pode ser bom repassar a música inteira sem parar para discutir a cada cinco segundos."

"Pode, só que tudo o que fizermos hoje ele vai vetar amanhã." Sento numa cadeira perto do piano e lanço um olhar severo na direção dela. "Essa ideia de coral é besteira, M.J. Você sabe que é."

Ela concorda com a cabeça. "Eu sei."

"Então por que não me apoia?", indago, incapaz de mascarar o ressentimento.

Um rubor aparece em seu rosto pálido. "Eu..." Ela engole em seco, visivelmente. "Pode guardar um segredo?"

Merda. Tenho medo de onde isso vai dar. "Claro..."

"Cass me convidou para sair."

"Ah." Tento não parecer surpresa, mas é difícil esconder. M.J. é uma menina gentil e, sem dúvida, não é pouco atraente, mas também é a última pessoa que considero o tipo de Cass Donovan.

Por mais que o deteste, Cass é lindo de morrer. Tem o tipo de rostinho bonito de capa de disco que, um dia, vai vender horrores, disso não há dúvida. E, olha, não estou dizendo que uma garota comum não possa sair com um cara gostoso. Tenho certeza de que acontece o tempo todo. Mas Cass é um sujeito pomposo e obcecado pela imagem. Alguém tão superficial nunca se deixaria ser flagrado ao lado de uma moça tão tímida como Mary Jane, não importa o quão doce ela seja.

"Tudo bem", acrescenta, com uma risada. "Sei que você está surpresa. Também fiquei. Ele me perguntou antes do ensaio naquele dia." Ela suspira. "Você sabe, o dia do coral."

E... todas as peças do quebra-cabeça de repente se encaixam. Sei exatamente o que Cass está tramando e tenho de fazer um esforço sério para engolir a raiva. Uma coisa é persuadir M.J. a apoiá-lo durante nossas brigas, outra é dar falsas esperanças à pobre menina.

Mas o que vou dizer a ela? *Ele só a convidou para sair para você apoiá-lo em todas as suas ideias malucas para a apresentação?*

Me recuso a ser esse tipo de pessoa, então abro o sorriso mais educado que posso e pergunto: "Você *quer* sair com ele?".

Suas bochechas ficam ainda mais vermelhas, e ela faz que sim com a cabeça.

"Sério?", confirmo, sem acreditar. "Mas ele é uma diva. Do tipo que deixa a Mariah Carey no chinelo. Você sabe disso, não sabe?"

"Sei." Parece envergonhada agora. "Mas isso é só porque é apaixonado demais pela música. Ele pode ser um cara legal quando quer."

Quando *quer*? Ela diz isso como se fosse uma grande qualidade, mas, na minha cabeça, as pessoas deveriam ser boas porque *são*, e não como uma jogada calculada da parte delas.

No entanto, também mantenho essa opinião para mim.

Adoto um tom diplomático. "Você tem medo de que, se discordar das ideias dele, Cass vai desmarcar o encontro?"

Ela estremece. "Soa patético quando você fala assim."

Hmm, de que outra forma ela quer que eu fale?

"Só não quero criar caso, sabe?", murmura, parecendo desconfortável.

Não, não sei. Não sei mesmo.

"M.J., é a sua música. E você não precisa conter suas opiniões só para deixar Cass feliz. Se você odeia a ideia do coral tanto quanto eu, então diga a ele. Confia em mim, homens gostam de mulheres que falam o que pensam."

No entanto, no instante em que digo essas palavras, sei que Mary Jane Harper não é esse tipo de mulher. É tímida, desajeitada e passa a maior parte do tempo se escondendo atrás de um piano ou deitada em seu quarto no alojamento escrevendo canções de amor sobre meninos que não correspondem aos seus sentimentos.

Ah, merda. De repente algo me ocorre. A nossa música é sobre *Cass*?

Fico enojada pela ideia de que os versos emotivos que venho cantando há meses possam mesmo ser sobre um cara que detesto.

"Não *odeio* a ideia de um coral", se esquiva ela. "Também não amo, mas não acho que seja terrível."

E, nesse momento, sei, sem sombra de dúvida, que haverá uma porcaria de um coral de três andares atrás de mim e de Cass no festival de inverno.

13

GARRETT

Estou trabalhando na bancada da cozinha esta noite, superfrustrado à medida que leio a redação que Hannah "corrigiu" hoje cedo. Ela saiu da minha casa com ordens para refazer o texto, mas é tão difícil. A resposta é simples, droga! Se alguém te manda assassinar milhões de pessoas, você diz "Não, obrigado, vou deixar passar". Só que, pelos critérios estabelecidos nessa porcaria de teoria, há prós e contras em ambos os lados, e não consigo dar conta disso. Acho que sou péssimo em me colocar no lugar de outra pessoa, e isso é um tanto desanimador.

"Pergunta", anuncio, enquanto Tuck caminha até a cozinha.

"Resposta", devolve ele, na mesma hora.

"Não fiz a pergunta ainda, idiota."

Sorrindo, ele lava as mãos na pia e amarra um avental rosa-choque na cintura. A aberração cheia de babados foi um presente de aniversário que Logan, Dean e eu demos a ele de brincadeira, dizendo que se ia ser a mãe da casa, deveria se vestir para o papel. Tucker rebateu insistindo que ele é macho o suficiente para dar conta de qualquer peça de roupa que colocarmos na frente dele e agora usa o maldito avental como um distintivo de honra masculina.

"Tudo bem, vou responder", diz, a caminho da geladeira. "Qual é a pergunta?"

"Certo, você é um nazista..."

"Nazista o caralho", exclama ele.

"Deixa eu terminar, tá legal? Você é um nazista, e Hitler acabou de mandar você fazer uma coisa que vai contra tudo o que acredita. Você diz 'Legal, chefe, vou matar todas essas pessoas para você' ou diz 'Vá se ferrar', correndo risco de morrer?"

"Mando ele se ferrar." Tuck faz uma pausa. "Na verdade, não. Meto uma bala na cabeça dele. Problema resolvido."

Solto um gemido. "Exatamente, né? Mas *esse* babaca aqui...", aponto para o livro na bancada, "acredita que o governo existe por uma razão, e os cidadãos precisam confiar em seu líder e obedecer às suas ordens para o bem da sociedade. Portanto, em teoria, existe um argumento a favor do genocídio."

Tuck tira uma bandeja de coxas de frango do congelador. "Besteira."

"Não estou dizendo que concordo com essa linha de raciocínio, mas tenho que argumentar segundo o ponto de vista desse cara." Frustrado, corro a mão pelo couro cabeludo. "Odeio essa aula, cara."

Tuck desembrulha a bandeja e a coloca no micro-ondas. "A segunda chamada é sexta-feira, né?"

"É", respondo, com tristeza.

Ele hesita. "Você vai jogar contra o Eastwood?"

Eu me alegro por um instante, porque hoje de manhã recebi a confirmação oficial do treinador de que definitivamente estarei no rinque na sexta-feira. Aparentemente, as notas só vão ser computadas na próxima segunda-feira, por isso, no momento, minha média ainda é o que precisa ser.

Na segunda-feira, se minha nota em ética for cinco ou menos, vou ficar no banco até contornar as coisas.

No banco. Puta merda. Só de pensar fico enjoado. Tudo o que quero é ganhar o Frozen Four para o meu time de novo e virar profissional. Melhor, quero *estourar* como profissional. Quero provar a todos que cheguei lá por mérito próprio e não porque por acaso sou filho de um jogador de hóquei famoso. É *tudo* o que sempre quis, e fico doente de saber que meus objetivos, para os quais me dediquei tanto, estão em perigo por causa de uma matéria idiota.

"O treinador disse sim", digo a Tuck, que comemora batendo na palma da minha mão com tanta força que chega a arder.

"Assim que eu gosto!", exclama.

Logan entra na cozinha, um cigarro apagado pendurado no canto da boca.

"Melhor não fumar aqui dentro", adverte Tucker. "Linda vai acabar com a sua raça."

"Estou indo lá para os fundos", promete Logan, porque sabe que é melhor não criar problemas com a proprietária da casa. "Só queria avisar a vocês que, hoje à noite, Birdie e os caras vão vir assistir ao jogo do Bruins aqui em casa."

Estreito os olhos. "Que caras?"

Logan pisca com inocência. "Você sabe, Birdie, Pierre, Hollis, Niko — se parar de frescura e sair daquele alojamento. Hmm... Rogers e Danny. Connor. Ah, e Kenny também, e..."

"O time inteiro, você quer dizer", eu o interrompo, secamente, antes que liste todos os outros jogadores.

"E as namoradas, os que têm." Ele olha para Tuck e para mim. "Tudo bem, né? Não vamos virar a noite nem nada assim."

"Contanto que cada um traga a própria bebida, por mim tudo bem", responde Tuck. "E se Danny vier, melhor trancar o armário de bebidas."

"A gente pode colocar no quarto do G.", diz Logan, com um riso de escárnio. "Aposto que não vai beber uma gota."

Tuck me olha com um sorriso. "Tadinho. Quando vai aprender a beber que nem homem?"

"Ei, sei beber muito bem. O problema é o dia seguinte." Sorrio para meus colegas de time. "Além do mais, sou o capitão. Alguém tem que ficar sóbrio para manter esse bando de loucos na linha."

"Valeu, mãe." Logan faz uma pausa, depois balança a cabeça. "Na verdade, não, *você* é a mãe", diz para Tucker, sorrindo para o avental dele, antes de se voltar para mim. "Acho que isso faz de você o pai. Vocês dois são mesmo bem 'família'."

Ambos mostramos o dedo do meio para ele.

"Ah, mamãe e papai tão bravos comigo?" Ele solta um suspiro fingido. "Vocês vão se separar?"

"Não enche", diz Tuck, mas está rindo.

O forno apita, e Tucker tira o frango descongelado e começa a preparar nosso jantar enquanto faço meu dever de casa na bancada. E não é que a cena toda é família pra caramba?

14

HANNAH

"Oi, Han-Han." Allie me surpreende no trabalho, à noite, sentando numa das minhas mesas com um sorriso radiante. Quando Sean senta ao lado dela, tenho de me segurar para não escancarar um sorriso. Estão sentados do mesmo lado da mesa? Uau, a coisa deve estar séria *mesmo*, porque só casais loucamente apaixonados fazem isso.

"E aí, Hannah?", pergunta Sean, passando o braço ao redor dos ombros delgados de Allie.

"Oi." Passei o turno lidando com clientes complicados, então estou realmente satisfeita de ver rostos amigos. "Querem beber alguma coisa, enquanto dão uma olhada no cardápio?"

"Um milk-shake de chocolate, por favor", pede Allie.

"E dois canudinhos", acrescenta Sean com uma piscadela, erguendo dois dedos.

Não contenho uma risada. "Caramba, vocês dois são tão fofinhos que tá me dando enjoo."

Mas fico feliz em vê-los felizes. Para um garoto de fraternidade, Sean até que é bem decente, nunca sacaneou Allie, até onde sei. Nas vezes em que terminaram foi sempre por decisão dela — achava que eram jovens demais para algo tão sério —, e Sean foi infinitamente paciente com minha amiga o tempo todo.

Preparo o milk-shake dos pombinhos e o levo até a mesa, com uma mesura exagerada. "Madame, monsieur."

"Obrigada, amiga. Então, escuta", diz Allie, enquanto Sean estuda o cardápio. "Algumas das meninas do nosso andar vão fazer uma maratona de filmes do Ryan Gosling amanhã à noite."

Sean solta um gemido. "*Outra* maratona Gosling? Não sei o que vocês veem naquele magrelo."

"Ele é lindo", corrige Allie, antes de se voltar para mim. "Topa?"

"Depende da hora."

"Tracy tem aula até mais tarde, mas vai estar de volta às nove. Mais ou menos por aí, então?"

"Merda. Vou dar aula particular às nove."

Allie faz uma cara de decepção. "Não dá para marcar mais cedo?" Ela movimenta as sobrancelhas, como se estivesse tentando me encorajar. "Val vai fazer sangria..."

Tenho de admitir, não preciso de *muito* encorajamento. Faz tempo desde que saí com as meninas ou bebi uma gota de álcool. Posso não beber em festas (e por um bom motivo), mas não me importo de tomar umas de vez em quando.

"Vou ligar para Garrett no meu intervalo. Ver se ele pode antecipar."

Sean ergue os olhos do cardápio, interessado na conversa de novo. "Quer dizer que você e Graham são melhores amigos agora?"

"Que nada. É só uma relação professora/ aluno."

"Mentira", brinca Allie. Ela se vira para o namorado. "Já viraram melhores amigos. Trocam *mensagens* e tudo."

"Tá. Somos amigos", admito a contragosto. Quando Sean me lança um sorriso malicioso, faço logo uma cara feia para ele. "*Só* amigos. Pode ir limpando essa mente suja."

"Ah, e eu tenho culpa? O cara é o capitão do time de hóquei, troca de mulher mais rápido do que de roupa. Você *sabe* que todo mundo vai achar que é o próximo alvo dele."

"Podem pensar o que quiserem." Dou de ombros. "Não tem nada entre a gente."

Sean não parece convencido, o que desconfio ser uma coisa de homem. Duvido que haja um cara aí fora que acredite que homens e mulheres são capazes de ter algo puramente platônico.

Deixo Allie e Sean e vou atender outros clientes. Na hora do intervalo, dou um pulo na sala de funcionários e ligo para Garrett. O telefone toca até cansar. Enfim ele atende, o "alô" ríspido encoberto por uma música alta de fundo.

"Oi, é a Hannah", digo a ele.

"Eu sei. Tenho identificador de chamadas, bobinha."

"Queria ver se podemos mudar o nosso horário amanhã."

Um hip-hop ensurdecedor explode no meu ouvido. "Oi? O quê?"

Falo mais alto para ele me ouvir melhor. "Podemos nos encontrar mais cedo amanhã? Vou estar ocupada às nove, então queria marcar lá pelas sete. Tudo bem?"

A resposta dele é encoberta pela batida ensurdecedora de Jay-Z.

"Onde você tá?", estou praticamente gritando agora.

"Em casa", é a resposta, abafada. "Convidamos umas pessoas para assistir ao jogo."

Umas pessoas? Parece que ele está no meio da Times Square.

"Então você vem às nove?"

Engulo minha irritação. "Não, às *sete*. Tudo bem?"

"Garrett, cadê minha cerveja?" Uma voz interrompe a chamada. A julgar pelo leve sotaque texano, deve ser Tucker.

"Espere aí, Wellsy. Um segundo." Ouço um barulho do outro lado, seguido por uma gargalhada, e logo Garrett está de volta. "O.k., amanhã, às nove, então."

"Às sete!"

"Certo, às sete. Desculpa, não tô ouvindo direito. Até amanhã."

Ele desliga na minha cara, mas não me importo. Descobri na semana passada que Garrett nunca se dá ao trabalho de se despedir no telefone. Isso me incomodava no início, mas agora eu meio que valorizo a economia de tempo.

Enfio o telefone no avental e volto para o salão principal da lanchonete para avisar a Allie que estou liberada amanhã à noite, e ela grita em resposta: "Uhu! *Mal posso* esperar para começar a maratona Gosling. O. Cara. Mais. Gostoso. Do. Mundo".

"Estou bem aqui, sabia?", resmunga Sean.

"Amor, você já viu o tanquinho daquele homem?", pergunta ela.

Seu namorado solta um suspiro.

Na noite seguinte, apareço na casa de Garrett às sete em ponto e, como de costume, entro sem bater. Antes de subir, dou uma olhada na sala para dizer oi a Logan e aos outros. Logan não está, mas Tuck e Dean me olham confusos ao perceber minha presença.

"Oi, Wellsy." Tucker franze a testa. "O que está fazendo aqui?"

"Vim dar aula para o seu capitão, o que mais?" Revirando os olhos, começo a seguir em direção à escada.

"Se eu fosse você, não subiria, boneca", avisa Dean.

Paro onde estou. "Por que não?"

Seus olhos verde-claros brilham de divertimento. "Hmm... talvez ele tenha esquecido."

"Bom, então vou subir e lembrá-lo."

Um minuto mais tarde, lamento completamente a decisão.

"Ei, Graham, vamos acabar logo com isso que eu...", paro no meio da frase, incrédula, ao abrir a porta.

O constrangimento me invade quando me dou conta do que estou vendo.

Garrett está deitado na cama, o peito nu em toda a sua glória... com uma menina nua sentada em cima dele.

Isso mesmo, a srta. Gostosona está do jeito que veio ao mundo, e, ao som da minha voz, vira-se na minha direção numa nuvem de cabelos louros. Seios rosados invadem minha visão, mas de qualquer forma não tenho tempo de avaliá-los, porque seus gritos lancinantes cortam o ar.

"*Que porra é essa?*"

"Merda. *Mil* desculpas", deixo escapar.

Então bato a porta e disparo para o primeiro andar, como se estivesse sendo perseguida por um psicopata.

Quando apareço na sala um momento depois, sou recebida por dois rostos sorridentes. "Avisamos que não era para ir lá em cima", diz Tucker, com um suspiro.

O sorriso de Dean se alarga. "Como foi o show? Não dá para ouvir muito daqui, mas tenho a sensação de que ela é do tipo que grita."

Estou tão mortificada que é como se meu rosto estivesse queimando de dentro para fora. "Vocês podem avisar ao amigo de vocês para me ligar quando terminar? Na verdade, não. Digam que ele tá sem sorte. Meu tempo é precioso demais, caramba. Não vou mais dar aula nenhuma, já que ele obviamente não leva o meu horário a sério."

Com isso, saio pisando duro, as emoções se alternando entre a vergonha e a raiva. Inacreditável. Como ele acha que pegar uma garota é mais importante do que passar na prova? E que tipo de idiota faria isso quando *sabia* que eu estava chegando?

Estou a meio caminho do carro de Tracy, quando a porta da frente abre, e Garrett sai correndo. Pelo menos teve a decência de colocar uma calça jeans, mas ainda está sem camisa. E sem sapato, aliás. Corre na minha direção com uma expressão que é um misto de vergonha e irritação. "Que merda foi aquela?", pergunta.

"Você tá brincando com a minha cara?", retruco. "Quem tinha que fazer essa pergunta era *eu*. Você sabia que eu vinha hoje!"

"Você marcou às nove!"

"Mudei para às sete, e você sabe disso." Faço uma cara feia. "Talvez da próxima vez você devesse prestar mais atenção no que eu digo."

Ele penteia o cabelo com as mãos, e seus bíceps se enrijecem com o movimento. O ar frio provoca arrepios em sua pele sedosa e dourada, e meu olhar é inconscientemente atraído para a linha fina de pelos que aponta em direção ao botão aberto da calça.

Ao ver isso, uma estranha onda de calor corre dos meus seios para dentro de mim. Meu corpo de repente parece apertado e dolorido, os dedos formigando de desejo de... ah, pelo amor de Deus. *Não*. E daí se o cara é escultural? Isso não significa que eu queira cavalgá-lo como uma amazona.

Ele já tem alguém que faça isso.

"Me desculpa, tá legal?", resmunga Garrett. "Estraguei tudo."

"Não, *não tá* legal. Um: você obviamente não respeita o meu horário. E dois: você *obviamente* não quer passar nessa matéria, caso contrário, sua calça estaria abotoada e o livro aberto na sua mão."

"Ah, é mesmo?", ataca ele. "Então, você espera que eu acredite que *você* estuda o tempo todo e *nunca* fica com ninguém?"

O desconforto faz meu estômago revirar, e, como não respondo, a suspeita inunda seus olhos.

"Você fica com outras pessoas, não fica?"

Um suspiro irritado me escapa pelos lábios. "Claro que fico. É só que... já faz um tempo."

"Quanto tempo?"

"Um ano. Não que isso seja da sua conta." Fecho a cara e abro a porta do motorista. "Pode voltar para a sua periguete, Garrett. Tô indo embora."

"Periguete?", repete ele. "Isso é uma suposição grosseira, você não acha? Até onde você sabe, ela pode ser uma bolsista integral."

Ergo uma sobrancelha. "E é?"

"Bom, não", admite. "Mas Tiffany..."

Solto um bufo irritado. Tiffany. *Claro* que o nome dela é Tiffany.

"... é uma menina muito inteligente", termina, sério.

"Aham, tenho certeza que sim. Volta lá para a srta. Inteligente então. Tô caindo fora."

"Podemos remarcar para amanhã?"

Abro a porta do carro. "Não."

"Vai ser assim?" Ele segura a porta. "Então suponho que o nosso encontro de sábado também não esteja mais de pé, certo?"

Ele olha para mim.

Olho de volta.

Mas nós dois sabemos que não vai ser ele quem vai ceder.

De repente, repasso a conversa que tive com Justin no corredor no outro dia. Minhas bochechas ardem de novo, mas, desta vez, não tem nada a ver com o fato de que acabei de flagrar Garrett com as calças na mão. Literalmente. Justin finalmente se deu conta da minha existência, e não ir a essa festa é deixar passar a oportunidade de falar com ele fora da universidade. Não costumamos circular nos mesmos ambientes, então, a menos que eu queira me limitar a uma interação semanal na aula de ética, preciso ser proativa e procurá-lo fora da sala de aula.

"Tudo bem", murmuro para Garrett. "Vejo você amanhã. Às *sete*."

Sua boca se curva num sorriso de satisfação. "Foi o que eu pensei."

15

GARRETT

Tomo o cuidado de estar em casa — e sozinho —, quando Hannah aparece na quinta à noite. Estou mais alegre do que envergonhado por ela ter me flagrado com Tiff ontem, e, bom, pelo menos não foi na hora dos finalmentes. O rosto de Hannah teria ficado cem vezes mais vermelho se tivesse ouvido os gritos de Tiffany.

Para falar a verdade, uma parte de mim se pergunta se Tiff estava fingindo aqueles gemidos de atriz pornô. Não tenho a pretensão de ser um garanhão na cama, mas sou muito atencioso e nunca recebi reclamações. Na noite passada, no entanto, foi a primeira vez que senti como se a menina estivesse atuando. Tinha algo de incrivelmente... *insatisfatório* na coisa toda. Não sei se estava fingindo ou só exagerando, mas, de qualquer forma, não estou muito ansioso para repetir a cena.

Hannah bate à minha porta. Não uma, mas pelo menos dez vezes. E mais duas, mesmo depois de a mandar entrar.

A porta se abre, e Hannah tropeça para dentro, cobrindo bem os olhos com as palmas das mãos. "Posso olhar?", pergunta, em voz alta.

Com os olhos ainda fechados, estica os braços para a frente, como uma cega tateando o caminho em meio à escuridão.

"Você é uma piadista, hein?", digo, com um suspiro.

Suas pálpebras se abrem, e ela me lança um olhar ríspido. "Só quero ser cuidadosa", responde, em tom arrogante. "Deus me livre de invadir mais uma das suas festinhas."

"Não se preocupe, ainda não tínhamos chegado na parte do sexo. Se quer saber, ainda estávamos nas preliminares. Segunda e terceira base, para ser mais exato."

"Eca. Informação demais."

"Você que perguntou."

"Perguntei nada." Ela senta de pernas cruzadas sobre a cama e puxa o fichário da bolsa. "Certo, chega de jogar conversa fora. Vamos reler sua redação corrigida e esboçar mais algumas, para praticar."

Entrego o texto corrigido, então me reclino contra os travesseiros, enquanto Hannah lê. Ao terminar, olha para mim, e posso dizer que está impressionada.

"Muito bom", admite.

E não é que experimento uma explosão de orgulho? Trabalhei pesado nessa redação sobre o nazismo, e o elogio de Hannah não só me agrada, como confirma que estou melhorando nesse negócio de me colocar no lugar de outra pessoa.

"Na verdade, está *muito* bom mesmo", acrescenta, relendo a conclusão.

Solto um arquejo fingido. "Nossa. Isso foi um elogio?"

"Não. Retiro o que disse. Está uma merda."

"Tarde demais." Abano o dedo para ela. "Você me acha inteligente."

Ela solta um suspiro pesado. "Você é inteligente quando se aplica." E faz uma pausa. "Tá legal, acho que isso deve ser uma coisa meio horrível de dizer, mas sempre achei que a faculdade fosse mais fácil para atletas. Academicamente, quero dizer. Você sabe, eles distribuem dez porque vocês são muito importantes."

"Quem me dera. Alguns professores da Eastwood nem leem os trabalhos de alguns caras que eu conheço, só dão dez e entregam de volta. Mas os da Briar nos fazem dar duro. Bando de idiotas."

"Como você está se saindo nas outras matérias?"

"Dez em tudo, e um seis safado em história da Espanha, mas isso vai mudar quando entregar o trabalho final." Sorrio. "Acho que não sou o atleta burrão que você achou que eu fosse, hein?"

"Nunca achei que fosse burrão." Ela me mostra a língua. "Achei que fosse um babaca."

"*Achou*?" Ataco seu uso do pretérito. "Isso significa que admite que errou em seu julgamento?"

"Não, você ainda é um babaca." Ela sorri. "Mas pelo menos é inteligente."

"Inteligente o suficiente para gabaritar a segunda chamada?" Minha animação se esvai assim que termino a pergunta. A segunda chamada é amanhã, e estou começando a ficar preocupado de novo. Não tenho certeza de que estou pronto, mas a confiança de Hannah alivia um pouco a minha dúvida.

"Com certeza", me assegura. "Contanto que mantenha seu próprio preconceito de fora e se atenha ao que os filósofos fariam, acho que vai se sair bem."

"É bom mesmo. Preciso muito dessa nota, Wellsy."

Sua voz se suaviza. "O time é tão importante assim pra você?"

"É a minha vida", digo, simplesmente.

"Sua vida? Uau. Você está colocando muita pressão em si mesmo, Garrett."

"Quer falar de pressão?" A amargura invade minha voz. "Pressão é ter sete anos de idade e ser forçado a seguir uma dieta rica em proteína para promover o crescimento. Pressão é ser acordado de madrugada, seis dias por semana, para andar de patins e treinar, enquanto seu pai assopra um apito na sua cara durante duas horas. Pressão é ouvir que, se você falhar, nunca vai ser um homem de verdade."

O rosto dela se congela numa expressão de espanto. "Caramba."

"É, isso resume bem." Tento empurrar as memórias para longe, mas elas continuam piscando em minha mente, apertando minha garganta. "Vai por mim, a pressão que me imponho não é nada comparado ao que tive de lidar quando era criança."

Hannah estreita os olhos. "E você me disse que ama o hóquei."

"Amo, de verdade." Minha voz sai rouca. "Quando estou no gelo, é o único momento em que me sinto... *vivo*, acho. E acredite em mim, vou fazer o que for preciso pra chegar aonde quero. Eu... merda, não posso falhar."

"E se acontecer?", pondera. "Qual é o seu plano B?"

Franzo a testa. "Não tenho."

"Todo mundo precisa de um plano B", insiste Hannah. "E se você se machucar e não puder mais jogar?"

"Não sei. Acho que seria treinador. Ou talvez comentarista esportivo."

"Tá vendo, então você *tem* um plano."

"Acho que sim." Fito-a com curiosidade. "Qual é o seu plano B? Se não der certo como cantora."

"Para falar a verdade, às vezes nem sei se ainda *desejo* ser cantora. Adoro o que faço, de verdade, mas cantar profissionalmente é outra história. A ideia de todas as minhas coisas caberem numa mala ou de passar o tempo inteiro num ônibus de turnê não me atrai tanto assim. E, sim, gosto de cantar para uma plateia, mas não tenho certeza se quero estar no palco em frente a milhares de pessoas todas as noites." Ela dá de ombros, parecendo pensativa. "Às vezes acho que preferiria ser compositora. Gosto de escrever música, então não me importaria de trabalhar nos bastidores e deixar que outra pessoa fizesse o papel de *estrela*. Se não der certo, poderia dar aulas." Hannah abre um sorriso autodepreciativo. "E se isso falhar, posso ver como me saio como stripper."

Corro os olhos de cima a baixo por seu corpo, exagerando bem a forma como umedeço os lábios. "Bom, você definitivamente tem os seios necessários para a carreira."

Ela revira os olhos. "Safado."

"Ei, estou apenas afirmando um fato. Seus seios são lindos. Não sei por que não exibe mais. Você poderia usar umas camisetas mais decotadas de vez em quando."

Um rubor tinge suas bochechas de cor-de-rosa. Amo a rapidez com que ela vai de séria e atrevida a tímida e inocente.

"Aliás, você não pode fazer *isso* no sábado", aviso.

"O quê, dar uma de stripper?", pergunta, com ironia.

"Não, ficar da cor de um tomate toda vez que faço um comentário pervertido."

Hannah arqueia uma sobrancelha. "Quantos comentários pervertidos você planeja fazer?"

Sorrio. "Depende do quanto beber."

Ela deixa escapar um suspiro exasperado, e uma mecha de cabelo escuro se solta de seu rabo de cavalo e cai sobre a testa. Sem pensar, estico o braço e ajeito a mecha atrás da orelha.

A tensão instantânea em seus ombros me faz franzir os lábios. "Você também não pode fazer isso. Ficar toda tensa quando toco em você."

Vejo o pânico em seus olhos. "Por que você iria tocar em mim?"

"Porque vamos estar num *encontro*. Você não me conhece? Sou cheio de mãos."

"Bem, você pode guardar as suas mãos para si mesmo no sábado", afirma, com afetação.

"Bom plano. Aí o seu gato vai achar que somos só amigos. Ou inimigos, dependendo do quão nervosa você ficar." Ela morde o lábio, e sua agitação transparente apenas me faz provocá-la ainda mais. "Ah, e talvez eu beije você também."

Agora ela me queima com os olhos. "De jeito nenhum."

"Você quer que Kohl pense que está a fim de mim ou não? Porque se quiser, vai precisar pelo menos tentar agir como tal."

"Isso vai ser difícil", diz, com um sorriso.

"Besteira. Você me adora."

Ela bufa.

"Adoro essas bufadas que você dá", confesso, com franqueza. "E não deixa de ser sexy."

"Dá para parar?", resmunga. "Ele não tá aqui agora. Pode guardar o flerte para sábado."

"Estou tentando me acostumar com isso." Faço uma pausa, como se estivesse pensando em alguma coisa, mas a questão é que estou me divertindo horrores em deixar Hannah desconfortável. "Na verdade, quanto mais penso no assunto, mais fico me perguntando se não deveríamos fazer um aquecimento."

"Aquecimento? Como assim?"

Deito a cabeça de lado. "O que você acha que faço antes de um jogo, Wellsy? Acha que é só chegar no rinque e botar os patins? Claro que não. Pratico seis dias por semana para estar pronto. Divido meu tempo entre o gelo e a sala de musculação, assisto a gravações de jogos, tenho reuniões de estratégia. Pensa em toda a preparação de antecedência que isso envolve."

"Isto não é um jogo", afirma, irritada. "É um encontro falso."

"Mas precisa parecer real para o seu gato."

"Alguma hora você vai parar de chamá-lo assim?"

Não, não tenho planos de parar. Gosto de como ela fica nervosa. Na verdade, gosto de irritá-la, ponto. Toda vez que Hannah fica com raiva, seus olhos verdes se acendem e suas bochechas se tingem do tom mais bonito de rosa.

"Pois então", digo com um aceno de cabeça. "Se vou tocar e beijar você no sábado, acho que é imperativo ensaiarmos." Lambo os lábios de novo. "Minuciosamente."

"Eu não sei dizer se você está brincando comigo agora." Hannah solta um suspiro irritado. "De qualquer forma, não vou deixar você me tocar *nem* me beijar, por isso vai afastando essas suas ideias sujas da cabeça. Se está precisando gastar um pouco de energia, liga para a Tiffany."

"Ah, tá, até parece!"

Há uma pitada de sarcasmo no tom de Hannah. "Por que não? Você parecia bem na dela ontem."

"Foi coisa de uma noite só. E não adianta mudar de assunto." Sorrio. "Por que não quer me beijar?" Estreito os olhos. "Ah, merda. Só tem uma explicação." Faço uma pausa. "Você beija mal."

Seu queixo cai de indignação. "Não, senhor."

"Ah, é?" Reduzo a voz para um tom grave e sedutor. "Então prova."

16

HANNAH

Parece que acabei de voltar no tempo para os recreios na terceira série. A menos que haja outra explicação para Garrett estar me provocando a beijá-lo.

“Não preciso provar nada”, rebato. “Acontece que beijo *muito bem*. Infelizmente, você nunca vai descobrir.”

“*Never say never*”, responde ele, cantarolando.

“Obrigada por isso, Justin Bieber. Mas não, não vai rolar, cara.”

Ele suspira. “Entendi. Você está se sentindo intimidada pelo vigor da minha masculinidade. Relaxa, acontece o tempo todo.”

Ai, que saco. Ainda me lembro dos dias — há uma semana — em que Garrett Graham não fazia parte da minha vida. Quando não tinha que ouvir seus comentários arrogantes nem ver seus sorrisos de cafajeste ou me meter numa guerra de flertes na qual não tenho interesse algum.

Só que Garrett é muito, muito bom numa coisa em particular: lançar desafios.

“O medo faz parte da vida”, diz, solenemente. “Não se deixe abater por ele, Wellsy. Todo mundo passa por isso.” Garrett se reclina nos cotovelos, cheio de si. “Sabe de uma coisa, vou pegar leve com você. Se está com medo de me beijar, não vou te obrigar.”

“Medo?”, retruco. “Não estou com medo, seu idiota. Só não *quero*.”

Ele exala outro suspiro. “Então acho que voltamos às questões de autoconfiança. Não se preocupe, tem um monte de gente por aí que beija mal, gatinha. Tenho certeza de que, com prática e perseverança, um dia você vai ser capaz de...”

"Tá bom", interrompo. "Anda logo."

Ele se cala, os olhos arregalados de surpresa. *Rá*. Então não estava esperando que eu fosse pagar pra ver.

Nossos olhares se fixam um no outro por séculos. Ele está supondo que eu volte atrás, mas tenho certeza de que ele vai recuar primeiro. Talvez seja infantil da minha parte, mas Garrett já conseguiu exatamente o que queria com essa história de aula. Dessa vez, *eu* quero ganhar.

Mas o subestimei de novo. Seus olhos cinzentos se escurecem, adquirindo um tom de prateado metálico, e, de repente, transmitem calor. Um calor e um brilho de autoconfiança, como se estivesse certo de que não vou até o final.

Identifico essa certeza no tom desdenhoso que usa quando finalmente fala. "Tudo bem, vamos ver como você se sai, então."

Hesito.

Puta que pariu. Ele não pode estar falando sério.

E não posso *mesmo* estar considerando este desafio absurdo. Não me sinto atraída por Garrett e não quero beijá-lo. Fim de papo.

Só que... bem, na verdade, não parece o fim de *nada*. Meu corpo está em chamas, e minhas mãos estão tremendo, não de nervoso, mas de ansiedade. Quando imagino sua boca contra a minha, meu coração dispara mais rápido do que uma faixa de hip-hop.

Qual é o meu problema?

Garrett se aproxima. Nossas coxas estão se tocando agora, e devo estar alucinando, porque acabo de ver uma veia pulsando no meio de seu pescoço.

Ele não pode *querer* isso... pode?

As palmas das minhas mãos ficam úmidas, mas evito limpá-las na legging porque não quero que perceba como estou nervosa. Tenho total consciência do calor que irradia da sua coxa coberta pela calça jeans, o cheiro fraco da loção pós-barba almiscarada, a ligeira curva em sua boca enquanto aguarda o meu próximo passo...

"Vamos lá", provoca. "Não temos a noite toda, gata."

Agora estou arrepiada. Que se dane. É só um beijo, né? Nem sequer tenho que gostar disso. Calar essa boca arisca já vai ser recompensa suficiente.

Arqueando uma sobrancelha, toco sua bochecha.

Sua respiração se acelera.

Deslizo o polegar sobre a mandíbula, bem devagar, esperando para ver se ele vai me interromper, e quando ele não o faz, aproximo lentamente a boca da dele.

No instante em que nossos lábios se tocam, a coisa mais estranha acontece. Ondas pulsantes de calor se espalham dentro de mim, começando pela boca e baixando por meu corpo, formigando a pontinha de meus seios antes de descer um pouco mais. Ele tem o gosto do chiclete de hortelã que passou a noite mascando, e o sabor mentolado toma conta de minhas papilas gustativas. Meus lábios se abrem por vontade própria, e Garrett tira o máximo proveito disso, deslizando a língua para dentro. Quando nossas línguas se envolvem, ele deixa escapar um ruído grave e rouco no fundo da garganta, e o som erótico vibra através do meu corpo.

Imediatamente, sou tomada por uma onda de pânico que me impele a interromper o beijo.

Inspiro de forma entrecortada. "E aí? Como foi?" Estou tentando soar indiferente pelo que aconteceu, mas a leve oscilação em minha voz me trai.

Os olhos de Garrett estão em chamas. "Não sei dizer. Não demorou o suficiente para eu poder avaliar direito. Vou precisar de um pouco mais."

A mão gigante envolve minha bochecha.

Essa deveria ser minha deixa para ir embora.

Em vez disso, me inclino para outro beijo.

E é tão assustadoramente incrível como o primeiro. À medida que sua língua desliza sobre a minha, acaricio sua bochecha, e, nossa, isso é um grande erro, porque a sensação áspera de sua barba em minha mão intensifica o prazer que já percorre todo o meu corpo. Seu rosto é forte, masculino e sensual, e a pura virilidade dele desencadeia outra explosão de necessidade. Preciso de mais. Não esperava por isso, mas *preciso* de muito mais.

Com um gemido angustiado, deito a cabeça para aprofundar o beijo, e minha língua explora sua boca, ávida. Não, ávida não — *faminta*. Estou com fome dele.

Garrett enfia os dedos em meu cabelo e me puxa mais para perto, um braço poderoso me envolve pelo quadril para me manter no lugar. Meus seios agora estão esmagados contra seu peito duro, e sinto o martelar selvagem de seu coração. Seu entusiasmo é equivalente ao meu. Os gemidos roucos e primais que ele emite provocam cócegas em meus lábios e fazem meu pulso disparar.

Algo está acontecendo comigo. Não consigo parar de beijá-lo. Ele é muito viciante. E mesmo que isso tenha começado comigo meio que no comando, não tenho mais controle nenhum.

A boca de Garrett se move sobre a minha com uma habilidade e uma segurança que acabam com o fôlego dos meus pulmões. Quando ele mordisca meu lábio inferior, sinto um puxão correspondente nos mamilos e aperto seu peito com a palma da mão, para me estabilizar, para tentar me impedir de flutuar numa nuvem irracional de prazer. Seus lábios quentes se afastam dos meus e passam para a linha da mandíbula, descendo até o pescoço, onde dispara beijos de boca aberta que vão deixando arrepios em seu rastro.

Ouço um gemido sufocado e me espanto ao perceber que veio de mim. Estou desesperada para sentir sua boca na minha de novo. Enfio a mão em seus cabelos para trazê-lo de volta para onde quero, mas os fios escuros são curtos demais para agarrar. Tudo o que posso fazer é puxar sua cabeça, o que provoca uma risada baixa nele.

"É isso que você quer?", murmura, e, em seguida, os lábios encontram os meus, e ele enfia a língua talentosa de volta na minha boca.

Um gemido salta de minha garganta no exato segundo em que a porta do quarto se abre.

"Ei, G., vou pegar emprestado a..."

Dean para na mesma hora.

Com um gritinho de horror, afasto a boca de Garrett e olho para os pés.

"Opa. Não queria interromper." Dean abre um sorriso do tamanho do mundo, e seus olhos verdes brilhantes fazem meu rosto queimar.

Volto à realidade mais rápido do que seria capaz de dizer "*Maior erro da minha vida*". Puta merda. Acabei de ser pega dando um amasso com Garrett Graham.

E estava *gostando*.

"Você não está interrompendo nada", digo depressa.

Dean parece se esforçar para conter o riso. "Não? Porque, com certeza, é o que parece."

Apesar do nó de vergonha apertado em minha garganta, obrigo-me a olhar para Garrett, implorando em silêncio por apoio, mas sua expressão me pega desprevenida. Intensidade profunda e um quê de aborrecimento, só que este último é dirigido a Dean. E acrescente-se a essa mistura algo semelhante a deslumbramento, como se não pudesse acreditar no que acabamos de fazer.

Também não posso.

"Então é isso que vocês dois ficam fazendo aqui?", pergunta Dean, com a voz arrastada. "Todas essas 'aulas' tão intensas." Ele desenha as aspas no ar, rindo de alegria.

Sua provocação me irrita. Não quero que pense que Garrett e eu estamos... envolvidos. Que passamos a última semana na sacanagem, escondidos do mundo.

O que significa que tenho de cortar suas suspeitas pela raiz. O quanto antes.

"Na verdade, Garrett estava só me ajudando a melhorar minhas habilidades no beijo", digo a Dean, com a voz mais casual de que sou capaz.

Neste ponto, dizer a verdade é muito menos humilhante do que deixar sua imaginação selvagem à solta, mas a confissão parece uma loucura, dita assim em voz alta. Pois é, só aperfeiçoando minhas habilidades em beijo com o capitão do time de hóquei. Nada demais.

Dean deixa escapar um risinho. "Ah, é?"

"É", digo com firmeza. "Tenho um encontro chegando e seu amigo aqui acha que não tenho pegada. Confie em mim, não tem nada entre nós. Nada." Percebo que Garrett ainda não falou uma única palavra e me volto para ele, pedindo uma confirmação. "Não é, Garrett?", pergunto, de forma incisiva.

Ele limpa a garganta, mas sua voz ainda soa bastante rouca ao falar. "É."

"Tudo bem..." Os olhos de Dean brilham. "Então quero pagar para ver sua pegada, boneca."

Pisco, surpresa. "O quê?"

"Se um médico dissesse que você tem dez dias de vida, você iria pedir uma segunda opinião, não é? Bem, se você está preocupada se beija mal, não pode simplesmente aceitar a palavra de G. Precisa de uma segunda opinião." Suas sobrancelhas se erguem num desafio. "Quero ver o que você tem para oferecer."

"Para de ser idiota", murmura Garrett.

"Não, ele tem razão", respondo, sem jeito, e meu cérebro grita: *O quê?* Ele tem *razão*? Aparentemente, os beijos cáusticos de Garrett me deixaram maluca. Estou abalada e confusa, e, acima de tudo, preocupada. Preocupada que Garrett perceba que eu... o quê? Que nunca tinha ficado tão excitada assim com um beijo antes? Que amei cada segundo?

Sim e sim. É *exatamente* isso que não quero que ele saiba.

Então caminho na direção de Dean e digo: "Vamos ver a segunda opinião".

Ele parece assustado por um segundo, antes de abrir outro sorriso. Em seguida, esfrega as mãos e estala os dedos como se estivesse se preparando para uma briga, e o gesto ridículo me faz rir.

Quando chego até ele, sua ousadia vacila. "Estava só brincando, Wellsy. Você não tem que..."

Eu o interrompo, inclinando-me na ponta dos pés e apertando a boca na dele.

Sim, essa sou eu, só mais uma universitária beijando um cara depois do outro.

Desta vez, não há calor. Não há formigamento. Nenhuma sensação de desespero avassalador. Beijar Dean não é nada comparado ao que senti com Garrett, mas ele parece se divertir, porque deixa escapar um gemido quando abro os lábios. Sua língua entra em minha boca, e não o impeço. Apenas por uns segundos, então dou um passo para trás e faço minha cara mais indiferente.

"E aí?", pergunto.

Seus olhos estão completamente vidrados. "Hmm." Ele limpa a garganta. "Hmm... é... Acho que você não precisa se preocupar."

Parece tão atordoado que não posso deixar de sorrir, mas meu humor se dissolve quando me viro e vejo Garrett se levantando da cama, o rosto fechado e mais sombrio que uma nuvem de tempestade.

"Hannah", começa, bruscamente.

Mas não quero ouvir o resto. Não quero mais pensar naquele beijo. Nunca mais. A mera lembrança dele faz minha cabeça girar e meu coração pular.

"Boa sorte na segunda chamada amanhã." As palavras saem correndo num fluxo rápido de nervosismo. "Tenho que ir, mas me conta como foi depois, tá?"

Recolho minhas coisas depressa e corro para fora do quarto.

17

HANNAH

"Você perdeu uma aposta", confirma Allie, na dúvida.

"É." Sento na beira da cama e me abaixo para fechar a bota esquerda, deliberadamente evitando o olhar da minha amiga.

"E agora vai sair com ele."

"Aham." Esfrego o polegar na lateral da bota e finjo que estou limpando uma mancha no couro.

"Você vai sair com Garrett Graham."

"Aham."

"Isso tá me cheirando a furada."

Claro que sim. Um encontro com Garrett Graham? Eu poderia muito bem ter anunciado que ia me casar com Chris Hemsworth.

Por isso, não, não culpo Allie por parecer tão surpresa. A desculpa da aposta foi a melhor que fui capaz de inventar e, na melhor das hipóteses, é péssima. Agora estou me perguntando se deveria confessar e falar de Justin.

Ou melhor, cancelar logo o encontro.

Não vejo Garrett desde *o grande erro*, que é como estou me referindo ao beijo. Ele me mandou uma mensagem ontem depois da segunda chamada. Três míseras palavrinhas: "Mamão com açúcar".

Não vou mentir, fiquei emocionada ao ouvir que tinha ido bem. Mas não o suficiente para iniciar uma conversa de verdade, então respondi com uma palavra apenas — "Boa!" —, e esse foi o único contato que tivemos até vinte minutos atrás, quando ele escreveu para dizer que estava vindo me buscar para a festa.

Para mim, o beijo não aconteceu. Nossos lábios não se encontraram, e meu corpo não ardeu. Não gemi quando minha língua preencheu a sua boca, e não murmurei quando seus lábios tocaram aquele ponto sensível do meu pescoço.

Não aconteceu.

Mas... bom, se não aconteceu, então não tenho por que fugir da festa agora, tenho? Porque não importa quão confusa e abalada o bei... o *grande erro* tenha me deixado, ainda estou ansiosa por uma chance de ver Justin fora da faculdade.

Mas não posso contar a verdade a Allie. Em geral, sou tão confiante em outras áreas da minha vida. No canto, nos trabalhos da faculdade, com os amigos. Quando se trata de relacionamentos, porém, volto a ser aquela menina traumatizada de quinze anos de idade que precisou de três anos de terapia para se sentir normal de novo. Sei que Allie não aprovaria se soubesse que estava usando Garrett para chegar a Justin, e agora não estou com cabeça para sermões.

"Vai por mim, 'furada' é o nome do meio de Garrett", digo, secamente. "O cara trata a vida como um jogo."

"E você, Hannah Wells, está jogando o jogo dele?" Ela balança a cabeça, incrédula. "Tem certeza de que não sente nada por esse cara?"

"Por Garrett? De jeito nenhum", respondo, depressa.

Aham. Porque você seeeempre dá uns amassos com os caras por quem não sente nada.

Afasto a provocação interna. Não, não dei um amasso em Garrett. Estava simplesmente respondendo a um desafio.

A voz zombeteira surge em minha mente mais uma vez. *E você não sentiu absolutamente nada, certo?*

Argh, por que não dá para desligar o sarcasmo do cérebro? Mas sei que fazer isso não vai apagar a verdade. *Senti* alguma coisa quando nos beijamos. Aquele formigamento que Justin provoca em mim? Senti com Garrett. Mas foi diferente. As borboletas não só flutuaram em minha barriga... fugiram e correram pelo meu corpo inteiro, fazendo com que cada centímetro de mim pulsasse de prazer.

Mas não significou nada. Em dez míseros dias, Garrett deixou de ser um estranho para se tornar um amigo irritante, mas isso é o máximo que estou disposta a aceitar. Não quero sair com ele, não importa quão bem o sujeito beije.

Antes que Allie possa continuar me pressionando, recebo uma mensagem de Garrett me avisando que está aqui. Estou prestes a dizer para esperar no carro, mas acho que temos definições diferentes de *aqui*, porque um segundo depois ouvimos uma batida forte na porta.

Suspiro. "É Garrett. Pode abrir, por favor? Só vou prender o cabelo."

Allie sorri e desaparece. Escovo depressa o cabelo e ouço vozes na sala de estar, seguidas por um protesto estridente e passos pesados na direção do meu quarto.

Garrett aparece na porta vestindo calça jeans azul-escura e um suéter preto, e algo terrível acontece. Meu coração parece um golfinho e dá um pulinho idiota de empolgação.

Empolgação. Quem diria.

Aquele bei... *erro*... mexeu mesmo com a minha cabeça.

Ele examina minhas roupas antes de arquear uma sobrancelha. "É isso que você vai vestir?"

"É", rebato. "Algum problema?"

Ele deita a cabeça de lado como se fosse a porcaria do Tim Gunn no *Project Runway*. "Curti o jeans e as botas, mas a camisa não vai rolar."

Dou uma conferida no suéter soltinho listrado de azul e branco, mas sinceramente não vejo o que há de errado com ele. "Qual o problema?"

"Folgado demais. Achei que a gente já tinha falado sobre como você precisa mostrar seus peitos de stripper."

Uma tosse estrangulada surge atrás dele. "Peitos de stripper?", repete Allie, ao entrar no quarto.

"Ignore-o", aviso a ela. "É um machista."

"Não, sou homem", corrige, e abre o sorriso que é sua marca registrada. "Quero ver decotes."

"Gosto deste suéter", protesto.

Garrett olha para Allie. "Oi, meu nome é Garrett. E o seu?"

"Allie. Colega de alojamento e melhor amiga de Hannah."

"Ótimo. Bom, pode dizer à sua colega de alojamento e melhor amiga que ela parece uma vela de navio?"

Ela ri e, em seguida, para meu horror — *traidora!* —, concorda com ele. "Não faria mal vestir algo mais justo", comenta, com muita delicadeza.

Olho feio para ela.

Garrett sorri ainda mais. "Tá vendo? Estamos todos de acordo. Mostre a que veio ou nem precisa vir, Wellsy."

Allie olha de mim para Garrett, e sei exatamente o que está pensando. Mas ela está errada. Não estamos a fim um do outro, muito menos namorando. Mas acho que é melhor que ela pense *isso* do que saber que vou sair com ele para impressionar alguém.

Garrett caminha a passos largos até o meu armário como se fosse o dele. Quando enfia a cabeça de cabelos escuros lá dentro, Allie me lança um sorriso. Parece estar achando tudo muito divertido.

Ele passa os cabides para examinar minhas roupas, em seguida, puxa uma camiseta preta fina. "Que tal?"

"De jeito nenhum. É transparente."

"Então por que você tem?"

Boa pergunta.

Ele tira outro cabide, desta vez um suéter vermelho com um decote em V enorme. "Este", diz, com um aceno de cabeça. "Você fica ótima de vermelho."

As sobrancelhas de Allie batem no teto, e amaldiçoo Garrett por colocar todas essas ideias desnecessárias na cabeça dela. Mas, ao mesmo tempo, meu peito fica quente e derretido, porque... *ele acha que fico ótima de vermelho*? Como se tivesse mesmo reparado nas roupas que usei nos últimos dias...

Garrett me joga o suéter. "Certo, vista isso. Queremos chegar elegantemente atrasados, e não estupidamente atrasados."

Allie deixa escapar outra risada.

Olho para os dois. "Posso ter alguma privacidade, por favor?"

Ou estão alheios ao meu aborrecimento ou optaram por ignorá-lo, porque ouço-os conversando tranquilamente na sala. Suspeito que Allie o esteja interrogando sobre o nosso "encontro" e torço para que Garrett se atenha à história da aposta. Quando sua risada rouca flutua até o meu quarto, um arrepio involuntário percorre minha coluna.

O que está acontecendo comigo? Estou perdendo de vista o que quero. Ou melhor, *quem* quero. Justin. Justin Kohl. Não deveria ter beijado Garrett — nem *Dean*, aliás — e me distraído com a estranha onda de calor que ele desencadeia em mim.

É hora de colocar a cabeça nos eixos e lembrar por que concordei com essa farsa em primeiro lugar.

A começar por agora.

GARRETT

Beau Maxwell mora fora do campus com quatro colegas do time de futebol americano. A casa fica a poucos quarteirões da minha, mas é muito maior e está lotada feito uma arena de hóquei em dia de jogo quando Hannah e eu entramos. Um hip-hop ensurdecedor ecoa do sistema de som, e vários corpos suados e quentes nos empurram à medida que seguimos casa adentro. Tudo o que posso sentir é cheiro de álcool, suor e água-de-colônia.

Parabenizo-me mentalmente por ter convencido Hannah a usar o suéter vermelho, porque, minha nossa, ficou incrível nela. O tecido é tão fino que acompanha cada curva maravilhosa do seu peito, e o decote... Cacete. Os seios dela estão praticamente saltando para fora, como se estivessem tentando sair e dizer oi. Não sei se está com um sutiã para levantar tudo ou se eles são mesmo tão grandes, mas, de qualquer forma, estão pulando feito loucos a cada passo que ela dá.

Várias pessoas vêm me cumprimentar, e há uma porrada de olhares curiosos na direção de Hannah. Ela se mexe do meu lado, obviamente deslocada. Meu peito derrete mais que manteiga quando vejo o brilho assustado em seus olhos.

Pego sua mão, o que a faz olhar para mim, surpresa.

Levando os lábios para junto de sua orelha, murmuro: "Relaxa".

Foi um grande erro me abaixar, porque o cheiro dela é fantástico. Aquele mesmo perfume adocicado de cereja com um toque de lavanda ou algo unicamente feminino. É preciso muita força de vontade para não apertar o nariz em seu pescoço e inspirar o aroma. Ou prová-la com a língua. Lamber e beijar a pele quente de seu pescoço até ela gemer.

Cara. Estou ferrado. Não consigo parar de pensar naquele beijo. Toda vez que a memória me vem à cabeça, meu pulso acelera e meu saco se contrai, e tudo o que quero fazer é beijar essa menina de novo e de novo.

O desejo avassalador, no entanto, é acompanhado por uma sensação esmagadora de rejeição. Porque, obviamente, fui o único afetado pelo maldito beijo. Se Hannah tivesse sentido alguma coisa, por mais leve que fosse, não teria enfiado a língua na garganta de Dean dois segundos depois. *Dean*. Um dos meus melhores amigos.

Mas ela não está aqui com Dean, está? Não, está comigo, e estamos aqui para fazer ciúmes em outro cara — por que *não* ceder à tentação? Pode ser minha última chance.

Por isso deixo um beijo suave na lateral de seu pescoço, antes de sussurrar: "Você vai ser o centro das atenções esta noite, gata. Sorria e finja que está gostando".

Roubo outro beijo, desta vez no canto de seu queixo, e ela prende a respiração. Seus olhos se arregalam, e, a menos que esteja imaginando coisas, noto um vislumbre de calor neles.

Antes que possa interpretar o que estou vendo, um dos jogadores da defesa do time de futebol nos interrompe. "Graham! E aí, cara, bom ver você!" Ollie Jankowitz se aproxima, me dá um tapa nas costas, e o contato balança todo o meu corpo, porque o cara é um gigante.

"Oi, Ollie", digo, antes de acenar para Hannah com a cabeça. "Conhece a Hannah?"

Ele adota um olhar vazio por um instante. Então seus olhos descem até o decote, e um sorriso lento se abre por todo o seu rosto barbudo. "Agora conheço." Ele estica a mão imensa. "Oi, meu nome é Oliver."

Hannah aperta sua mão, desajeitada. "Oi. Prazer."

"Tem alguma coisa para beber neste lugar?", pergunto a Ollie.

"Os barris de cerveja estão na cozinha. E tem várias outras coisas mais interessantes rolando por aí também."

"Ótimo. Valeu, cara. Daqui a pouco a gente conversa mais."

Entrelaço os dedos com os de Hannah e a levo para a cozinha, que está cheia de membros de fraternidade bêbados. Não vi Beau ainda, mas sei que uma hora vamos esbarrar com ele.

No entanto, não estou muito animado com a perspectiva de ver Kohl.

Pego dois copos plásticos da pilha no balcão de granito e vou até os barris. Os garotos de fraternidade reclamam, mas quando percebem quem os está empurrando, abrem caminho para mim como se fossem a porcaria do mar Vermelho. Só mais um privilégio de ser o idolatrado capitão do time de hóquei da Briar. Sirvo duas cervejas, me afasto da multidão e entrego uma para Hannah, que balança a cabeça, irredutível.

"É uma festa, Wellsy. Uma cervejinha não vai matar você."

"Não", insiste, com firmeza.

Dou de ombros e bebo um gole do álcool aguado. A cerveja é das mais baratas, mas talvez isso seja uma coisa boa. Significa que não tem a menor chance de me deixar bêbado, a menos que vire um barril inteiro.

À medida que a cozinha esvazia, Hannah se recosta contra a bancada e suspira. "Odeio festas", diz, cabisbaixa.

"Talvez porque você se recuse a beber", brinco.

"Isso, vai em frente, continue me zoando por ser puritana. Não me importo."

"Sei que você não é puritana." Mexo as sobrancelhas. "Uma puritana não beija do jeito que você faz."

Suas bochechas se coram. "Como assim?"

"Como assim? Você tem uma língua sensual e sabe usá-la, ué." Ah, merda, coisa errada a se dizer. Porque agora estou duro. Por sorte, a calça é apertada o bastante para evitar que minha ereção fique evidente, me deixando com cara de idiota.

"Às vezes, acho que você diz essas coisas só para me constranger", acusa Hannah.

"Não. Só estou sendo honesto." Uma onda de vozes passa pela porta da cozinha, e me vejo rezando para que ninguém entre. Gosto de ficar sozinho com Hannah.

E mesmo que não haja razão nenhuma para fazer teatro, já que estamos sozinhos, ainda assim me aproximo e passo o braço em volta do ombro dela, enquanto dou outro gole da água-cerveja.

"Falando sério, porque você é tão contra bebida?", pergunto, rispidamente.

"Não sou contra bebida." Ela faz uma pausa. "Na verdade, eu até gosto. Com moderação, claro."

"Claro", repito, revirando os olhos antes de pegar o segundo copo que deixei na bancada. "Quer fazer o favor de beber então?"

"Não."

Tenho que rir. "Você acabou de dizer que gosta."

"Não me importo de beber em casa com Allie, mas nunca bebo em festas."

"Ai, nossa. Então você senta para beber em casa, feito uma alcoólatra?"

"Não." Ela parece exasperada. "Só... não enche, vai."

"Você já me viu *não* te enchendo alguma vez?"

Sua exasperação se transforma em derrota. "Olha, fico paranoica sobre o que pode ter no meu copo, tá legal?"

Sinto a pele arrepiar com o insulto. "Pelo amor de Deus, você acha que eu ia *dopar* você?"

"Não, claro que não."

Sua resposta rápida diminuiu minhas preocupações, mas quando ela acrescenta: "Não você, pelo menos", isso faz disparar minhas suspeitas.

"Isso..." Franzo o cenho profundamente. "Já aconteceu com você?"

Hannah fica pálida por um instante, em seguida, balança a cabeça de leve. "Aconteceu com uma amiga na escola. Foi drogada."

Fico boquiaberto. "Sério?"

Ela assente. "Alguém deu GHB para ela numa festa... e... hmm... vou me limitar a dizer que não foi uma noite boa para ela, tá?"

"Ah, que merda. Isso é pesado demais. Ela ficou bem?"

Hannah parece triste. "Ficou. Ficou bem." Dá de ombros, desconfortável. "Mas isso me deixou desconfiada de beber em público. Mesmo se sou eu que sirvo a bebida... quem sabe o que pode acontecer se eu virar de lado, um segundo que seja. Me recuso a correr o risco."

Minha voz engrossa. "Você sabe que nunca deixaria isso acontecer com você, não sabe?"

"Hmm, sei. Claro." Mas não parece totalmente convencida, e não chego a ficar ofendido, porque suspeito que a experiência da amiga realmente tenha mexido com a cabeça de Hannah. E com razão.

Já ouvi histórias horríveis assim antes. Até onde sei, nunca aconteceu na Briar, mas tenho certeza de que acontece em outras universidades. Meninas ingerindo involuntariamente ecstasy ou ketamina ou ficando bêbadas até cair enquanto psicopatas se aproveitam delas nesse estado. Sinceramente, não entendo quem faça isso com uma mulher. Por mim, deveriam estar todos atrás das grades.

Mas agora que sei a razão por trás da regra de não beber, paro de insistir para Hannah tomar uma cerveja, e voltamos para a sala. Seus olhos varrem a multidão, e fico rígido por um momento, porque sei que está procurando por Kohl.

Por sorte, o cara não está em lugar nenhum.

Nós nos misturamos com as pessoas por um tempo. Toda vez que a apresento para alguém, parecem surpresos, como se não conseguissem entender por que estou com Hannah e não uma garota fútil de fraternidade. E mais de um cara examina seus seios antes de piscar para mim, como se dissesse: *Mandou bem.*

Retiro o que disse sobre o suéter vermelho — queria *não* tê-la convencido a trocar de roupa. Por algum motivo, os olhares de aprovação que está recebendo me irritam muito. Mas engulo o instinto de homem das cavernas possessivo e tento aproveitar a festa. A multidão é mais do futebol americano que do hóquei, mas ainda assim conheço quase todo mundo, o que faz Hannah murmurar: "Nossa. Como você conhece *todas* essas pessoas?".

Sorrio para ela. "Avisei que sou popular. Ah, Beau está ali. Vamos lá dizer oi."

Beau Maxwell é o típico jogador de futebol universitário. Tem tudo — a aparência, o porte e, mais importante, o talento. Mas, embora qualquer um na sua posição pudesse se achar no direito de ser um babaca completo, Beau, na verdade, é bem legal. Está cursando história, como eu, e parece genuinamente feliz em me ver.

"G., você veio! Aqui, experimenta isso." Ele me passa uma garrafa de... *algo.* É preta e não tem rótulo, então não tenho ideia do que está oferecendo.

"O que é isso?", pergunto, com um sorriso.

Beau sorri de volta. "Uísque caseiro, cortesia da irmã do Big Joe. Essa merda é forte."

"Ah, é? Então tô fora. Tenho um jogo amanhã à tarde. Não posso aparecer com ressaca de uísque."

"Muito justo." Ele pisca os olhos azul-claros para Hannah. "Quer um pouco, gata?"

"Não, obrigada."

"Beau, Hannah. Hannah, Beau", apresento.

"Por que você me parece familiar?", pergunta Beau, olhando-a de cima a baixo. "De onde te conhe... Ah, já sei! Vi sua apresentação no festival de primavera no ano passado."

"Jura? Você tava lá?"

Hannah parece ao mesmo tempo surpresa e satisfeita, e me pergunto onde eu me enfiei esse tempo todo. Como posso ser o único que não sabia desses festivais?

"Pode apostar", declara Beau. "E você foi incrível. Você cantou... o que mesmo? 'Stand by Me', acho?"

Ela faz que sim com a cabeça.

Franzo a testa para ela. "Achei que vocês só pudessem cantar composições originais."

"Isso é uma exigência para veteranos", explica Hannah. "Quem está no início do curso pode cantar o que quiser, porque não está concorrendo a uma bolsa."

"É, minha irmã teve que cantar uma música original", comenta Beau. "Estava no grupo sênior. Joanna Maxwell? Conhece?"

Hannah fica boquiaberta. "Você é irmão da Joanna? Ouvi dizer que conseguiu um papel na Broadway este verão."

"Conseguiu!" Beau escancara um sorriso orgulhoso. "Minha irmãzinha é estrela da Broadway. Que tal?"

Chamamos ainda mais atenção agora que estamos conversando com o aniversariante, mas Hannah parece alheia a isso. Eu, por outro lado, estou irritantemente consciente da atenção — de uma pessoa em particular. Kohl acaba de entrar na sala de estar, e seus lábios se contraem quando nossos olhares se encontram. Aceno para ele, então me viro e planto um beijo decidido na bochecha de Hannah.

Ela puxa a cabeça, surpresa, então justifico o gesto aleatório, dizendo: "Já volto. Vou buscar outra cerveja".

"Beleza." Ela se vira para Beau na mesma hora, e os dois continuam conversando sobre a irmã.

Mas não estou captando qualquer interesse romântico da parte dela, o que produz uma pontada estranha de alívio. A verdadeira ameaça está do outro lado da sala, e ele marcha decidido na nossa direção assim que me afasto de Hannah e Beau.

Intercepto Justin antes que ele possa alcançar a dupla, dando-lhe um tapa casual no braço. "Kohl. Puta festa, hein?"

Ele faz que sim, distraído, o olhar ainda fixo por cima do meu ombro, em Hannah. Droga. Será que está mesmo interessado nela? Não achei que a nossa farsa fosse resultar em alguma coisa com a qual eu precisasse me preocupar, mas, evidentemente, meu plano está funcionando muito bem. Kohl só tem olhos para Hannah, e não gosto disso. Nem um pouco.

Olho para suas mãos e sorrio. "Vem, vamos pegar uma bebida."

"Não, obrigado, tô bem assim." E já está passando por mim, indo direto aonde não quero que vá.

No momento em que Hannah percebe sua presença, suas bochechas se coram e uma expressão de espanto transparece em seus olhos, mas ela se recupera depressa e o cumprimenta com um sorriso hesitante.

Ai, droga, *não*! Minhas costas ficam mais rígidas que um taco de hóquei. Quero ir até lá e tirá-la de perto de Kohl. Ou melhor, puxá-la direto para os meus braços e beijá-la até o fim do mundo.

Não faço nem uma coisa nem outra — porque, desta vez, eu é que sou interceptado.

Kendall aparece em meu caminho, o cabelo louro comprido numa trança sobre um dos ombros que termina bem em cima do decote. Arrasou no visual com um vestido vermelho mínimo e saltos impraticavelmente altos, mas sua expressão é tempestuosa até dizer chega.

"Oi", diz, com firmeza.

"Oi." Limpo a garganta. "E aí, beleza?"

Seus lábios se contraem, em desagrado. "É sério? Você chega aqui *acompanhado* e é *isso* que me diz?"

Merda. Metade de minha atenção permanece em Hannah, que agora está rindo de algo que Kohl disse. Por sorte, Beau ainda está lá para servir de vela, mas não estou feliz em ver Hannah e Justin parecendo tão íntimos.

O restante de minha atenção está em Kendall, e tenho medo de que, de repente, ela possa fazer uma cena.

"Você disse que não queria uma namorada", sussurra.

"E não quero", respondo depressa.

Está tão chateada que chega a tremer. "Então como você explica *ela*?" E ergue um dedo com unha bem-feita na direção de Hannah.

Ótimo. Agora estou ferrado. Não posso insistir que *não* estou num encontro, porque Kohl precisa acreditar nisso. Mas, se disser que *estou*, Kendall pode muito bem me dar um tapa.

Abaixo a voz. "Ela não é minha namorada. É um encontro, sim, mas não é sério, tá o.k.?"

"Não, não está *nada* o.k. Gosto mesmo de você! E se você não gosta de mim, então tudo bem. Mas pelo menos tenha a decência de..."

"Por quê?" Sou incapaz de deter a pergunta que me veio à ponta da língua na semana passada, quando terminei nosso caso.

Kendall pisca os olhos, confusa. "Por que o quê?"

"Por que você gosta de mim?"

Ela fecha a cara, como se estivesse realmente ofendida pela minha dúvida.

"Você nem me conhece direito", digo, baixinho. "Nem *tentou* me conhecer."

"Não é verdade", argumenta, a cara se transformando numa expressão preocupada.

Deixo escapar uma respiração conturbada. "Nunca tivemos uma conversa pra valer, Kendall, e nos vimos dezenas de vezes desde o verão. Você não quis saber um único detalhe da minha infância, ou da minha família, ou das minhas aulas. Meus amigos, meus interesses... que merda, você nem sabe a minha cor preferida, e isso é o mínimo quando se está conhecendo outra pessoa."

"Sei, sim", insiste.

Suspiro de novo. "Ah, é? E qual é?"

Ela hesita por um instante e, em seguida, responde: "Azul".

"Na verdade, é preto", outra voz nos interrompe, e logo depois Hannah aparece ao meu lado. Estou tão aliviado que quase lhe dou um abraço de urso. "Desculpa interromper", acrescenta ela, animada, "mas... cara, cadê a nossa cerveja? Você se perdeu no caminho até a cozinha, é?"

"Fui interceptado."

Hannah vira-se para Kendall. "Oi. Prazer, Hannah. Desculpa, mas preciso roubá-lo um pouquinho. Sede monstra."

O fato de que Kendall não se opõe me diz que entendeu meu ponto, e a expressão em seu rosto é um misto de vergonha e culpa à medida que Hannah pega meu braço e me arrasta para o corredor.

Uma vez que estamos fora de vista, agradeço, baixinho: "Obrigado por me salvar. Ela estava prestes a se debulhar em lágrimas ou a chutar meu saco".

"Tenho certeza de que a última opção teria sido bem merecida", responde Hannah, com um suspiro. "Deixa eu adivinhar, você a magoou."

"Não." A irritação me fecha a garganta. "Mas acontece que a nossa separação amigável não foi tão amigável quanto achei que tinha sido."

"Ah. Entendi."

Estreito os olhos. "Quer dizer que a minha cor preferida é preto? Por que você acha isso?"

"Porque absolutamente todas as suas camisetas são pretas." Ela lança um olhar significativo para o meu suéter.

"Talvez porque preto combina com tudo — já pensou *nisso*?" Sorrio. "Não significa que é minha cor preferida."

"Tudo bem, eu me rendo. Qual é a sua cor preferida, então?"

Solto um suspiro. "Preto."

"*Rá*! Sabia." Hannah também suspira. "E aí, temos que nos esconder no corredor até o final da noite para evitar a menina?"

"Aham. A menos que você queira ir embora." Digo, esperançoso. Perdi todo o entusiasmo pela festa, sobretudo agora que Kohl chegou. Antes que ela possa responder, defendo meu ponto, acrescentando: "Kohl já mordeu a isca, a propósito. Então, se formos embora agora, você vai deixá-lo querendo mais, que era o nosso plano, certo?".

Vejo a hesitação marcando sua testa. "É, acho que sim. Mas..."

"Mas o quê?"

"Estava gostando de falar com ele."

Estaria mentindo se dissesse que isso não me acertou como uma faca no coração. Mas por quê? Não estou interessado em Hannah. Ou pelo menos não estava. Tudo que queria eram seus serviços de professora, mas agora... agora não sei nem *o que* quero.

"Sobre o que vocês conversaram?", pergunto, e espero que ela não tenha percebido o rancor na minha voz.

Hannah dá de ombros. "Sobre as aulas. Futebol. O festival de inverno. Ele me perguntou se quero tomar um café um dia desses e estudar ética com ele."

Ahn, *o quê*?

"Você tá brincando comigo?", explodo. "Ele tá dando em cima da minha garota bem na minha frente?"

Vejo um brilho divertido em seus olhos. "Não estamos juntos de verdade, Garrett."

"Ele não sabe disso." Não posso controlar a raiva que ferve minhas entranhas. "Não se dá em cima da garota de outro homem. Ponto final. Isso é canalha demais."

Seus lábios se franzem.

Olho para ela. "Você gostaria de sair com um cara que faz esse tipo de coisa?"

"Não", admite, depois de uma longa pausa. "Mas..." Ela parece estar reconsiderando. "Não tinha nada de sexual no convite. Se estivesse dando em cima de mim, teria me convidado para jantar. Tomar café e estudar pode ser interpretado como uma coisa entre amigos."

Hannah pode estar certa, mas sei como homens pensam. Aquele filho da puta estava dando em cima dela bem na cara do sujeito com quem ela foi para a festa.

Canalha. Demais.

"Garrett..." Sua voz torna-se cautelosa. "Você sabe que o beijo não significou nada, né?"

A pergunta me pega desprevenido. "Hmm. Sei. Claro."

"Porque somos apenas amigos... certo?"

A determinação em sua voz me incomoda, mas sei que agora não é o momento de discutir isso. O que *quer* que seja. Portanto, apenas faço que sim com a cabeça e concordo: "Aham".

Noto o alívio em seus olhos. "Ótimo. Tudo bem, talvez devêssemos ir embora. Acho que já socializamos bastante."

"Claro. Como você quiser."

"Vamos só nos despedir de Beau primeiro. Sabe, gostei dele. Não é nada do que imaginava..."

Ela continua tagarelando em minha orelha à medida que voltamos para a sala, mas não escuto uma única palavra. Estou muito ocupado lidando com a bomba de verdade que acabou de cair em minha cabeça.

É isso aí, Hannah e eu somos amigos. Na verdade, ela é a única amiga mulher que já tive. E quero *continuar* amigo de Hannah.

Mas...

Também quero dormir com ela.

18

HANNAH

Desde que comecei a dar aulas para Garrett, tenho negligenciado meus amigos, mas, agora que ele fez a segunda chamada, meu tempo livre voltou a ser só meu. Assim, na noite seguinte à festa de Beau Maxwell, encontro o pessoal de sempre no café da faculdade, animada em revê-los. E fica óbvio que também sentiram minha falta.

"Han-Han!" Dexter pula da cadeira e me puxa para um abraço apertado. E quando digo apertado, quero dizer que quase sou engolida por esse abraço, porque Dex é um gigante. Sempre o provoco dizendo que é igualzinho ao garoto de *Um sonho possível* e que, portanto, deveria ser da linha de defesa do time de futebol americano, mas Dex não tem estrutura atlética. Estuda música como eu, e, pode acreditar, o cara canta *muito*.

Megan é a próxima a me cumprimentar, e, como de costume, um comentário sabichão salta de sua boca espertinha. "Foi abduzida por alienígenas?", pergunta ao me abraçar com tanta força que mal consigo respirar. "Espero que a resposta seja sim e que eles tenham enfiado uma sonda na sua bunda por dez horas seguidas. É o que você merece por me ignorar por mais de uma *semana*."

Rio do vívido retrato que ela acabou de fazer. "Eu sei. Não valho nada. Mas tive uma maratona de aulas esta semana que me manteve ocupada."

"Ah, todo mundo sabe quem tem te mantido ocupada", interrompe Stella, em sua cadeira ao lado de Dex. "Garrett Graham, Han? Sério?"

Contenho um suspiro. "Quem contou? Allie?"

Stella revira os olhos da forma mais dramática. Acho que é uma coisa de alunos do teatro — eles aparentemente não conseguem dizer uma palavra ou fazer um gesto sem exagerar. "Claro que contou. Ao contrário de você, Allie não guarda segredos da gente."

"Ah, nem vem. Só andei ocupada com as aulas e os ensaios. E o que quer que Allie tenha dito sobre ele, não é verdade." Tiro o casaco de inverno e coloco sobre a cadeira vazia ao lado de Meg. "Estou ajudando Garrett a passar em ética. E só."

O namorado de Meg, Jeremy, sacode as sobrancelhas para mim por cima da caneca de café. "Você sabe que isso faz de você a inimiga agora, né?"

"Ah, espera aí", protesto. "Isso é maldade."

"Olha quem fala! A traidora", brinca Meg. "Como você se atreve a socializar com um troglodita? Como?"

Sei pelas expressões animadas que é tudo piada. Pelo menos até Garrett me mandar uma mensagem.

Meu telefone apita, e sorrio no segundo em que o tiro da bolsa.

Garrett: *Vc tinha q ter vindo à festa pós-jogo. Uma garota acabou d esvaziar uma jarra d cerveja na cabeça d Dean.*

Deixo escapar uma risada e respondo depressa, porque *preciso* saber mais detalhes.

Eu: *AIMEUDEUS. Pq? (aposto q foi merecido).*

Ele: *Acho q esqueceu d dizer a ela q era uma relação aberta.*

Eu: *Claro. Homens.*

Ele: *Homens... termine a frase... Homens são maravilhosos? Obrigado, gata. Aceito o prêmio em nome de todos nós.*

Eu: *Prêmio de maior babaca? É, vc é o porta-voz perfeito.*

Ele: *Ahhhhh. Tô magoado. N sou um babaca ☹*

A ideia de que possa ter magoado seus sentimentos me faz afundar em culpa.

Eu: *Tem razão. N é. Foi mal. ☹*

Ele: *Rá. Vc é a maior bobona do planeta. N tava magoado.*

Eu: *Ótimo, pq as desculpas foram da boca pra fora.*

"Hannah Wells, favor comparecer à sala do diretor!"

Ergo a cabeça e vejo todos os meus amigos sorrindo para mim de novo.

Dex, que havia proferido a ordem, se dirige aos outros: "Ah, vejam, ela tá prestando atenção na gente".

"Desculpa", digo, me sentindo mal. "O telefone vai ficar oficialmente guardado pelo restante desta reunião."

"Ei, vocês nunca vão adivinhar quem a gente viu ontem à noite no Ferro's", provoca Meg, referindo-se ao restaurante italiano da cidade.

"Lá vamos nós." O namorado dela suspira. "Não consegue ficar cinco segundos sem fofocar, gata?"

"Não." Ela abre um sorriso animado, antes de se virar para mim. "Cass e Mary Jane", anuncia. "Estavam num *encontro*."

"Sabia que estavam juntos?", pergunta Stella.

"Sabia que ele tinha convidado M.J. para sair", admito. "Mas tava torcendo para que ela fosse esperta o suficiente pra dizer não."

Mas não me surpreende descobrir que M.J. fez exatamente o contrário. Agora, sem dúvida não estou mais ansiosa para o ensaio de segunda-feira. Se Cass e M.J. já viraram um "casal", nunca mais vou ganhar a discussão a respeito do dueto.

"Aquele imbecil ainda tá criando caso nos ensaios?", pergunta Dex, com uma careta.

"Aham. É como se a missão da vida dele fosse me azucrinar. Mas não ensaiamos nos fins de semana, então tenho uma folga até segunda-feira. Como tá indo a sua música?"

Dex fica sério. "Muito bem, na verdade. Jon tem ouvido bem minhas sugestões. Não é um louco possessivo em relação à composição, sabe? Mas não tem problema nenhum em rejeitar as minhas ideias, o que também valorizo."

Bom, pelo menos um de nós teve sorte na escolha de compositor. M.J. parece perfeitamente contente em deixar Cass acender um fósforo e atear fogo à sua música.

"Certo, quero muito ouvir mais, só que preciso de um café antes de qualquer coisa." Levanto da cadeira e pego minha bolsa. "Mais alguém quer?"

Depois que todos sacodem a cabeça negativamente, caminho até o balcão e entro no fim da fila. O café está bastante cheio para uma noite de domingo, e me assusto quando várias pessoas na fila me cumprimentam. Não conheço ninguém, mas sorrio e aceno desajeitada de volta. Em seguida, finjo digitar alguma coisa no telefone, porque não quero ser arrastada para uma conversa com um estranho. Será que os conheci na festa de Beau? Mas todas as pessoas a quem Garrett me apresentou se misturam num único borrão. As únicas cujos nomes e rostos me lembro são Beau e Justin, e alguns dos outros jogadores de futebol.

Sinto um toque suave no ombro, viro para trás e me deparo com os vívidos olhos azuis de Justin.

Falando no diabo.

"Ah, oi", cumprimento, numa voz estridente.

"Oi." Ele leva a mão de volta ao bolso do agasalho do seu time de futebol americano. "Tudo bem?"

Tento parecer casual, apesar do coração acelerado. "Tudo. E você?"

"Bem. Mas... tô *curioso* sobre uma coisa." Ele deita a cabeça do jeito mais bonitinho possível, e, quando uma mecha de seu cabelo escuro cai sobre a testa, luto contra a vontade de ajeitá-la. "Qual é o seu problema com festas?", pergunta, com um sorriso.

Pisco os olhos, confusa. "O quê?"

"Já é a segunda festa em que nos encontramos, e de novo você saiu cedo." Ele faz uma pausa. "Na verdade, nas duas, você foi embora com *Graham*."

Sinto uma onda de desconforto envolvendo minha espinha. "Ah, é que ele tem carro. Faço tudo por uma carona."

No instante em que digo isso, percebo quão sujo soou, mas, ao contrário de Garrett, que teria feito várias piadas com *carona* na mesma hora, Justin nem sequer abre um sorriso. Se demonstra alguma coisa, é desconforto.

Ele fica quieto por um momento, antes de abaixar a voz. "Quer saber? Vou perguntar logo: você e Graham são só amigos ou têm alguma coisa a mais?"

Meu telefone toca no segundo em que ele termina a pergunta, comprovando que iPhones não têm o menor senso de timing. Com a batida de "Sexy Back", de Justin Timberlake, ressoando do aparelho, todos na fila se voltam para mim com um sorriso. *Por que* "Sexy Back" é o toque do meu telefone? Bom, porque um jogador de hóquei muito irritante programou a música como seu toque personalizado, e fui preguiçosa demais para mudar.

Justin baixa os olhos para o celular e, como a tela está voltada para cima, não deixa de notar o nome piscando em maiúsculas enormes.

GARRETT GRAHAM.

"Acho que isso responde minha pergunta", comenta, com ironia.

Aperto depressa o botão *ignorar*. "Não. Garrett e eu não estamos juntos. E antes que você pense que sou uma louca, não escolhi esse toque. Foi ele."

Justin ainda parece em dúvida. "Então você não tá saindo com ele?"

Como todo o plano de ir à festa de Beau com Garrett era me fazer parecer desejável, me atenho à mentira. "Nos vemos casualmente, sem exclusividade. Saímos com outras pessoas também."

"Ah. Entendi."

A fila anda um pouco, e avançamos com ela.

"Isso significa que você pode sair pra jantar comigo um dia desses?", pergunta, com um leve sorriso.

Uma pontada de preocupação se acende em minha barriga. Não consigo entender o motivo, portanto decido ignorá-la. "Posso fazer o que quiser. Como disse, Garrett e eu não estamos juntos. Só saímos às vezes."

Nossa, como isso soa baixo. Sei o que os homens pensam quando ouvem isso. Eu poderia muito bem ter dito "*Só estou dormindo com ele, sem compromisso*".

No entanto, Justin não parece surpreso com a informação. Suas mãos se deslocam dos bolsos do casaco para os passadores da calça cargo, numa pose um tanto desajeitada. "Então, Hannah. Acho você muito legal." Dá de ombros. "E queria te conhecer melhor."

Meu coração palpita. "Sério?"

"Sério. E por mim tudo bem se você estiver saindo com outras pessoas ao mesmo tempo, mas..." Sua expressão torna-se intensa. "Se você e eu sairmos algumas vezes e tivermos o tipo de conexão que acho que vamos ter, vou invocar a cláusula da exclusividade em breve."

Não consigo conter um sorriso. "Não sabia que jogadores de futebol se interessavam por monogamia", provoco.

Ele ri. "Meus colegas de time certamente não, mas não sou como eles. Se estou a fim de uma menina, quero que ela esteja comigo e *só* comigo." Não sei o que dizer sobre isso, mas, felizmente, ele continua, antes que eu possa fazer qualquer comentário. "Mas é muito cedo para falar dessas coisas, né? Que tal começarmos com um jantar?"

Ai, meu Deus. Ele está me convidando para sair. Não para um café ou para estudar, mas para um encontro *de verdade*.

Deveria estar dando piruetas internas ou algo assim, no entanto, não consigo afastar a apreensão que sinto se agitando em minha barriga, como se tivesse alguma coisa tentando me avisar para dizer... não. Mas isso é loucura. Sou obcecada pelo cara desde o início das aulas. *Quero* sair com ele.

Solto uma expiração lenta. "Claro, ótima ideia. Quando?"

"Bom, tô meio enrolado estes dias. Tenho dois trabalhos para escrever, depois vou para Buffalo com o time, no fim de semana. Que tal daqui a uma semana? No próximo domingo?"

Meu telefone retoma sua versão de "Sexy Back".

Justin contrai os lábios, mas a careta some assim que, mais uma vez, aperto depressa o botão de *ignorar*.

"No próximo domingo tá ótimo", digo, com firmeza.

"Perfeito."

Chegamos ao balcão, e peço um café com leite grande, mas, antes de pegar minha carteira, Justin se aproxima, faz o próprio pedido e paga por nós dois.

"Fica por minha conta." Sua voz rouca me faz tremer nas bases.

"Obrigada."

À medida que caminhamos até o outro lado do balcão para esperar as bebidas, ele faz aquele movimento bonitinho com a cabeça de novo. "Você vai ficar por aqui ou quer que eu te acompanhe até o seu alojamento? Espera... você mora num dos alojamentos, né? Ou mora fora do campus?"

"Moro na Bristol House."

"Ah, somos vizinhos de porta. Moro em Hartford."

A barista desliza nossos cafés no balcão. Justin pega seu copo e sorri para mim. "Acompanha-me, milady?"

Tá. Isso foi meio... cafona. E ele não agradeceu à moça que nos entregou o café. Não sei por quê, mas isso me incomoda.

Ainda assim, forço um sorriso e respondo com um aceno triste com a cabeça. "Adoraria, mas estou aqui com uns amigos."

Seus olhos brilham. “Mas que vida social agitada, hein?”

Rio, sem jeito. “Na verdade, não. Não vejo meus amigos há algum tempo. Andei ocupada demais para sair.”

“Mas não para o Graham”, ressalta ele. Sinto um tom de brincadeira em sua voz, mas também de algo mais. Ciúme? Ou talvez ressentimento. Mas em seguida Justin sorri de novo e, descontraído, toma o telefone da minha mão. “Vou salvar meu número aqui. Manda uma mensagem quando puder, e a gente vai combinando os detalhes para a próxima semana.”

Meu coração se acelera, mas desta vez é de excitação nervosa. Não posso acreditar que vamos mesmo ter um encontro.

Assim que Justin termina de acrescentar o número na lista de contatos, o celular toca em sua mão.

Surpresa! Garrett de novo.

“Talvez você devesse atender logo”, murmura Justin.

Ele pode estar certo. Três chamadas em dois minutos? Definitivamente pode ser uma emergência.

Ou Garrett está só tentando me irritar, como de costume.

“Domingo a gente se vê.” Justin devolve o aparelho, sorri de novo (mas de um jeito superestranho desta vez) e vai embora.

Afasto-me do balcão e atendo a chamada antes que caia na caixa postal. “Fala, o que foi?”, digo, irritada.

“Finalmente!” A voz de Garrett ressoa em meu ouvido. “Pra *que* você tem um telefone se não se dá ao trabalho de atender? É melhor ter uma excelente razão para estar me ignorando, Wellsy.”

“Talvez estivesse no banho”, resmungo. “Ou fazendo xixi. Ou fazendo ioga. Ou correndo pelada pela faculdade.”

“Você estava fazendo alguma dessas coisas?”

“Não, mas *poderia* estar. Não passo meus dias sentada esperando você ligar, seu chato.”

Ele ignora a farpa. “Que vozes são essas? Onde você tá?”

“No Café Hut. Matando a saudade de uns amigos.” Omito a parte em que Justin me chamou para sair. Por alguma razão, acho que Garrett não vai aprovar, e não estou com saco de discutir com ele. “E aí? O que tem de tão importante pra você me ligar cinco trilhões de vezes?”

"Amanhã é aniversário de Dean, e o time vai ao Malone's. Provavelmente vamos terminar a noite aqui. Topa?"

Não contenho a risada. "Você está me perguntando se topo ir a um bar assistir um monte de jogadores de hóquei enchendo a cara? Por que achou que eu gostaria disso?"

"Você tem que vir", ele bate o pé. "Amanhã sai o resultado da segunda chamada, lembra? O que significa que vou estar comemorando ou me lamentando. O que quer que seja, quero você comigo."

"Não sei..."

"Por favor?"

Uau. Garrett conhece a expressão "por favor"? Chocante.

"Tudo bem", acabo cedendo, porque, por algum motivo qualquer, não consigo dizer "não" para esse cara. "Eu vou."

"É assim que se fala. Pego você às oito?"

"Claro."

Desligo, me perguntando como, no intervalo de cinco minutos, marquei não um, mas dois encontros. Um com o cara que gosto, outro com o cara que beijei.

Sabiamente mantenho a boca fechada sobre as duas coisas para meus amigos.

19

HANNAH

Está cada vez mais óbvio que Garrett tinha razão. Ele levanta *mesmo* a imagem de quem está ao seu redor. À medida que sigo a trilha de paralelepípedos em direção ao prédio de filosofia, pelo menos quinze pessoas me cumprimentam. *Olá*, *como vai*, *bela roupa*. Sou acolhida por tantos sorrisos, acenos e "ois" que é como se tivesse acabado de pisar em outro planeta. Um planeta chamado Hannah, porque todo mundo parece me conhecer. Mas não tenho ideia de quem são, embora deva tê-los conhecido na festa de Beau.

Um desconforto se revira em meu estômago, com uma onda de constrangimento que me faz acelerar o passo. Perturbada por tanta atenção, praticamente corro para a aula e ocupo meu lugar ao lado de Nell. Garrett e Justin ainda não chegaram, o que é uma espécie de alívio. Não sei se quero falar com algum deles agora.

"Ouvi dizer que você saiu com Garrett Graham neste fim de semana", é a primeira coisa que Nell me diz.

Deus do céu. Não posso passar um segundo sequer sem ser lembrada do cara?

"Ahn, foi", respondo, vagamente.

"Só isso? *Foi*? Como assim, quero todos os detalhes sórdidos."

"Não tem." Dou de ombros. "Só saímos às vezes." Ao que parece, essa é a minha resposta oficial agora.

"E a sua outra paixão?" Nell acena sugestivamente em direção ao corredor oposto.

Acompanho seu olhar e vejo que Justin acaba de chegar. Instala-se em sua cadeira, puxa um MacBook para fora da capa e, como se sentisse meu olhar sobre ele, ergue a cabeça e sorri.

Sorrio de volta. Logo em seguida, Tolbert entra na sala, e desvio o olhar para me concentrar no tablado.

Garrett está atrasado, o que não é normal. Sei que saiu com os amigos na noite passada e não tinha treino de manhã, mas não é possível que tenha dormido até às quatro. Pego meu telefone discretamente para escrever para ele, mas a mensagem dele chega primeiro.

Ele: *No meio de uma emergência. Vou chegar para a segunda parte da aula. Tome notas pra mim até lá?*

Eu: *Td bem??*

Ele: *Td. Arrumando a bagunça do Logan. Longa história. Mais tarde te conto.*

Faço um monte de anotações durante a aula, mais por Garrett do que por mim, pois já tinha lido a matéria e decorado a última teoria. À medida que Tolbert se estende em seu tom monótono, minha mente viaja. Penso no jantar iminente com Justin, e a sensação de desconforto volta, trazendo também certa náusea.

Por que estou tão nervosa com isso? É só um jantar. E vai ser *só* isso. Outras meninas podem topar ir para a cama logo no primeiro encontro, mas eu certamente não sou uma delas.

Mas Justin é um jogador de futebol americano. As meninas com quem sai provavelmente tiram a roupa antes de o cardápio chegar. Será que ele espera isso de mim?

Será que ele...

Não, digo a mim mesma, com firmeza. Eu me recuso a acreditar que Justin seja do tipo que obrigaria alguém a dormir com ele.

Aos quarenta e cinco minutos de aula, Tolbert faz uma pausa, e todos os fumantes disparam até a porta como se estivessem presos numa mina há duas semanas. Também saio do auditório, não para fumar, mas para procurar por Garrett, que ainda não apareceu.

Justin vem atrás de mim até o corredor. "Vou pegar um café. Quer?"

"Não, obrigada."

Seus lábios se curvam quando nossos olhos se encontram. "Nosso jantar ainda tá de pé?"

"Opa!"

Ele acena, satisfeito. "Ótimo."

Não posso deixar de admirar sua bunda enquanto se afasta. A calça cargo não chega a ser apertada, mas envolve o quadril muito bem. Seu corpo é realmente incrível. Só queria saber mais da personalidade dele. Ainda acho difícil decifrá-lo, e isso me incomoda.

É por isso que você vai jantar com o cara — para conhecê-lo.

Certo. Faço um esforço para me lembrar disso enquanto volto minha atenção para a porta do prédio, no exato instante em que Garrett passa por ela. Está com as bochechas coradas pelo frio e o casaco de hóquei fechado até o pescoço.

Os Timberlands pretos batem com força no chão polido à medida que se aproxima de mim. "Oi, o que eu perdi?", pergunta.

"Não muito. Tolbert está falando de Rousseau."

Garrett dá uma olhada para o auditório. "Ela tá lá dentro?"

Faço que sim com a cabeça.

"Ótimo. Vou ver se pode entregar minha prova agora, em vez de no fim da aula. Ainda estou lidando com a emergência, então não vou poder ficar."

"Você vai me dizer o que aconteceu ou posso começar a tentar adivinhar?"

Ele sorri. "Logan perdeu a identidade falsa. E ele precisa disso, caso alguém peça no bar, hoje à noite, por isso tenho que dirigir até Boston para falar com um cara que arruma uma na hora." Ele faz uma pausa. "Você tem identidade, né? O segurança do Malone's me conhece e conhece os caras também, então não deve ter problema, mas talvez você precise."

"Sim, tenho identidade. E, a propósito, por que Dean tem que comemorar o aniversário numa *segunda-feira*? Até que horas vocês planejam ficar na rua?"

"Não muito tarde, acho. Pode deixar que levo você pra casa a hora que quiser. E é na segunda porque Maxwell roubou a cena organizando a festa *dele* no sábado. Ah, e também porque não temos treino no gelo às terças. Ficamos só na sala de musculação, e de ressaca é muito mais fácil levantar peso do que patinar."

Reviro os olhos. "Não seria muito mais fácil simplesmente não ficar de ressaca?"

Ele solta uma risada. "Diga isso pro aniversariante. Mas não se preocupe, sou o motorista da noite. Vou ficar totalmente sóbrio. Ah, e queria conversar sobre mais uma coisa com você... só um segundo, deixa eu falar com Tolbert primeiro. Já volto."

Um momento depois de Garrett entrar no auditório, Justin reaparece segurando um copo de isopor. "Vai voltar lá para dentro?", pergunta, a caminho da porta.

"Já vou. Tô esperando uma pessoa."

Dois minutos depois, Garrett volta para o corredor, e, pela sua expressão, sei que está prestes a me dar uma notícia boa.

"Você passou?", exclamo.

Ele levanta a prova sobre a cabeça como se estivesse reproduzindo uma cena do *Rei Leão*. "Nota nove, cacete!"

Deixo escapar um gritinho. "Caramba! Jura?"

"Aham."

Num piscar de olhos, Garrett me puxa para os seus braços e me aperta até esvaziar meus pulmões. Envolvo seu pescoço com os braços e começo a rir, quando ele me levanta do chão e me roda tantas vezes que fico tonta.

Nossa ceninha espalhafatosa atrai vários olhares curiosos, mas não me importo. A alegria de Garrett é contagiosa. Quando finalmente me põe no chão, tomo a prova de sua mão. Depois de todas as horas que dediquei aos estudos com ele, é como se essa nota fosse um pouco minha também, e meu peito transborda de orgulho ao folhear suas palavras dignas de um nove.

"Isso é incrível", digo a ele. "Significa que a sua média está de volta aonde deveria estar?"

"Pode apostar."

"Ótimo." Estreito os olhos. "Agora certifique-se de que vai continuar assim."

"E vai... *se* você prometer estudar comigo para todas as provas e me orientar em todos os trabalhos."

"Ei, nosso acordo acabou, cara. Não posso prometer nada. Mas..." Como sempre, cedo diante de Garrett Graham. "Vou ajudá-lo a manter a nota como um símbolo da minha amizade, mas só quando tiver tempo."

Com um sorriso, ele me puxa para outro abraço. "Você sabe que eu não teria conseguido sem você." Sua voz soa rouca, e sinto seu hálito quente fazendo cócegas em minha têmpora. Ele se afasta, os magnéticos olhos cinzentos se concentrando em meu rosto, então abaixa a cabeça de leve, e, por um enervante segundo, acho que vai me beijar.

Saio de seus braços abruptamente. "Então, acho que hoje temos que *comemorar*", digo, animada.

"Você vem, não vem?" Sinto um quê de intensidade em sua voz agora.

"Não acabei de dizer que vou?", resmungo.

Vejo o alívio permear sua expressão. "Escuta... Queria te perguntar uma coisa."

Dou uma olhada no telefone e vejo que só temos três minutos para o início da aula. "Pode ser daqui a pouco? Eu já deveria estar lá dentro."

"É só um minuto." Ele fixa meus olhos intensamente. "Você confia em mim?"

Sou tomada por uma sensação de que tenho de agir com cautela, mas, quando respondo, é com uma certeza tão inabalável que até me assusto. "Claro que sim."

Nossa, confio mesmo. Mesmo que o conheça há pouco tempo, *confio* nesse cara.

"Que bom." Ele baixa o tom de voz e limpa a garganta antes de continuar. "Quero que você beba alguma coisa hoje à noite."

Eu me enrijeço. "O quê? Por quê?"

"Porque acho que vai ser bom para você."

"Então, espera aí, foi por *isso* que você me convidou para o aniversário de Dean hoje à noite?", pergunto, cheia de sarcasmo. "Para me embebedar?"

"Não." Garrett balança a cabeça, visivelmente cansado. "Para te ajudar a ver que não tem problema em baixar a guarda de vez em quando. Escuta, sou o motorista da vez, mas estou me oferecendo para ser mais do que só o seu motorista. Vou ser seu guarda-costas, seu barman e, mais importante, seu amigo. Me comprometo a ficar de olho em você esta noite, Wellsy."

Sinto-me tocada pelo discurso de um jeito estranho. Mas é completamente injustificado.

"Não sou uma alcoólatra que *precisa* beber, Garrett."

"Sei que não, sua boba. Só queria ter certeza de que você sabe que, se decidir tomar uma cerveja ou duas, não precisa se preocupar. Vou estar lá." Ele hesita. "Sei que sua amiga teve uma experiência ruim ao beber em público, mas prometo que nunca vou deixar isso acontecer com você."

Estremeço ao som das palavras "sua amiga", mas, felizmente, acho que ele não percebe. Uma parte de mim deseja que nunca tivesse usado a velha desculpa do "aconteceu com uma amiga", mas não chego a me arrepender. Só as pessoas mais próximas sabem do que aconteceu comigo, e, sim, posso confiar em Garrett, mas não me sinto confortável para contar sobre o estupro.

"Então, se quiser beber hoje, prometo que nada de ruim vai acontecer com você." Ele parece tão sincero que o meu coração se infla de emoção. "De qualquer forma, é só isso que eu queria dizer. Só... pensa nisso, tá?"

Minha garganta está tão apertada que mal consigo pronunciar uma palavra. "Certo." Exalo uma respiração instável. "Vou pensar."

GARRETT

O Malone's, que já não é um bar muito grande, está absolutamente tomado de jogadores de hóquei. O lugar é tão pequeno que é impossível encontrar lugar para sentar.

Nesta noite, mal dá para respirar, que dirá ficar em pé confortavelmente.

O time inteiro veio para a festa de Dean, e, por acaso, segunda-feira é dia de karaokê, portanto o ambiente apertado está barulhento à beça e empanturrado de corpos. O lado bom é que nenhum de nós precisou mostrar as identidades falsas na porta.

De repente, percebo que, em poucos meses, ela não vai mais ter utilidade. Quando completar vinte e um anos, em janeiro, vou ganhar mais do que só status de adulto perante a lei — finalmente, vou ter acesso à herança que meus avós me deixaram, o que significa que vou estar a um passo de me libertar do meu velho.

Hannah chega uns vinte minutos depois de mim e dos caras. Não a busquei porque o ensaio atrasou, e ela insistiu que não tinha problema em pegar um táxi. Também insistiu em passar no alojamento primeiro para tomar um banho e trocar de roupa, e, ao pousar os olhos nela, apoio a decisão do fundo do coração. Está absolutamente linda de legging, botas de salto alto e camiseta canelada. Tudo preto, claro, mas à medida que se aproxima, fico procurando o item colorido, sua marca registrada — e o vejo assim que vira a cabeça para cumprimentar Dean. Um enorme prendedor de cabelos amarelo com pequenas estrelas azuis sobre os fios escuros. Uma parte do cabelo ainda está solta e emoldura seu rosto corado.

"Oi", diz. "Tá sufocante aqui dentro. Ainda bem que não trouxe casaco."

"Oi." Eu me inclino e beijo sua bochecha. Teria preferido que fossem os lábios deliciosos, mas, embora considere isso um encontro, tenho certeza de que Hannah não pensa da mesma forma. "Como foi o ensaio?"

"O de sempre." Ela me oferece um olhar triste. "A mesma merda de sempre."

"O que Cass, o Babaca, fez dessa vez?"

"Nada demais. Só continua agindo como o idiota que é." Hannah suspira. "Ganhei a discussão sobre onde colocar a ponte no arranjo, mas ele venceu na questão do segundo refrão. Sabe, a hora em que o coral entra."

Solto um gemido alto. "Ah, pelo amor de Deus, Wellsy. Você cedeu *nisso*?"

"Foi dois contra um", responde ela, sombriamente. "M.J. decidiu que sua canção *precisava* de um coral para alcançar o efeito máximo. Vamos começar a ensaiar com eles na quarta-feira."

Ela está obviamente muito chateada, então aperto seu braço e digo: "Quer uma bebida?".

Vejo seu pescoço se mover à medida que engole em seco. Demora um pouco a responder. Só me olha nos olhos, como se estivesse tentando penetrar meu cérebro. Acabo prendendo o fôlego, porque sei que algo importante está para acontecer. Ou ela vai colocar sua confiança em minhas mãos, ou vai trancá-la a sete chaves, o que seria o equivalente a um soco de sacudir o esqueleto, porque, caramba, como *quero* que Hannah confie em mim.

Quando finalmente responde, sua voz é tão baixa que não posso ouvi-la por causa da música.

"O quê?"

Ela expira e levanta a voz. "Eu disse '*com certeza*'."

Com essas duas palavrinhas, meu coração infla feito um maldito balão de hélio. *A confiança de Hannah chega às mãos de Garrett.*

Luto para manter a felicidade para mim mesmo, contentando-me com um aceno indiferente de cabeça enquanto a levo na direção do bar. "O que vai querer? Cerveja? Uísque?"

"Não, quero algo gostoso."

"Juro por Deus, Wellsy, se você pedir Schnapps de pêssego ou uma bebida de mulherzinha, não sou mais seu amigo."

"Mas *sou* uma mulherzinha", reclama. "Por que não posso tomar uma bebida de mulherzinha? Hmm, uma piña colada, talvez?"

Solto um suspiro. "Tudo bem. Melhor do que Schnapps, pelo menos."

No bar, peço a bebida de Hannah e passo a examinar cada movimento do barman. Hannah também está com olhos de águia em cima dele.

Com dois dos clientes mais vigilantes do planeta acompanhando a confecção da piña colada do início ao fim, não há a menor chance de haver alguma droga na taça que coloco na mão de Hannah poucos minutos depois.

Ela dá um pequeno gole, então sorri para mim. "Hmm. Delícia."

A alegria em meu coração quase transborda. "Vamos lá, deixe-me apresentar alguns dos caras."

Pego seu braço de novo e caminhamos em direção ao grupo barulhento na mesa de sinuca, onde a apresento a Birdie e a Simms. Logan e Tucker nos veem e se aproximam, os dois cumprimentam Hannah com um abraço. O de Logan é um pouco longo demais, mas quando vejo seu olhar, a expressão é inocente. Talvez seja apenas paranoia minha.

Mas que inferno, já estou competindo com Kohl pela atenção de Hannah, e a última coisa que quero é o meu melhor amigo entrando na disputa.

Só que... *estou* mesmo competindo? Ainda não tenho certeza do que quero com ela. Digo, tudo bem, quero sexo. Quero muito, muito mesmo. Mas, se por algum milagre, ela decidir me oferecer isso, e aí? O que acontece *depois*? Finco uma bandeira no chão e aviso para o mundo que Hannah é a minha namorada?

Namoradas são uma distração, e não posso ter distrações agora, sobretudo porque há duas semanas corria riscos de perder meu lugar na equipe.

Não concordo com meu pai em muitas coisas, mas quando se trata de foco e ambição, pensamos da mesma forma. *Vou* virar profissional depois de me formar. Até lá, preciso me concentrar em tirar boas notas e conduzir meu time para mais uma vitória no Frozen Four. Falhar não é uma opção.

Mas ver Hannah ficando com outro cara?

Também não é uma opção.

Apresento-lhes a cruz e a espada.

"Ai, meu Deus, isso é tão bom", diz Hannah, ao dar mais um gole profundo. "Quero outro."

Rio. "Que tal você terminar esse primeiro, depois a gente decide sobre um refil?"

"Tá", bufa ela. Então vira a bebida num dos goles mais rápidos que já testemunhei, lambe os beiços e sorri para mim. "E aí. Que tal um refil?"

Não posso lutar contra o sorriso que se estende por todo o meu rosto. Rapaz, tenho a impressão de que Hannah vai ser uma bêbada muito... *interessante*.

E estou absolutamente certo.

Três piñas coladas depois, Hannah está no palco cantando no karaokê.

Isso mesmo. Bêbada do tipo que sobe no karaokê.

O que salva é que ela é uma cantora fenomenal. Não posso imaginar quão deprimente seria se estivesse bêbada *e* tivesse uma voz de taquara rachada.

O bar inteiro está louco por ela. Hannah está cantando "Bad Romance" e quase todo mundo está acompanhando, até alguns dos meus colegas de time mais embriagados. Pego-me sorrindo feito um idiota enquanto olho para o palco. Não há nada de indecente no que está fazendo. Nenhuma sugestão de que vai tirar a roupa nem movimentos sugestivos. Hannah joga a cabeça para trás animada, as bochechas coradas e os olhos brilhando ao cantar, e é tão bonita que me dói o peito.

Foda-se, quero outro beijo. Quero sentir seus lábios nos meus. Quero ouvir aquele barulho gutural que ela fez na primeira vez que chupei sua língua.

Perfeito. Agora estou duro feito tronco, no meio de um bar com todos os meus amigos.

"Ela é incrível!", grita Logan, aproximando-se. Está com um sorriso enorme também, assistindo a Hannah, mas noto um brilho estranho em seus olhos. Parece um brilho de... interesse.

"Ela é aluna de música", é a única resposta idiota que sou capaz de dar, porque estou muito distraído com a expressão dele.

Ao final da música, Hannah é ovacionada. Um segundo depois, Dean sobe no palco e sussurra algo em seu ouvido. Parece estar tentando convencê-la a cantar com ele, mas fica tocando seu braço nu enquanto derrama sua lábia, e não há dúvidas sobre o desconforto nos olhos de Hannah.

"Minha deixa para salvá-la", digo, antes de abrir caminho entre a multidão. Quando chego ao pé do palco, coloco as mãos ao redor da boca e chamo por Hannah. "Wellsy, traga essa bunda gostosa aqui!"

Sua expressão se ilumina ao me ver. Sem hesitar por um momento, mergulha do palco para os meus braços à sua espera e gargalha quando a giro no ar. "Ai, meu Deus, isso é tão divertido!", exclama. "A gente precisa vir *sempre* aqui!"

Com o riso fazendo cócegas em minha garganta, avalio seu rosto, tentando estabelecer em qual grau da minha escala incrivelmente precisa de bêbados ela se enquadra, considerando que um é sóbrio e dez é *acordei sem roupas em Portland sem a menor lembrança de como cheguei aqui.* Como seus olhos estão vivos e ela não está enrolando as palavras nem tropeçando, decido que deve estar perto do cinco — alegre, mas consciente.

E talvez isso faça de mim um arrogante, mas amo ser o cara que a deixou assim. Em quem ela confiou o bastante para cuidar dela de forma que pudesse se soltar e se divertir.

Com outro sorriso reluzente, Hannah pega a minha mão e começa a me arrastar para longe da pequena pista de dança.

"Para onde estamos indo?", pergunto com uma risada.

"Preciso fazer xixi! E você prometeu ser meu guarda-costas, o que significa que vai ter de esperar fora do banheiro e ficar de guarda." Seus olhos verdes hipnotizantes me fitam, brilhando com uma pontada de dúvida. "Você não vai deixar nada de ruim acontecer comigo, vai, Garrett?"

Um nó do tamanho de Massachusetts se aloja em minha garganta. Engulo em seco e tento falar por cima dele. "Nunca."

20

HANNAH

Não posso acreditar que estava nervosa sobre vir ao bar hoje, porque juro que *nunca* me diverti tanto assim. Neste instante, estou espremida ao lado de Garrett no banco estofado da mesa, e estamos envolvidos num debate acalorado com Tucker e Simms sobre, entre outras coisas, tecnologia. Tucker não abre mão de sua opinião de que crianças e jovens não devem ser autorizados a assistir mais de uma hora de TV por dia. Concordo totalmente, mas Garrett e Simms não, e nós quatro estamos trocando farpas sobre a questão há mais de vinte minutos. Tenho vergonha de admitir, mas sinceramente não esperava que todos esses jogadores de hóquei tivessem opiniões articuladas sobre assuntos não relacionados ao esporte, mas eles são muito mais perspicazes do que eu imaginava.

"As crianças têm que ir para a rua, andar de bicicleta, caçar sapos e subir em árvore", insiste Tucker, balançando o copo de cerveja no ar para dar ênfase. "Não é saudável ficar enfiado dentro de casa olhando para uma tela o dia todo."

"Concordo com tudo, menos com a parte dos sapos", intervenho. "Porque sapos são pegajosos e nojentos."

Os caras começaram a rir.

"Fresca", brinca Simms.

"Ah, como assim, Wellsy, dá uma chance pros sapos", protesta Tucker. "Você sabia que, se lamber o certo, dá um barato legal?"

Olho para ele horrorizada. "Não tenho o menor interesse em lamber sapos."

Simms pergunta: "Nem para ficar com o príncipe?".

A mesa inteira solta uma exclamação animada.

"Não, nem assim", afirmo, decidida.

Tucker dá um gole demorado na cerveja antes de se voltar para mim. "E que tal lamber algo diferente de um sapo? Ou você é contrária a lambidas de forma geral?"

Minhas bochechas ardem diante da sugestão, mas o brilho travesso em seus olhos me diz que não está tentando ser grosso, então respondo com minha própria dose de insinuações. "Ah, sou a favor de lambidas, sim. Desde que esteja lambendo algo saboroso."

Outra rodada de exclamações animadas, mas da qual Garrett não participa. Quando me viro para ele, vejo que seus olhos se inflamaram.

Eu me pergunto se está imaginando minha boca no... *não, não vou nem falar*.

"Merda, alguém precisa amarrar aquele velho pra ele parar de monopolizar o jukebox", declara Tucker, quando mais uma música do Black Sabbath berra nas caixas de som do bar.

Todos nos viramos na direção do culpado — um frequentador do bar com uma barba ruiva espessa e a cara mais malvada que já vi. No instante em que o karaokê acabou, Barba Ruiva correu para o jukebox, enfiou dez dólares em moedas de vinte e cinco centavos e digitou uma lista de rock que até agora consiste em Black Sabbath, Black Sabbath e mais Black Sabbath. Ah, e uma música do Creedence que Simms alegou estar ouvindo quando perdeu a virgindade.

Por fim, nosso debate se volta para o hóquei, com Simms tentando me convencer de que o goleiro é o jogador mais importante do time, enquanto Tucker o vaia o tempo inteiro. A música do Black Sabbath enfim acaba e é substituída por "Tuesday's Gone", do Lynyrd Skynyrd. É só os acordes de abertura ecoarem pelo bar, que sinto Garrett se enrijecendo ao meu lado.

"Qual o problema?", pergunto.

"Nada." Garrett limpa a garganta, em seguida se levanta e me puxa com ele. "Dança comigo."

"Com esta música?" Fico perplexa por um momento, até que lembro que ele é apaixonado por Lynyrd Skynyrd. Aliás, tenho certeza de que esta música estava na lista que me mandou na semana passada.

Do outro lado da mesa, Tucker solta um riso de desdém. "Desde quando você dança, G.?"

"Desde agora", murmura Garrett.

Ele me leva até a pequena pista em frente ao palco, que está completamente vazia, sem ninguém dançando. Sinto o desconforto varar meu corpo, mas quando Garrett estende a mão, hesito apenas por um segundo antes de segurá-la. Ei, se ele quer dançar, então vamos dançar. É o mínimo que posso fazer, considerando o quão incrível esta noite está sendo.

Você pode falar um monte de coisas de Garrett Graham, mas ele definitivamente é um homem de palavra. Passou a noite colado em mim, tomando conta das minhas bebidas, me esperando fora do banheiro, certificando-se de que não sou assediada por seus amigos nem pelas pessoas que conhecemos no bar. Garrett me apoiou por inteiro, e, por causa dele, fui capaz de relaxar e curtir pela primeira vez em muito tempo.

Deus. Não acredito que sempre achei que ele *não fosse* um cara legal.

"Sabe que essa música tem sete minutos, não sabe?", ressalto, ao pisarmos na pista de dança.

"Sei." Seu tom é descontraído. Linear. Mas tenho a estranha sensação de que está chateado com alguma coisa.

Garrett não gruda o corpo no meu nem tenta se esfregar. Em vez disso, dançamos como vi meus pais fazerem, com a mão de Garrett no meu quadril e a outra envolvendo minha mão direita. Descanso a mão livre em seu ombro, e ele abaixa a cabeça e aperta o rosto no meu. Sua barba por fazer cria uma sensação provocante em meu rosto, arrepiando meus braços nus. Quando inspiro, seu perfume almiscarado enche meus pulmões, e sinto uma leve vertigem.

Não sei o que está acontecendo comigo. Me sinto com calor e excitada — é o álcool, digo a mim mesma. Tem que ser. Porque Garrett e eu concordamos que somos apenas amigos.

"Dean tá se divertindo", comento, principalmente porque estou desesperada para me distrair de meus hormônios.

Garrett segue meu olhar até a mesa lá atrás, onde Dean está enfiado entre duas louras, que estão mordiscando seu pescoço muito ansiosas. "É. Acho que sim."

Seus olhos cinzentos têm um olhar distante. Seu tom ausente deixa claro que não está interessado em bater papo, então fico em silêncio e me esforço para não me deixar afetar por sua masculinidade irresistível.

Mas cada vez que sua barba arranha meu rosto, os arrepios pioram. E cada vez que sinto sua respiração em meu queixo, uma onda de calafrios desce por minha coluna. O calor de seu corpo invade o meu, seu cheiro me rodeia, e estou terrivelmente consciente de sua mão quente segurando a minha. Antes que eu possa me impedir, esfrego o polegar no centro de sua palma.

A respiração de Garrett se acelera.

É, *tem* que ser o álcool. Não tem outra explicação para as sensações varando meu corpo. A dor em meus seios, os músculos das coxas se enrijecendo e o vazio estranho dentro de mim.

Quando a música termina, exalo um suspiro de alívio e dou um tão necessário passo para trás.

"Obrigado pela dança", murmura Garrett.

Posso estar embriagada, mas não estou bêbada, e detecto a tristeza irradiando de seu peito largo na mesma hora.

"Ei", digo, preocupada. "O que foi?"

"Nada." Sua garganta se move à medida que ele engole em seco. "É só que... aquela música..."

"O que tem?"

"Traz memórias, só isso." Ele faz uma pausa tão longa, que acho que não vai continuar, mas afinal acrescenta: "Era a música preferida da minha mãe. Tocaram no velório dela".

Perco o fôlego com a surpresa. "Ah. Ai, Garrett, sinto muito."

Ele dá de ombros, como se não ligasse para nada no mundo.

"Garrett..."

"Olhe, era dançar ou arrancar os cabelos, entendeu? Então, sim, obrigado pela dança." Ele me evita quando tento pegar seu braço. "Preciso ir ao banheiro. Você vai ficar bem aqui por alguns minutos?"

"Vou, mas..."

Ele se afasta antes que eu possa terminar.

Fico observando suas costas, lutando contra uma onda de tristeza que me fecha a garganta. Fico dividida enquanto o observo ir embora. Quero ir atrás e obrigá-lo a falar sobre o assunto.

Não, *preciso* ir atrás.

Ajeito os ombros e vou em frente — apenas para parar imóvel logo adiante, cara a cara com o meu ex-namorado.

"Devon!", solto um gritinho estridente.

"Hannah... oi." Devon fica visivelmente desconfortável quando nossos olhares se cruzam.

Levo um segundo para perceber que não está sozinho. Tem uma ruiva alta ao seu lado... de mãos dadas.

Meu pulso acelera, porque não vejo Devon desde que nos separamos, no inverno passado. Ele estuda ciência política, e não temos nenhuma matéria em comum. Nossos círculos sociais também não costumam se cruzar. Provavelmente nem teríamos nos conhecido se Allie não tivesse me arrastado para aquele show em Boston, no ano passado. Era um lugar pequeno, só com bandas locais, e Devon era o baterista de uma delas. Passamos a noite inteira conversando, descobrimos que nós dois estudávamos na Briar, e ele acabou nos levando de volta ao campus naquela noite.

Depois disso, nos tornamos inseparáveis. Ficamos juntos por oito meses, e eu era perdida e inequivocamente apaixonada por ele. Devon também disse que me amava, mas, depois que me deixou, uma parte de mim ficou se perguntando se talvez só estivesse comigo por pena.

Não pense assim.

A voz severa em minha cabeça pertence a Carole, e, de repente, sinto falta de ouvi-la pessoalmente. Nossas sessões de terapia terminaram quando entrei na faculdade, e, embora tenhamos nos falado por telefone uma ou outra vez, não é a mesma coisa que estar sentada na poltrona de couro acolhedora da sala dela, respirando seu perfume relaxante de lavanda e ouvindo aquela voz quente e tranquilizadora. Já não preciso de Carole do jeito que costumava precisar, mas agora, diante de Devon e sua linda namorada nova, todas as antigas inseguranças vêm correndo de volta.

"Como você tá?", pergunta ele.

"Bem. Ótima", me corrijo depressa. "E você?"

"Não posso reclamar." O sorriso que me lança parece forçado. "Ahn... a banda se separou."

"Ah, merda. Que pena. O que aconteceu?"

Ele esfrega distraído a argola de prata em sua sobrancelha esquerda, e me lembro de todas as vezes em que beijei aquele piercing enquanto estávamos na cama.

"Brad deu certo", admite Devon. "Você lembra como sempre ameaçou seguir carreira solo? Pois é, finalmente decidiu que não precisava de nós. Conseguiu um contrato de gravação com um novo selo indie famosinho, e quando eles disseram que queriam entrar com a banda deles, Brad não lutou por nós."

Não fico surpresa em ouvir isso. Sempre achei que Brad fosse o imbecil mais convencido do planeta. Na verdade, provavelmente se daria muito bem com Cass.

"Sei que é uma merda, mas acho que vocês estão melhores sem ele", digo a Devon. "Brad ia acabar passando a perna um dia. Pelo menos aconteceu agora, antes que vocês assinassem qualquer coisa, sabe?"

"É isso que vivo dizendo a ele", intercede a ruiva, em seguida se volta para Devon. "Tá vendo, alguém concorda comigo."

Alguém. É isso que sou? Não a ex-namorada de Devon, não sua amiga, nem mesmo uma conhecida. Sou simplesmente... alguém.

A forma como ela diminui meu papel na vida de Devon faz meu coração se apertar de um jeito dolorido.

"Aliás, meu nome é Emily", se apresenta.

"Prazer", respondo, sem jeito.

Devon parece tão desconfortável quanto eu. "Então, hmm, o festival de inverno tá chegando, né?"

"Sim. Vou fazer um dueto com Cass Donovan." Suspiro. "O que tá começando a parecer um grande erro."

Devon assente. "Bom, você sempre funcionou melhor sozinha."

Meu estômago fica rígido. Por alguma razão, parece que Devon está lançando uma indireta. Como se estivesse insinuando alguma coisa. Como se, na realidade, o que estivesse dizendo fosse *você nunca teve problema em se dar prazer sozinha, né, Hannah? Mas na hora de fazer isso com um namorado não consegue.*

Sei que é só minha insegurança falando. Devon não é cruel assim. E ele *tentou*. Tentou de verdade.

Mas, com ou sem insinuação, a dor é a mesma.

"De qualquer forma, foi bom ver você, mas tô com uns amigos, então..."

Aceno na direção da mesa em que Tucker, Simms e Logan estão escondidos, o que provoca uma ruga de incompreensão na testa de Devon. "Desde quando você sai com a turma do hóquei?"

"Tô dando aula para um dos jogadores e... é, a gente sai às vezes."

"Ah. Legal. Bom... vejo você por aí."

"Prazer em te conhecer!", acrescenta Emily.

Minha garganta se fecha à medida que eles se afastam de mãos dadas. Engulo em seco e viro na direção oposta. Entro no corredor que leva ao banheiro, piscando para afastar as lágrimas quentes que inundam meus olhos.

Meu Deus, por que estou chorando?

Repasso depressa as razões por que não deveria estar chorando.

Devon e eu terminamos.

Não o quero mais.

Passei os últimos meses fantasiando sobre uma pessoa.

Vou ter um encontro com Justin Kohl no fim de semana.

Mas a lista não melhora nada, e meus olhos ardem ainda mais. Quem estou tentando enganar? Que chance eu tenho com Justin? Mesmo que a gente saia uma vez, mesmo que fiquemos próximos o suficiente para termos algo íntimo, o que vai acontecer quando fizermos sexo? E se todos os problemas que tive com Devon brotarem de novo, como um resfriado irritante do qual não consigo me livrar?

E se *tiver* mesmo algo de errado comigo, e eu nunca, nunca conseguir ter uma vida sexual normal como uma mulher normal, cacete?

Pisco depressa, tentando interromper o fluxo de lágrimas. Me recuso a chorar em público. Me *recuso*.

"Wellsy?"

Garrett volta do banheiro masculino e franze a testa logo que me vê. "Ei!", pergunta com urgência, erguendo meu queixo com a mão. "Aconteceu alguma coisa?"

"Não", murmuro.

"Mentira." Ele mantém a mão firme no meu queixo enquanto corre os polegares sob meus olhos. "Por que tá chorando?"

"Não estou chorando."

"Estou enxugando suas *lágrimas* neste segundo, Wellsy. O que significa que está chorando. Agora me diga o que houve de errado." Seu rosto de repente empalidece. "Ai, merda, alguém chegou em você ou algo assim? Demorei só uns minutos. Desculpa..."

"Não, não é isso", interrompo. "Juro."

O rosto de Garrett relaxa. Mas só um pouco. "Então por que você tá chateada?"

Engulo o nó na garganta. "Esbarrei com meu ex aí fora."

"Ah." Ele parece assustado. "O cara que você namorou no ano passado?"

Faço que sim de leve com a cabeça. "Tava com a namorada nova."

"Merda. Deve ter sido estranho."

"Mais ou menos." A hostilidade vai crescendo dentro de mim feito um exército de formiguinhas. "Ela é linda, por sinal. Tipo, linda mesmo." O rancor se intensifica, embrulhando minhas entranhas e enrijecendo meu queixo. "Aposto que tem orgasmos que duram horas e, no auge, grita '*vou gozar*'!"

A preocupação lampeja nos olhos de Garrett. "Hmm. É. Tudo bem. Não entendi nada do que você falou agora, mas tudo bem."

Só que não está nada bem. Não *está*.

Por que achei que poderia ser uma universitária normal? Não *sou* normal. Estou quebrada. Continuo dizendo que o estupro não me destruiu, mas destruiu *sim*. Aquele filho da puta não roubou só a minha virgindade, mas também a minha capacidade de transar e sentir prazer como uma mulher saudável com sangue nas veias.

Então como vou ter um relacionamento de verdade? Com Devon, com Justin, com *qualquer um*, quando não posso...

Com um movimento dos ombros, afasto abruptamente as mãos de Garrett do meu rosto. "Esqueça. Estou sendo idiota." Erguendo o queixo, dou um passo de volta para o bar. "Vamos, quero outra bebida."

"Hannah."

"Quero outra bebida", rebato, então o atropelo e sigo até o bar.

21

GARRETT

Hannah está pra lá de bêbada.

Mais do que isso, se recusa a ir para a casa. É uma da manhã, e a festa se mudou do bar para a minha casa, e, por mais que tente, não consigo convencê-la a encerrar a noite.

É cada vez mais crucial que eu a leve de volta para o alojamento. Minha sala de estar está cheia de jogadores de hóquei e marias-patins, todos no mínimo no número oito da minha escala de bêbados: prestes a jogar a inibição pela janela e cometer erros terríveis.

Dean acaba de arrastar uma Hannah risonha para o centro da sala e os dois começam a dançar "Baby, I Like it Raw", do Ol' Dirty Bastard, estrondando no volume máximo.

Hannah não havia se movido de forma sugestiva quando cantou Lady Gaga antes, mas começou a fazer isso agora. Passou de Miley Cyrus do Disney Channel para Miley em Modo Twerk no último grau, e sinto que preciso dar um fim nisso, antes que ela vá direto para a Miley Vamos Fazer um Vídeo Caseiro de Sexo. Espera — será que Miley fez mesmo um vídeo caseiro de sexo? Merda, quem estou enganando? Claro que fez.

Caminho resoluto até Hannah e Dean e os separo à força, pousando a mão com firmeza no ombro de Hannah. "Preciso falar com você", grito por cima da música.

Ela faz beicinho. "Estou dançando!"

"Estamos dançando", reclama Dean, com a fala arrastada.

Jogo duro com meu colega de time. "Vai dançar com outra pessoa", retruco.

Como se estivesse só esperando a deixa, uma parceira de dança disposta aparece do nada e puxa Dean para seus braços. Dean esquece Hannah, o que me permite arrastá-la para fora da sala sem mais reclamações. Passo a mão ao redor do seu braço, levo-a para o segundo andar e só solto quando alcançamos a segurança tranquila do meu quarto. "A festa acabou", anuncio.

"Mas estou me divertindo", reclama.

"Sei que está." Cruzo os braços. "Você está se divertindo *demais*."

"Você é mau." Com um suspiro exagerado, Hannah se joga de costas na cama. "Estou com sono."

Sorrio. "Vamos, vou levar você de volta para o alojamento."

"Não quero." Ela estica braços e pernas como se estivesse fazendo anjos de neve na minha cama. "Sua cama é tão grande e confortável."

Então suas pálpebras se fecham, e ela fica imóvel, com um último suspiro profundo escapando de seus lábios.

Sufoco um gemido quando percebo que está a segundos de pegar no sono, mas então decido que seria melhor deixá-la dormir aqui e levá-la para casa de manhã. Porque se eu a levar agora e ela tiver outro surto, não vou estar lá para mantê-la fora de problemas.

"Tudo bem", digo, com um aceno de cabeça. "Fique aqui e durma, Bela Adormecida."

Ela bufa. "Isso faz de você o meu príncipe?"

"Pode apostar." Vou até o banheiro e reviro o armário de remédios até encontrar um analgésico. Então sirvo um copo de água, sento na beira da cama e forço Hannah a se sentar também. "Tome dois destes e engula a água toda", ordeno, colocando os dois comprimidos na palma da mão dela. "Confie em mim, amanhã você vai me agradecer."

Enfiar comprimidos e água goela abaixo de alguém não é novidade para mim. Faço isso com meus colegas de time o tempo todo. Sobretudo Dean, que gosta de encher o caneco, e não apenas em seu aniversário.

Hannah segue minhas instruções obedientemente, antes de cair de novo no colchão.

"Muito bem."

"Estou com calor", murmura. "Por que tá tão quente aqui?"

Meu coração literalmente para de bater, quando ela começa a tirar a calça legging.

O tecido se embola em seus joelhos, fazendo-a resmungar. "*Garrett*!"

Tenho que rir. Com pena, me inclino para ajudá-la, puxando a calça de suas pernas e fazendo o possível para ignorar a pele lisa e sedosa sob meus dedos.

"Pronto", digo, com voz firme. "Melhor?"

"Ahaaaammm." Ela segura a bainha da camisa.

Puta merda.

Afasto os olhos e tropeço em direção ao meu armário para encontrar algo com que ela possa dormir. Pego uma camiseta velha, respiro fundo e me viro.

Hannah está sem camisa.

Felizmente, está de sutiã.

Infelizmente, o sutiã é preto, rendado e transparente, e tenho uma visão perfeita de seus mamilos por trás do tecido transparente.

Não olhe. Ela está bêbada.

Dou ouvidos à voz em minha cabeça e me proíbo de ficar encarando. E como por nada nesse mundo vou conseguir tirar esse sutiã sem gozar nas calças, enfio a camiseta por sua cabeça e torço para que não seja do tipo que odeia dormir de sutiã.

"Me diverti muito hoje", balbucia Hannah, feliz. "Viu? Posso estar quebrada, mas ainda consigo me divertir."

Fico imóvel. "O quê?"

Mas ela não responde. Suas pernas nuas chutam o cobertor, e Hannah entra embaixo dele, ficando de lado com um pequeno suspiro.

Desmaia em poucos segundos.

Luto contra uma onda de mal-estar ao desligar a luz. Está quebrada? O que significa isso?

Franzindo a testa, saio do quarto e fecho a porta silenciosamente atrás de mim. As palavras enigmáticas de Hannah ecoam na minha cabeça, mas não tenho a chance de refletir sobre elas, porque, assim que desço, Logan e Dean não perdem tempo em me arrastar até a cozinha para uma rodada de shots.

"É o aniversário dele, cara", argumenta Logan quando me oponho. "Você tem que tomar um shot."

Acabo cedendo e aceito o copo. Nós três brindamos e viramos o uísque. O álcool queima minha garganta e aquece meu estômago, e agradeço a sensação de calor entorpecente que atravessa meu corpo. Passei a noite toda... *desligado*. Aquela música idiota. As lágrimas de Hannah no bar. A confusão que ela provoca em meus sentimentos.

Estou em carne viva e à flor da pele, e, quando Logan me serve outro copo, não me oponho.

Com o terceiro, já não estou mais pensando em como me sinto confuso.

Depois do quarto, já não penso mais em nada.

São duas e meia da manhã quando finalmente arrasto meu corpo bêbado para o segundo andar. A festa perdeu o fôlego. Sobraram apenas as maria-patins de Dean, deitadas no sofá com ele num emaranhado de braços e pernas nuas. Passo pela cozinha e vejo Tucker dormindo na bancada, ainda abraçando uma garrafa de cerveja vazia. Logan sumiu em seu quarto há um tempo com uma morena bonita, e, ao passar pela porta, ouço o tipo de gemidos e sussurros que me dizem que ele está MOT.

Meu quarto está tomado pelas sombras quando entro. Pisco algumas vezes, e logo meus olhos se acostumam com a escuridão e se deparam com um montinho na cama no formato de Hannah. Estou muito cansado para escovar os dentes ou seguir meu próprio regime de prevenção de ressaca — simplesmente fico de cueca e deito ao lado dela.

Tento ser o mais silencioso possível ao me ajeitar, mas o farfalhar dos lençóis a faz se mexer. Um gemido suave vara a escuridão, e então Hannah gira e pousa a mão quente contra o meu peito nu.

Fico rijo. Digo, meu peito fica rijo. Lá em baixo, estou mais mole que um pudim. Isso é o que chamo de pau de uísque, o que é muito triste, considerando que só tomei cinco doses. Cara, eu e álcool *realmente* não combinamos.

Mesmo que quisesse tirar proveito de Hannah agora, seria um inútil completo. E merda, que coisa mais repugnante de se pensar. *Nunca* me aproveitaria dela. Arrancaria meu próprio pau fora antes de o forçar em alguém.

Mas, aparentemente, só tem uma pessoa com boas intenções nesta cama hoje à noite.

Meu pulso dispara quando os lábios macios tocam meu ombro.

"Hannah...", digo, com cautela.

Há um momento de silêncio. Uma parte de mim torce para que esteja dormindo, mas Hannah joga essa esperança pela janela, murmurando: "Ahn?". Sua voz é rouca e sensual pra caramba.

"O que você tá fazendo?", sussurro.

Seus lábios caminham do meu ombro até o pescoço, e então ela chupa minha pele subitamente febril, encontrando um ponto específico que envia uma onda de calor direto para o meu saco. Nossa. Meu pau pode não estar funcionando direito agora, mas isso não significa que não possa me excitar. E, cacete, não há palavras para descrever como estou excitado conforme a boca gulosa de Hannah explora meu pescoço.

Sufoco um gemido, tocando seu ombro para interrompê-la. "Você não quer fazer isso."

"Nã-não. Você está errado. Quero sim."

O gemido que vinha sufocando irrompe assim que ela sobe em cima de mim. Suas coxas firmes envolvem minhas pernas. Seu cabelo faz cócegas em minha clavícula à medida que ela se inclina para a frente.

Meu coração dispara num galope acelerado.

"Pare de se fazer de difícil", reclama.

E então me beija.

Ah, *merda*.

Eu deveria impedi-la. Muito, muito mesmo. Mas ela é quente e macia e cheira tão bem que não consigo pensar direito. Sua boca se move ávida sobre a minha, e a beijo de volta, ansioso, passando os braços ao redor dela e acariciando suas costas enquanto nossos lábios se colam. Hannah tem gosto de piña colada e faz os barulhos mais sensuais que já ouvi, chupando minha língua com força como se não conseguisse se saciar.

"Hannah", murmuro contra seus lábios famintos. "Nós não podemos."

Ela lambe meu lábio inferior, então morde com força suficiente para provocar um rosnado vindo da garganta. Merda. Merda, merda, *merda*. Preciso descarrilar o trem da luxúria antes do ponto em que não tem mais volta.

"Amo o seu peitoral", sussurra, e, puta que pariu, agora está esfregando os seios contra meu peito, e posso sentir os mamilos através da camisa.

Quero rasgar a porcaria da camisa. Quero enfiar esses mamilos eriçados na boca e chupar. Mas não posso. E não vou.

"Não." Enfio a mão em seu cabelo e agarro-o entre os dedos. "Nós não podemos fazer isso. Não hoje."

"Mas eu quero", murmura. "Eu te quero tanto."

Hannah acabou de pronunciar as palavras que todo cara quer ouvir — *eu te quero tanto* —, mas está bêbada, e não posso deixá-la fazer isso.

Sua língua brinca em minha orelha, e meus quadris se erguem do colchão. Ai, caralho. Quero entrar nela.

É necessária uma força sobre-humana da minha parte para afastá-la do meu corpo. Ela choraminga em protesto, mas quando toco suavemente sua bochecha, o gemido se transforma num suspiro feliz.

"Nós não podemos fazer isso", digo rispidamente. "Você confiou em mim para cuidar de você, lembra? Bom, estou cuidando você."

Não consigo ver sua expressão no escuro, mas ela parece surpresa ao dizer: "Ah". Então se aconchega perto de mim, e fico tenso na mesma hora. Estou preparado para estabelecer as regras de novo, mas ela simplesmente se aninha contra o meu corpo e repousa a cabeça em meu peito. "Tudo bem. Boa noite."

Tudo bem? Boa noite?

Será que ela realmente pensa que vou ser capaz de dormir depois do que acabou de acontecer?

Mas Hannah não está pensando. Não, apagou de novo como se fosse uma lâmpada. E, à medida que sua respiração regular faz cócegas em meu mamilo, engulo outro gemido e fecho os olhos, fazendo o melhor para ignorar o tesão quente pulsando na virilha.

Demoro muito, muito tempo para dormir.

22

HANNAH

É a segunda vez em duas semanas que acordo nos braços de Garrett Graham. Só que desta vez... gosto de estar aqui.

A última noite acabou sendo uma sequência de experiências reveladoras. Bebi em público sem ter um ataque de pânico. Fui forçada a aceitar que o estupro me afetou muito mais do que me permiti admitir.

E decidi que Garrett é a resposta para todos os meus problemas.

Minha tentativa de sedução pode ter falhado, mas não por falta de vontade da parte de Garrett. Sei exatamente o que estava se passando na sua cabeça — *Hannah está bêbada e não está pensando direito.*

Mas ele estava errado.

Meu cérebro estava funcionando direitinho na noite passada. Beijei Garrett porque quis. Teria dormido com ele porque *queria.*

Agora, à luz do dia, *continuo* querendo. Ver Devon me deixou com medo e insegura, e passei a questionar o que aconteceria se eu me envolvesse com Justin. Questionar se estou apenas atraindo mais frustração e decepção para a minha vida.

Por mais louco que isso pareça, um teste com Garrett pode ser tudo o que preciso para trabalhar meus problemas. Ele mesmo disse que não namora, só faz sexo casual com as garotas. Não há risco nenhum de se apaixonar por mim ou exigir um relacionamento. E não dá para ignorar a química entre nós. Temos tanta que poderíamos inspirar uma música de R&B.

Seria o arranjo perfeito. Eu poderia transar com um cara sem me prender a toda a pressão de um relacionamento. Com Devon, meus problemas sexuais tornaram-se cem vezes piores por causa dessa pressão, porque a parte sexual estava enroscada com a amorosa.

Com Garrett, pode ser só sexo. Uma tentativa de juntar os cacos da minha sexualidade sem me preocupar em decepcionar alguém que amo.

Mas, primeiro, preciso que ele concorde com isso.

"Garrett", sussurro.

Ele não se move.

Eu me aproximo e acaricio sua bochecha. Suas pálpebras vibram, mas ele não acorda.

"Garrett", chamo de novo.

"Mmmmfhrhghd?"

Seu resmungo me faz sorrir. Eu me inclino e pressiono os lábios nos dele.

Seus olhos se abrem.

"Bom dia", digo, inocentemente.

Ele pisca depressa. "Era sonho ou você acabou de me beijar?", pergunta, grogue.

"Não era sonho."

A confusão embaça seus olhos, mas ele está ficando cada vez mais alerta. "Por quê?"

"Porque senti vontade." Sento e tomo fôlego. "Você tá cem por cento acordado? Tenho uma coisa muito importante para pedir."

Um enorme bocejo se espalha em seu rosto, enquanto se ajeita numa posição vertical. O cobertor cai até a cintura, revelando seu peito nu, e minha boca fica seca na hora. Garrett é lapidado feito um diamante. Arestas duras, pele reluzente e pura virilidade.

"O que foi?", pergunta, com uma voz grave de sono.

Não existe maneira de frasear isso sem soar patética e desesperada, então simplesmente deixo as palavras saírem e flutuarem no ar.

"Faz sexo comigo?"

Depois da pausa mais longa da história, Garrett franze a testa. "Agora?"

Apesar do constrangimento apertando minha barriga, não posso conter o riso. "Hmm, não. Agora não." Pode me chamar de fresca, mas me recuso a fazer sexo com qualquer pessoa quando ainda estou com hálito matinal e descabelada, e sem ter depilado todas as áreas pertinentes. "Mas talvez hoje à noite?"

A expressão de Garrett parece uma roda da fortuna, indo de chocado a incrédulo e a confuso, antes de prosseguir em direção a intrigado e, por fim, desconfiado. "Acho que você tá brincando, mas não consigo imaginar aonde quer chegar."

"Não tô brincando." Encaro-o de frente. "Quero que você faça sexo comigo." Certo, espera, isso soou errado. "Quero dizer, quero fazer sexo com você. Quero que a gente faça sexo junto."

Seus lábios se contorcem.

Ótimo. Está tentando não rir da minha cara.

"Você ainda tá bêbada?", pergunta. "Porque se estiver, prometo ser um cavalheiro e nunca tocar nesta conversa de novo."

"Não estou bêbada. Estou falando sério." Dou de ombros. "Quer ou não quer?"

Garrett me olha.

"E então?", insisto.

Suas sobrancelhas escuras se unem numa careta. É bem óbvio que não tem ideia do que fazer com meu pedido.

"É só dizer sim ou não, Garrett, muito simples."

"Simples?", explode ele. "Você tá brincando com a minha cara? Não tem nada de simples nisso." Ele passa a mão pelo cabelo. "Você esqueceu o que me disse na festa de Maxwell? Que o beijo não significou nada, que somos apenas amigos e blá-blá-blá."

"Eu não disse blá-blá-blá", resmungo.

"Mas disse todo o resto." Sua mandíbula se enrijece. "O que mudou de lá para cá?"

Engulo em seco. "Não sei. Só mudei de ideia."

"Por quê?"

"Porque sim." A irritação arde em meu peito. "O que importa? Desde quando homens ficam fazendo interrogatório sobre os motivos de uma menina querer tirar a roupa?"

"Desde o momento em que você não é do tipo que tira a roupa!", esbraveja ele.

Cerro os dentes. "Não sou uma virgem, Garrett."

"Também não é uma maria-patins."

"Então isso significa que não posso dormir com um cara por quem me sinto atraída?"

Ele leva as duas mãos ao couro cabeludo, parecendo tão irritado quanto eu. Então inspira e solta o ar lentamente. Por fim, me fita nos olhos.

"Certo, a questão é a seguinte. Acredito que você se sinta atraída por mim. Quero dizer — um, quem não se sente? E dois, você geme feito louca quando minha língua tá na sua boca."

"Mentira", exclamo, irritada

"Até parece." Ele cruza os braços esguios e musculosos sobre o peito igualmente esguio e musculoso. "Mas não acredito que você tenha passado por alguma transformação mágica em que, de repente, quer subir em cima de mim só pelo sexo. Por diversão." E deita a cabeça, pensativo. "O que tá acontecendo, então? Você quer se vingar do seu ex ou o quê? Fazer ciúmes no seu gato de novo?"

"Não", digo com firmeza. "Eu só..." A frustração dá voltas dentro de mim. "Só quero fazer, tá legal? Quero fazer com *você*."

Sua expressão é uma combinação peculiar de divertimento e irritação. "Por quê?", pergunta de novo.

"Porque *quero*, caramba. Tem que haver um significado profundo e filosófico por trás disso?" Mas vejo em seu rosto que não o convenci, e sou inteligente o suficiente para saber o momento de admitir a derrota. "Sabe de uma coisa? Esquece. Esquece que pedi..."

Garrett agarra meu braço antes que eu possa pular para fora da cama. "O que tá acontecendo, Wellsy?"

A preocupação em seus olhos dói mais do que a rejeição. Praticamente implorei por sexo, e ele parece *preocupado* comigo.

Nossa, não sou nem capaz de propor sexo para um cara direito.

"Esquece", murmuro de novo.

"Não."

Solto um grito quando ele de repente me puxa para o seu colo.

"Não estamos mais tendo esta conversa", protesto, tentando me soltar dele.

Ele firma as mãos na minha cintura para me prender no lugar. "Estamos sim."

Seus olhos cinzentos queimam meu rosto, procurando, sondando, e fico mortificada de sentir as lágrimas ardendo em minhas pálpebras.

"Que história é essa?", pergunta, com a voz rouca. "Me diz qual é o problema pra eu tentar te ajudar."

Uma risada histérica voa da minha boca. "'Ajudar' o caramba! *Acabei* de pedir a sua ajuda, mas você me rejeitou!"

Ele parece ainda mais desnorteado do que antes. "Você não pediu minha ajuda, Hannah. Você me pediu para te comer."

"Mesma merda", murmuro.

"Pelo amor de Deus, não tenho ideia do que você tá falando!" Ele inspira devagar, como se estivesse tentando se acalmar. "Juro por Deus, se você não me disser do que tá falando nos próximos dois segundos, vou perder a cabeça."

A tristeza se instala em minha garganta. Queria nunca ter aberto a boca e feito essa proposta. Deveria simplesmente ter saído do quarto às escondidas enquanto ele dormia e fingido que nunca me atirei em cima dele na noite passada.

Mas então Garrett ergue a mão e afaga meu rosto com uma ternura infinita, e algo dentro de mim se rompe.

Deixo escapar um suspiro trêmulo. "Estou quebrada, e queria que você me consertasse."

Ele arregala os olhos, assustado. "Ainda não tô entendendo."

Não são muitas as pessoas que sabem o que aconteceu comigo. Claro, não saio por aí fazendo propaganda de que fui estuprada para todo mundo que conheço. Tenho que confiar muito na pessoa para confessar algo tão monumental.

Se você me dissesse há algumas semanas que iria me abrir com Garrett Graham sobre a experiência mais traumática da minha vida, faria xixi nas calças de tanto rir.

E, agora, aqui estou, fazendo exatamente isso.

"Menti para você na festa de Beau", admito.

Sua mão se afasta do meu rosto, mas seu olhar permanece preso ao meu. "Certo..."

"Não conheço alguém que tenha sido drogada na escola." Minha garganta se fecha. "*Eu* fui drogada na escola."

O corpo de Garrett se enrijece. "O quê?"

"Quando tinha quinze anos, um cara da minha escola me drogou." Engulo o ácido que reveste minha traqueia. "E me estuprou."

Sua boca emite uma respiração entrecortada, assustada. Embora não diga uma palavra, posso ver claramente a mandíbula tensa, a fúria quente em seus olhos.

"Foi... é... bom, uma merda, tenho certeza de que você pode imaginar como foi horrível." Engulo de novo. "Mas... por favor, não fica com pena de mim, tá? Foi horrível e assustador, me destruiu na época, mas trabalhei isso. Não tenho medo de todos os homens ou estou zangada com o mundo, nem nada assim."

Garrett não diz nada, mas sua expressão é a mais feroz que já vi.

"Deixei isso pra trás. De verdade. Mas ele quebrou algo dentro de mim, entende? Não consigo... não consigo... você sabe." Minhas bochechas estão tão quentes que parece que tive uma insolação.

Ele fala afinal, e a voz soa baixa e sofrida. "Não, não sei."

Já cheguei tão fundo, então me forço para explicar. "Não consigo gozar com um cara."

Garrett engole em seco. "Ah."

Pressiono os lábios um contra o outro, tentando conter o embaraço que me sobe pela garganta. "Achei que talvez, se você e eu... se nós... você sabe, brincássemos um pouco, eu poderia conseguir... não sei... reprogramar meu corpo para... hmm, corresponder."

Ai, que merda. As palavras estão pulando para fora antes que meu cérebro possa editá-las, e meu rosto fica em chamas ao perceber que acabei de soar simplesmente patética. A constatação de que cheguei de fato ao fundo do poço da mais pura humilhação desencadeia minhas lágrimas.

Assim que um soluço estrangulado se irrompe de minha boca, tento freneticamente me desvencilhar do colo de Garrett, mas seus braços me apertam, uma das mãos se enredando em meu cabelo para trazer minha cabeça mais para perto. Enterro o rosto em seu pescoço, tremendo descontroladamente, enquanto as lágrimas deslizam por meu rosto em ondas salgadas.

"Ei, vem cá, não chora", implora ele. "Me corta o coração ver você chorar."

Mas não consigo parar. Arquejo em busca de ar e estremeço em seus braços, enquanto ele acaricia meu cabelo e faz ruídos graves numa tentativa de me acalmar que só me faz chorar ainda mais.

"Estou *quebrada*."

Minha voz é abafada contra seu pescoço, mas ouço sua resposta alta e clara: "Você não está quebrada, linda. Prometo".

“Então me ajuda a provar isso”, sussurro. “Por favor.”

Ele ergue minha cabeça com carinho. Encontro seu olhar e tudo o que vejo é emoção e uma sinceridade reluzente.

“Tudo bem”, sussurra de volta. E, deixa escapar um suspiro longo e instável. “Eu ajudo.”

23

GARRETT

Metade dos caras na sala de musculação está com uma ressaca tremenda. Mas eu, por incrível que pareça, não. Não, as revelações desta manhã espantaram consideravelmente qualquer dor de cabeça ou náusea que pudesse ter sentido.

Hannah foi estuprada.

Essas três palavras estão flutuando na minha cabeça desde que a deixei em seu alojamento, e toda vez que aparecem, uma fúria em brasa explode dentro de mim feito um trem de carga. Queria que tivesse me dito o nome, o número do telefone, o *endereço* do filho da puta.

Mas é melhor que não tenha dito, caso contrário, provavelmente estaria no meu carro agora a caminho de cometer um assassinato.

Quem quer que tenha sido, peço a Deus que tenha pagado pelo que fez a Hannah. Que esteja apodrecendo na prisão neste momento. Ou melhor, que tenha morrido.

"Mais dois." Logan paira sobre mim, enquanto estou deitado no supino. "Vamos, cara, que moleza é essa?"

Expiro e envolvo os dedos na barra. Canalizo toda a minha raiva em levantar os pesos sobre a cabeça, enquanto Logan me acompanha do alto. Depois que termino a última série, ele coloca a barra no lugar e me estende a mão. Deixo que me levante, e trocamos de posição.

Preciso botar a cabeça no lugar. Ainda bem que não estamos no gelo hoje, porque no momento não tenho certeza se ainda sei andar de patins.

Hannah foi estuprada.

E agora quer transar comigo.

Não, quer que eu a *conserte*.

Puta merda. O que estava pensando quando concordei com isso? Quis essa menina nua desde o primeiro beijo, mas não assim. Não como um experimento sexual. Não com tanta pressão para... para quê? Fazer com que seja bom para ela? Não decepcioná-la?

"Não precisa ter pressa", zomba Logan.

Afasto os pensamentos angustiados e percebo que ele está me esperando colocar a barra em suas mãos.

Inspiro e tento me concentrar em garantir que Logan não morra sob minha guarda, em vez de ficar paranoico a respeito de Hannah.

"Então, tô puto com você", diz ele, flexionando os braços e trazendo a barra para junto do peito. Em seguida expira e eleva a barra novamente.

"O que fiz agora?", pergunto, com um suspiro.

"Você me disse que não tava interessado em Wellsy."

Meu peito fica tenso, mas finjo indiferença enquanto conto suas repetições. "Não tava, pelo menos não quando falamos disso."

Logan solta um grunhido toda vez que estende os braços. Estamos os dois levantando uns dez quilos a menos que o habitual, porque com a bebedeira da noite passada ninguém aqui está funcionando cem por cento hoje.

"E *agora* você tá interessado, então?"

Engulo em seco. "Tô. Acho que sim."

Logan não diz mais nada. Meus dedos pairam sob a barra enquanto ele termina suas repetições.

Mantenho um dos olhos atento ao relógio acima da porta da sala de musculação. São quase cinco. Hannah sai do trabalho às dez e vai direto para a minha casa.

E a gente vai transar.

A tensão em meu intestino aumenta, acumulando-se num nó gigante. Não tenho ideia se sou capaz disso. Tenho pavor de fazer algo errado. De machucá-la.

"Não me surpreende que você tenha percebido seu erro", diz Logan afinal, enquanto trocamos de lugar de novo. "Ela é legal pra caralho. Percebi no momento em que a vi."

Sim, Hannah *é* legal. Também é bonita, inteligente, engraçada.

E *não* está quebrada.

A pressão em meu estômago alivia à medida que me apego a esse último pensamento. Foi por *isso* que concordei em dormir com ela, porque não importa o que tenha acontecido no passado, não importa quantas cicatrizes ainda carregue daquele calvário, não tenho um pingo de dúvida de que Hannah Wells não está quebrada. Ela é forte demais para permitir que qualquer um — principalmente um filho da puta de um estuprador de ensino médio — a quebre.

Não, o que está faltando é a capacidade de confiar no outro, e, em certa medida, em si mesma. Ela só precisa de alguém para... guiá-la, na falta de uma palavra melhor.

Mas, merda, será que esse alguém precisa mesmo ser *eu*? Não tenho a menor ideia da etiqueta necessária para dormir com uma vítima de estupro.

"Mas, enfim, talvez eu *não* esteja chateado por você ter chegado primeiro", completa Logan.

Lanço-lhe um leve sorriso. "Poxa, valeu."

Ele sorri de volta. "Dito isso, peço isenção do trecho no código da camaradagem que afirma que não posso namorar alguém com quem você terminou."

Meus dedos se enrijecem em torno da barra. *Nem pensar*. A ideia de Logan com Hannah me faz querer dar uma de He-Man com esta barra e atirá-la do outro lado da sala. Mas, ao mesmo tempo, tenho certeza de que não existe a menor chance de Hannah sair com Logan, principalmente agora que sei sobre seus complexos.

Então, dou de ombros casualmente e digo: "Isenção concedida".

"Ótimo. Agora vou botar mais cinco quilos nessa belezura aqui, porque, sério, G., somos melhores do que isso."

Os próximos trinta minutos voam. A sala fica vazia, foi todo mundo para os chuveiros. Mas quando vejo que Birdie ainda está na barra fixa do outro lado da sala, caminho até ele.

"Ei, cara, tem um tempinho?", pergunto, enxugando a minha testa suada com uma toalha.

Ele solta a barra, e seus tênis pousam no colchão azul de ginástica. Então pega a própria toalha. "Claro. O que foi?"

Hesito. Jogadores de hóquei não são do tipo que se abrem uns para os outros feito mulherezinhas. Na maioria das vezes, jogamos conversa fora no vestiário ou trocamos insultos, com raros papos mais sérios.

Jake "Birdie" Berderon é a exceção à regra. Aluno do último ano, alto e corpulento, é quem você procura quando precisa de um conselho, quem você chama quando está com um problema, o cara que vai largar tudo o que estiver fazendo só para ajudar. Na temporada passada, quando metade dos jogadores mais velhos se formaram e estavam acontecendo as indicações para capitão, disse a Birdie que se ele quisesse o posto, eu o apoiaria cem por cento. Ele me cortou logo, insistindo que era péssimo em animar o time e que preferia jogar mais a liderar, mas no fundo sei que Birdie é o nosso líder *de verdade*. Não existe ninguém melhor. Sem brincadeira.

Dou uma olhada na porta aberta, em seguida, abaixo a voz. "Isso tem que ficar entre nós, tudo bem?"

Um sorriso irônico levanta seus lábios. "Cara, se você soubesse quantos segredos estão flutuando nesta minha cabeça grande, enlouqueceria. Confia em mim, sei manter a boca fechada."

Despenco no banco de madeira comprido contra a parede e descanso as mãos sobre os joelhos. Não sei por onde começar, mas sei que não posso dizer a verdade. Isso é algo que só Hannah tem o direito de compartilhar.

"Já dormiu com uma virgem?", arrisco.

Ele pisca. "Hmm. Certo. Bom, já. Já dormi." Birdie senta ao meu lado. "Cá entre nós?", pergunta.

"Claro."

"Nat era virgem quando começamos." Nat, na verdade, é Natalie, a namorada de Birdie desde o primeiro ano. Os dois são aquela espécie de "o" casal, do qual todos zombam por serem nojentos de tão perfeitos, embora no fundo todo mundo tenha inveja do relacionamento deles.

Tenho que perguntar: "Você também era?".

Ele sorri. "Não. Compareci a esse departamento aos quinze anos."

Quinze anos. A idade de Hannah quando foi... de repente me pergunto se aquilo foi a sua primeira vez, e o horror fecha minha garganta.

Meu Deus. Perder a virgindade é uma questão importante para algumas garotas — não posso nem imaginar como seria ter isso *tirado* de você.

"Por quê? Tem um encontro com uma virgenzinha gostosa?", brinca Birdie.

"Algo assim." Considerando que conheceu Hannah ontem à noite no Malone's, tenho certeza de que Birdie é capaz de ligar uma coisa à outra, mas sei que não vai comentar com ninguém.

E acho que essa história de virgem é mais segura do que proferir as palavras *vítima de estupro*. Afinal, a abordagem de se dormir com uma não pode ser tão diferente assim de se dormir com outra. Em ambos os casos, você precisa ser paciente, respeitoso e cuidadoso, certo?

"Então, o que você fez para a primeira vez de Nat?", pergunto, sem jeito.

"Honestamente? Só tentei deixá-la confortável." Birdie dá de ombros. "Ela não curte aquela palhaçada toda de flores, velas e pétalas de rosa na cama. Não queria fazer da situação uma coisa grande demais." Outro dar de ombros. "Mas algumas meninas *fazem* questão da produção toda. Então, acho que a primeira coisa no seu caso é descobrir que tipo de garota ela é. Discreta ou super-romântica."

Penso em Hannah e em toda a pressão que está passando para ser "normal" — que deve ser um milhão de vezes pior do que a pressão que *eu* estou sentindo no momento —, e, na mesma hora, sei a resposta.

"Definitivamente discreta. Acho que velas e pétalas de rosa a deixariam nervosa."

Birdie faz que sim com a cabeça. "Então basta ir devagar e tomar o cuidado de deixá-la à vontade. Esse é o único conselho que posso dar." Ele faz uma pausa. "E muitas preliminares, cara. Meninas precisam dessas coisas. Sacou?"

Eu rio. "Sim, senhor."

"Mais alguma pergunta? Porque estou fedendo mais que um porco e preciso desesperadamente de um banho."

"Não, só isso. Obrigado, cara."

Birdie me dá um tapa no ombro e se levanta. "Não se estresse muito com isso, G. Sexo precisa ser divertido, lembra?" Em seguida, me lança uma piscadinha e sai da sala de musculação.

Não me estressar? Como posso *não* me estressar?

Solto um gemido em voz alta, feliz de que não haja ninguém para ouvir o som aterrorizado.

Deixá-la à vontade. Ir devagar. Muitas preliminares. Não me estressar.

Certo. Posso fazer isso.

Ou pelo menos *espero* muito poder.

24

HANNAH

Quase vomito umas três vezes no caminho até a casa de Garrett, mas engulo em seco o nervoso, porque estou dirigindo o carro de Tracy — e a última coisa que quero é pagar para limpar meu vômito do seu estofado.

Sinceramente, não me lembro nem sequer de um segundo do meu turno de cinco horas no Della's. Nem da minha uma hora de ensaio com Cass mais cedo. Ou como fui de um lugar para outro hoje. Estou em piloto automático desde que saí da cama de Garrett de manhã, todos os pensamentos conscientes concentrados no que estou prestes a fazer esta noite.

Já falei que estou nervosa?

Mas, não deveria estar. É só sexo. Sexo com um cara por quem me sinto atraída, um cara de quem gosto de verdade e em quem confio.

Minhas mãos não deveriam estar tremendo tanto, e não era para o meu coração estar batendo tão rápido. Ainda assim, entremeada ao nervosismo, há uma sensação de empolgação. Antecipação. Coloquei um conjunto de calcinha e sutiã combinando debaixo do uniforme de trabalho. Pois é, você sabe que está prestes a transar quando está ostentando renda preta em cima e em baixo, e sua pele está macia e sedosa, pronta para ser tocada.

Os amigos de Garrett não estão em casa quando chego. A menos que estejam escondidos no quarto, mas não acho que estão, porque não há nada exceto silêncio em meu caminho até o quarto de Garrett no segundo andar.

Me pergunto se ele pediu que saíssem. Então torço para que não, porque... bom, é o mesmo que acender um letreiro de neon dizendo que eu e ele vamos transar hoje.

"Oi", diz, quando entro.

Meu coração dá uma cambalhota nervosa e uma pirueta agradecida. Dá para ver que ele se deu ao trabalho de se preparar, porque o cabelo ainda está levemente molhado do banho e a barba está recém-feita. Olho sua calça preta de malha e a camiseta cinza, então me volto para meu próprio uniforme espalhafatoso. Graças ao estado de nervos em que passei o dia, esqueci de trazer uma muda de roupas.

Mas, até aí, a gente não deve continuar de roupa por muito mais tempo.

"Oi." Engulo em seco. "E aí... como você quer fazer isso? Tiro a minha roupa?" E faço uma pausa, ao pensar numa coisa. "Nem pense em me pedir para fazer um striptease, porque já estou nervosa demais e de jeito nenhum vou ser capaz de fazer uma dança *minimamente* sensual agora."

Garrett desata a rir. "Você não tem a menor ideia de como criar um clima, né, Wellsy?"

Solto um gemido triste. "Eu sei. É só que... estou nervosa", repito. Inspiro fundo, limpo as mãos suadas na frente da minha saia. "A gente pode começar logo? Você tá em pé aí, olhando para mim, e isso tá me deixando maluca."

Ele se aproxima com uma risada contida e segura meu queixo em suas mãos. "Em primeiro lugar, relaxe — não tem por que ficar nervosa. Segundo, não espero nem quero um striptease." Ele dá uma piscadinha. "Pelo menos não hoje. E terceiro, não vamos começar nada agora."

Luto contra uma pontada de decepção. "Não?"

Garrett me lança a mesma camiseta com que dormi na noite passada. "Vá tirar essa fantasia de *Grease* e vestir isso. Vou preparar o próximo disco." Ele caminha até a TV e pega a caixa de DVDs de *Breaking Bad*.

"Você quer assistir TV?", pergunto, incrédula.

"Isso aí."

Meu queixo cai. Então sobe de novo. E é assim que permanece, porque, de repente, me dou conta do que ele está fazendo, e agradeço do fundo do coração.

Garrett está tentando me deixar à vontade.

E está funcionando.

Entro no banheiro para me trocar, volto um minuto depois e me junto a Garrett na cama. Na mesma hora, ele passa o braço ao meu redor e me puxa para junto de si, e seu já conhecido cheiro masculino me tranquiliza.

"Pronta?", diz, animado, segurando o controle.

Me vejo sorrindo. "Pronta."

O episódio invade a tela, e recosto a cabeça em seu ombro enquanto me concentro no seriado. Como na outra vez em que assistimos a isso juntos, nenhum de nós fala muito, exceto um ou outro arquejo meu ou algumas previsões isoladas dele, mas, dessa vez, só metade de mim está prestando atenção. Garrett está deslizando a palma da mão em meu ombro, num carinho leve e provocante que dificulta muito minha concentração.

No meio do episódio, ele se aproxima e beija meu ombro.

Não digo uma palavra, mas um suspiro involuntário me escapa. Arrepios surgem no ponto em que seus lábios me tocaram, e quando ele pousa a mão enorme em minha coxa nua, uma onda de calor percorre minha pele.

"O que você tá fazendo?", murmuro.

Seus lábios brincam ao longo de meu pescoço. "Criando um clima." Ele mordisca meu lóbulo. "Ao contrário de certas pessoas, *eu* sei fazer isso."

Mostro a língua para ele, embora não possa ver. Está ocupado demais me torturando com sua boca, deixando beijos molhados ao longo de minha nuca.

A excitação começa fundo dentro de mim e se espalha, dançando por meu corpo e pinicando todas as zonas erógenas. Cada vez que seus lábios beijam um trecho novo de pele, estremeço de prazer. Quando sua língua brinca com minha mandíbula, viro o rosto, e nossas bocas se encontram no beijo mais quente do planeta.

Adoro os beijos de Garrett. Não são desleixados, nem apressados, mas habilidosos, lentos e absolutamente incríveis. Seus lábios roçam os meus, vagarosos e provocantes, e a língua me penetra vez ou outra para uma inspeção fugaz, antes de sair sedutoramente. Deito a cabeça e aprofundo o beijo, então solto um gemido quando seu sabor mentolado invade minha língua. Ouço um rugido masculino no fundo de sua garganta, e minha barriga se enrijece em resposta.

Sua boca permanece presa à minha, à medida que me coloca de costas na cama, deitando-se de lado junto a mim. A mão quente envolve meu seio sobre o tecido fino da camiseta, e a onda de prazer me faz arquejar de alegria.

"Me avise se estiver indo rápido demais." Sua voz grave ressoa em meus lábios, e sua língua me invade para reencontrar a minha.

Sinto-me inundada de sensações. Garrett está me beijando, apertando meus seios, esfregando de leve o mamilo com o polegar, e tudo que está fazendo é tão gostoso que não sei em qual sensação me concentrar.

Minha pulsação vai a mil quando ele desce a palma da mão por meu corpo. Ele hesita ao chegar à barra da camiseta, em seguida emite um som rouco e desliza os dedos por baixo dela.

Quando sua mão se move entre minhas pernas, paro de respirar.

Quando seus dedos tocam meu clitóris por cima da minha calcinha, solto um gemido.

Ele interrompe o movimento. "Quer que eu pare?"

"Nossa. Não. Continua."

Um risinho rouco sai de sua boca, e sua mão começa a se mexer de novo. Quando me convenço de que não há nada melhor do que isso no mundo, ele me prova que estou errada, movendo a pequena faixa de tecido que cobre o meu sexo e colocando o indicador bem em cima do meu clitóris.

Ergo o quadril como se tivesse sido atingida por um relâmpago. "Hmmm. Faz assim."

Carinhoso, mas com firmeza, Garrett desenha pequenos círculos em minha carne sensível, antes de deslizar o dedo para provocar a entrada molhada da minha parte mais íntima.

O gemido que ele deixa escapar me vara a coluna. "Puta merda. Você tá tão molhada."

Estou. De verdade. E o desejo entre minhas pernas está aumentando, latejando cada vez mais forte, enquanto ondas de prazer correm dentro de mim. Fico chocada de perceber os sinais eloquentes de um orgasmo iminente. Isto é o mais perto que já cheguei, mas me distraio ao perceber a pressão contra meu quadril. A sensação da ereção de Garrett se esfregando em mim é algo tão erótico que não consigo pensar direito.

Estou desesperada para tocá-lo, e minhas mãos se movem como que por vontade própria, deslizando sob sua cueca.

No instante em que toco seu pau, fico boquiaberta.

"Ai, meu Deus, você tá de *brincadeira* com a minha cara?"

Ele parece assustado. "O que foi?"

"Você tá tomando hormônio de crescimento ou algo assim?" Puxo a mão de volta, lutando contra outra onda de nervosismo. "De jeito nenhum essa monstruosidade vai caber dentro de mim!"

Garrett deixa a cabeça cair em seu braço, e seu corpo começa a sacudir. Primeiro, acho que está morrendo de raiva. Ou talvez chorando. Levo alguns segundos para me dar conta do que está acontecendo. Ele está *rindo*.

Ou melhor, *gargalhando*.

Suas costas largas tremem de tanto rir, o que faz o colchão vibrar embaixo de nós. Quando finalmente fala alguma coisa, sua voz é fraca e entrecortada pelas gargalhadas. "*Monstruosidade*?"

"Para de rir. Estou falando sério", insisto. "Posso ter peitos grandes e uma bunda generosa. Mas você já viu minha bacia? Pequena e estreita! Então é óbvio que o meu canal feminino..."

Um uivo salta da sua boca. "*Canal feminino*?"

"... é pequeno e estreito também. Você vai me rasgar ao *meio*."

Garrett levanta a cabeça e, juro por Deus, seus olhos estão cheios d'água. "Acho que foi a coisa mais legal que uma garota já me disse", comenta, em meio ao riso.

"Não tem graça, viu?"

Ainda está se escangalhando de rir. "Ah, se tem."

"Quer saber? Não vamos mais fazer isso. Você acabou com o clima."

"Eu?", espanta-se ele, entre uma gargalhada e outra. "Você fez isso sozinha, gata."

Sento na cama, com um resmungo irritado. "É sério, foi uma ideia idiota." Suspirando, me estico para pegar o controle remoto. "Vamos assistir esse episódio."

"De jeito nenhum. Já fomos longe demais." Sua voz fica ríspida. "Me dá sua mão."

Fito-o, na dúvida. "Por quê?"

"Porque acho que se você conhecer melhor a minha monstruosidade, vai ver que não precisa ter medo de nada."

Bufo, com desdém, mas o humor desaparece no instante em que Garrett pega a minha mão e a leva direto para dentro de sua cueca.

O clima que eu destruí? Ressuscita com um rugido à medida que envolvo cautelosamente os dedos em seu membro. Ele é comprido e grosso, e pulsa sob meus dedos, e isso é tudo que preciso para sentir o corpo formigando de novo.

Acaricio, sem jeito, e ele deixa escapar um gemido baixo. "Tá vendo? É só um bom e velho pênis, Wellsy."

Minha garganta explode com um riso. "Tem tantas coisas erradas com essa frase que nem sei por onde começar." Faço uma pausa. "Quão velho é o seu pênis, exatamente?"

"Tem vinte anos, como eu", responde Garrett, muito sério. "Mas é muito mais maduro do que eu. E o seu canal feminino? É mais sábio do que os anos que tem ou..."

Calo sua boca com um beijo.

Não demoro muito a tremer de prazer novamente. As mãos de Garrett voltam para onde as quero. De alguma forma, minha calcinha desaparece, e um dedo comprido desliza para dentro de mim, me fazendo arquejar. Meus músculos internos o apertam, e uma onda de calor envolve minha coluna.

A língua de Garrett enche minha boca, sua ereção está latejando na minha mão. Nunca havia me sentido tanto no controle ou tão desejada, porque sei que sou a responsável pelos sons roucos que ele está fazendo. Ele interrompe o beijo para mordiscar meu ombro, e a chama dentro de mim queima mais forte, tão perto de explodir que me faz gemer alto.

Mas a excitação some quando abro os olhos e o vejo me observando.

A sensação de formigamento desaparece, e eu me enrijeço ao seu toque.

"O que foi?", murmura ele.

"Nada." Engulo em seco. "Só... me beija de novo." Puxo sua cabeça para mim e abro a boca para receber sua língua.

Garrett acaricia meu clitóris com uma destreza que me assombra. É como se soubesse exatamente quanta pressão fazer, quando mover mais depressa, quando diminuir a velocidade. Esfrego-me contra sua mão habilidosa, mas quando ele murmura de novo, a excitação se esvai mais uma vez.

Solto um gemido, frustrada.

"O que está acontecendo, Wellsy?" Ele desliza com carinho a ponta dos dedos sobre meu sexo. "Sei que você tá no clima. Posso sentir."

"Estou. Eu..." Minha garganta se fecha com uma sensação de impotência. "Eu chego perto, e... e vai embora." Fico mortificada ao sentir o calor das lágrimas. "É sempre assim."

"Como posso fazer você chegar lá?", pergunta, atencioso.

"Não sei. Só continua me tocando. Por favor."

É o que faz, e, minha nossa, como é bom nisso. Quando dois dedos entram em mim num movimento lento, fecho os olhos com força, mas não adianta. Ainda posso senti-lo me olhando.

Exatamente como Aaron quando tomou de mim o que eu não queria dar.

Eu estava absolutamente consciente durante o estupro. Às vezes, quando estou deprimida ou chafurdando em autopiedade, chego a amaldiçoar as drogas por não terem me apagado. Afinal, é o que drogas para estupro *deveriam* fazer. Eu não deveria me lembrar do que aconteceu comigo. Preferia *não* lembrar.

Mas lembro. As memórias são mais nebulosas do que lembranças normais, mas a imagem dos olhos selvagens de Aaron ficou fixada em meu cérebro. Lembro de estar deitada lá na cama dos pais de Melissa, sentindo seu peso em cima de mim, as estocadas dentro de mim, fundas e fortes. Mas era como se estivesse paralisada. Meus braços e pernas não pareciam funcionar, não importa o quanto tentasse bater nele ou chutá-lo. Minhas cordas vocais congelaram, então não era capaz de gritar. Tudo o que podia fazer era olhar para aqueles olhos castanhos presunçosos envoltos em prazer e brilhando de tesão.

As memórias cruéis me engolem como um ataque de abelhas, apagando qualquer resquício de desejo dentro de mim. Sei que Garrett percebe a mudança em meu corpo, que já não estou mais quente, molhada e entregue. Que fiquei mais rígida que uma tábua, e mais fria que gelo.

"Isso não tá funcionando", diz, rouco.

Sento, lutando contra a vontade de chorar. "Eu sei. Desculpa. É que... você... você está me olhando... e..."

Ele me lança um sorriso torto. "Ajudaria se eu fechasse os olhos?"

"Não", respondo, triste. "Porque sei que você ainda tá me imaginando na sua cabeça."

Com um suspiro, ele senta e recosta a cabeça na cabeceira da cama. Ainda está duro — posso ver a ereção sob a malha da calça —, mas parece ignorar o próprio estado de excitação quando ergue lentamente os olhos na minha direção. "Você não confia em mim."

Nego, depressa. "*Claro* que confio. Não estaria aqui se não confiasse."

"Certo, vou tentar de novo. Você não confia em mim o suficiente para se entregar por completo."

Meus dentes se cravam em meu lábio inferior. Quero dizer a ele que está errado, mas uma parte de mim não acha que esteja.

"Sexo é confiança", diz. "Mesmo quando não se ama a outra pessoa, mesmo que seja uma coisa de uma noite só, ainda é preciso um nível imenso de confiança para se abrir e se deixar levar para aquele lugar vulnerável, entende? E não tem nada mais vulnerável do que gozar." Ele lança um sorriso irônico. "Pelo menos foi o que aprendi com minha pesquisa no Google."

"Você *pesquisou* isso?", exclamo.

Suas bochechas coram de vergonha. "Eu tinha que pesquisar. Nunca dormi com ninguém que... você sabe..."

"Eu sei." Mordo o lábio ainda mais forte para conter as lágrimas.

"Depois do que aconteceu com você, não é de surpreender que tenha medo de se sentir vulnerável." Ele hesita. "Você era virgem?"

Aperto os lábios e assinto.

"É, imaginei." Garrett fica em silêncio por mais um tempo. "Tenho uma ideia, se você topar."

Não consigo falar porque estou ocupada arregalando os olhos, então me limito a assentir novamente.

"Em vez de eu dar um orgasmo a você, por que não faz você mesma?"

Achei que já tivesse chegado ao limite do embaraço, mas, obviamente, ainda tem um pouco de humilhação para experimentar. "Faço isso o tempo todo." Minhas bochechas estão pegando fogo, e evito seus olhos.

"Na minha frente", acrescenta ele. "Você se faz gozar *na minha frente*." Ele para. "E eu me faço gozar na sua frente."

Ai, meu Deus.

Não acredito que estamos tendo esta discussão. Que ele está sugerindo que a gente se *masturbe* na frente um do outro.

"Espere um segundo que vou me enforcar", murmuro. "Porque estou mortificada demais neste momento."

"Pois não deveria." Seus olhos cinzentos tornam-se mais intensos. "Vai ser um exercício de confiança. É sério, acho que vai ser bom. Nós dois vamos nos tornar vulneráveis, e você vai ver que não tem nada do que ter medo."

Antes que eu possa responder, ele pula da cama e tira a camiseta. Então, sem hesitar, baixa a calça.

Minha respiração fica retida em meus pulmões. Eu havia tocado seu pau antes, mas não chegara a vê-lo. E, agora que estou *vendo*, constato que é grande, grosso e perfeito. Meu corpo fervilha diante da visão do seu corpo nu e, quando meus olhos passeiam por ele até encontrar os seus, não percebo nada além de desejo saudável e encorajamento gentil naquelas profundezas cor de prata. Não há luxúria maliciosa, nenhum lampejo de poder, selvageria ou crueldade.

Ele não é Aaron. É Garrett, e está se colocando à minha disposição, me mostrando que não há problema em baixar a guarda.

"Tira a camiseta, Hannah. Quero ver você." Ele sorri. "Prometo não babar muito nesses peitos de stripper."

Um sorriso involuntário se abre em meus lábios. Mas, ainda assim, não me mexo.

"Mostra o que faz com você mesma quando está sozinha", incita.

"Eu..." O nó na minha garganta é grande demais para falar.

Sua voz fica mais grave e sedutora. "Me mostra, que eu mostro pra você."

Ele envolve o pau com a mão, e um gemido entrecortado me salta da boca.

Olho em seus olhos, e algo na certeza de sua expressão me faz agir. Meus dedos tremem incontrolavelmente ao segurar a barra da camiseta e puxá-la por cima da cabeça, ficando apenas de sutiã.

Em seguida, respiro fundo e tiro o sutiã também.

25

GARRETT

Nunca me masturbei na frente de uma menina antes. Quer dizer, já mexi uma ou duas vezes antes de enfiar num lugar mais interessante que o meu próprio punho, mas bater uma do início ao fim? É a primeira vez. E estou nervoso.

Mas estaria mentindo se dissesse que não estou com um tesão do caralho.

Não acredito que Hannah está nua na minha cama. Ela é linda de morrer. Um corpo macio e curvilíneo nos lugares certos. Os peitos são de uma perfeição absoluta, redondos, empinados e com mamilos marrom-avermelhados na ponta. Meu olhar se demora na faixa estreita de pelos entre suas pernas, e estou louco para abri-las. Quero percorrer cada centímetro de Hannah.

Mas não quero parecer um pervertido, e não quero assustá-la, então fico de boca fechada. Estou duro feito pedra, o pau pulsando na mão, tentando não comer com os olhos a garota gostosa em minha cama.

"Você parou de falar", ela me acusa, num tom ao mesmo tempo provocante e nervoso.

"Não quero assustar você", respondo, rouco.

"Cara, você tá aí em pé, pelado, com o pau na mão. Se isso não me assusta, duvido que qualquer coisa que diga vai conseguir."

Não deixa de ser verdade. E pode apostar que sinto o pau formigar quando ela me chama de "cara". Na verdade, cada palavra que sai da sua boca me deixa excitado.

"Abra as pernas", peço. "Quero ver você."

Hannah hesita.

Então obedece, e minha expiração exala dos pulmões. A mais pura perfeição. Ela é rosada, bonita, brilhosa e perfeita.

Vou gozar rápido demais. É um fato. Mas faço o possível para prolongar o inevitável. Acaricio-me num ritmo lento dolorido, evitando apertar a cabeça do meu pau, ignorando aquele lugar perfeito logo abaixo dela.

"Me mostra o que faria se eu não estivesse aqui", murmuro. "Mostra como você se tocaria."

Suas bochechas ficam rosadas de um jeito lindo. Os lábios se abrem muito de leve, mas é o bastante para que, se nossas bocas estivessem unidas, eu pudesse enviar a língua naquele biquinho e sentir o gosto dela. Quero tanto beijá-la, mas resisto ao impulso. Este momento é delicado demais para arriscar deixá-la em pânico de novo.

Muito devagar, Hannah leva as mãos entre as pernas.

Uma onda de prazer percorre meu corpo. "É isso aí, Wellsy. Se toque."

Ela desliza a ponta do dedo no clitóris, esfregando-o. Seu toque é comedido, exploratório, como se estivesse descobrindo do que gosta.

Acompanho o ritmo lento. Meu corpo anseia pela sensação de alívio, mas isso é importante demais para eu explodir. *Explodir* mesmo, porque estou tão perto que tenho que respirar pelo nariz e morder as bochechas para não estourar.

"Isso é bom?" Minha voz soa baixa e contida.

Hannah assente, os olhos verdes arregalados feito duas bolas de gude. Uma expiração ruidosa escapa de seus lábios, e, de repente, imagino aquela boca no meu pau e fico perigosamente perto de perder o controle. Começo uma manobra de emergência, apertando o pau com força o bastante para sentir dor.

Hannah se esfrega mais depressa, a outra mão deslizando pelo corpo para segurar um dos seios com força. Brinca com o mamilo entre os dedos, e contenho um gemido. Quero chupar aquele mamilo mais do que quero respirar.

"No que você tá pensando, Wellsy?" Faço a pergunta não apenas por ela, mas por mim também. Preciso de uma distração. Urgente.

Seu olhar se fixa no movimento contínuo da minha mão. "Estou pensando em você."

Ai, não. Não *esse* tipo de distração.

Meus movimentos se tornam mais rápidos, minha mão ganhando vida própria. Tem uma mulher pelada na minha cama que não posso comer. Não *posso*, porque esta noite não é para mim. É para Hannah.

"Estou pensando em como você é gostoso", murmura. "Em como quero beijar você de novo."

Quase vou até ela para dar o que quer, mas tenho medo de estragar tudo se fizer isso.

"E o que mais?", pergunto, com firmeza.

Sua mão desce do seio pela barriga até a base da coxa. Nossa, ela é tão pequena. Eu provavelmente seria capaz de envolver toda a cintura com as mãos.

"Estou pensando nos seus dedos dentro de mim."

Estou pensando exatamente na mesma coisa, mas me satisfaço admirando os dedos *dela*. Ela enfia dois na boceta, enquanto com a outra mão continua a esfregar o clitóris. Suas bochechas estão ainda mais coradas. Os peitos também.

Percebo que está perto, e a satisfação que vara o meu corpo não é nada que eu já tenha experimentado antes. *Eu* estou fazendo isso com ela, porque minha presença a excita.

Movo a mão depressa, apertando a cabeça a cada movimento. "Estou perto", aviso.

"É?"

"Perto pra caralho. Acho que não consigo segurar muito mais." Então xingo baixinho, porque posso ver a umidade envolvendo seus dedos toda vez que eles saem. Estou morrendo aqui.

"Eu também." Seus olhos transbordam prazer, e ela está se movendo inquieta na minha cama.

Estamos os dois emitindo barulhos. Eu, gemendo, ela, murmurando e suspirando. O ar ficou elétrico, e meu corpo está pegando fogo.

"Ai... Nossa..." Ela está arquejando agora.

"Olha para mim", murmuro. "Olha o que tá fazendo comigo."

Mexo mais depressa, e ela grita: "*Garrett*".

Hannah goza com meu nome nos lábios, e eu gozo com o som da sua voz. O prazer inunda meu corpo, molhando minha mão e meu abdômen.

A força é tanta que quase perco o equilíbrio, e tenho que me agarrar à escrivaninha, segurando firme, enquanto as ondas percorrem meu corpo.

Quando volto à Terra, vejo Hannah me observando. Parece confusa e fascinada, e o peito arfa em busca de ar.

"Ai, minha nossa." O assombro transparece em seu rosto. "Não acredito..."

Pisco os olhos, e, de repente, tem uma menina pelada nos meus braços. Ela se joga em mim, indiferente ao líquido melado em minha barriga, que agora gruda em sua pele.

Hannah envolve os braços em meu pescoço e enterra o rosto no meio do meu peito. "Eu gozei."

Contenho uma risada. "Eu vi."

"Eu gozei com você aqui, e..."

Ela ergue os olhos para mim, estupefata. Sempre esqueço do quanto ela é baixinha, até estarmos um de frente para o outro e ela ter de virar o pescoço para me olhar nos olhos.

"Vamos transar", anuncia.

E não é que meu pau fica duro de novo? Ela percebe, os olhos se arregalando à medida que minha ereção pesada aperta sua barriga.

Mas eu obviamente sou um masoquista, porque digo: "Não".

Não?

É oficial. Fiquei louco.

"Como assim 'não'?", pergunta.

Insisto, mesmo diante da decepção patente de Hannah. "Hoje foi um grande passo para você, mas acho que é assim que a gente precisa lidar com isso daqui para a frente. Um passo de cada vez." Engulo em seco e me obrigo a reiterar: "Um passo de cada vez".

Um estranho brilho lampeja nos olhos dela.

"O que foi?", pergunto, bruscamente.

"Nada. É o que a minha psicóloga costumava dizer. Um passo de cada vez."

Ela fica quieta por um longo período, e então uma expressão feliz surge em seu rosto, iluminando todo o quarto. É a primeira vez que Hannah sorri para mim desse jeito, um sorriso verdadeiro que se alastra para seus olhos, e isso faz meu coração se contrair de forma estranha.

"Você é uma pessoa boa, Garrett. Sabia?"

Uma pessoa boa? Quem me dera. Caralho, se ela pudesse ler meus pensamentos e ver todas as imagens sujas passando dentro da minha cabeça, se soubesse as coisas insanas que quero fazer com ela, provavelmente retiraria o comentário.

"Tenho meus momentos", respondo, dando de ombros.

Seu sorriso se amplia, e meu peito se rompe.

Sei, neste momento, que estou encrencado.

Concordei em ajudá-la não só porque sou seu amigo, mas porque sou um *homem*. E quando uma mulher pede para você fazer sexo com ela e lhe dar um orgasmo, você não pensa a respeito. Você responde "*É pra já*".

Bom, ela conseguiu o orgasmo. Conseguiu mesmo. E sei que vou conseguir o sexo. Sem dúvida.

Mas, neste momento, tudo o que quero é que essa menina sorria assim para mim de novo.

26

HANNAH

“Parada aí!”, exclama uma voz estridente, assim que me apresso em direção ao meu quarto. “Aonde você pensa que vai, mocinha?”

Faço meia-volta, atônita ao encontrar Allie deitada no sofá da área comum, equilibrando um de seus copos de suco nojento no joelho. Na pressa, não tinha notado sua presença.

“O que você tá fazendo em casa?”, pergunto, surpresa. “Pensei que tivesse aula de economia às quartas.”

“Foi cancelada. O professor pegou ebola.”

Solto um arquejo. “Caramba! Jura?”

Ela ri. “Bom, não. Quero dizer, talvez. Mandou um e-mail dizendo que tá com uma *doença*...”, ela desenha aspas no ar, “só que não disse que doença era. Mas gosto de imaginar que seja algo ruim. Porque aí ele não vai poder dar aula até o final do semestre, e automaticamente todo mundo vai tirar dez.”

“Você é má”, informo. “E um dia essa macumba vai se voltar contra você. Sério, não adianta vir rastejando pra mim quando pegar ebola. De qualquer forma, tenho que ir. Só passei para deixar minhas coisas antes de ir pro ensaio.”

“De jeito nenhum, Han-Han. Você vai sentar sua bunda bonita aí no sofá, porque precisamos ter uma conversinha.”

“Mas realmente não posso me atrasar pro ensaio.”

“Quantas vezes *Cass* se atrasou?”, indaga ela.

Tem razão.

Com um suspiro, ando até o sofá e me deixo cair. “Certo. O que foi? Direto ao ponto.”

"Direto ao ponto? Tudo bem. Que tal assim: o que, neste mundão de meu Deus, está acontecendo entre você e Garrett?"

Minha boca se fecha. Droga. Fui pega. Quer dizer, eu *tinha* mandado uma mensagem para ela ontem à noite, dizendo "Na casa do Garrett — vou chegar tarde", mas Allie passa a maior parte do tempo em sua própria bolha em torno de Sean que achei que não fosse tocar no assunto.

"Não tem nada acontecendo", respondo.

Rá, por "nada", leia-se: "Fui até a casa dele, e nós dois ficamos nus, e nos masturbamos na frente um do outro, e aí eu gozei, e *ele* também, e foi a melhor sensação *do mundo*".

Allie enxerga direitinho através da minha fraca tentativa de mentir. "Vou perguntar isso uma vez, e vai ser a única. Hannah Julie Wells, você está namorando Garrett Graham?"

"Não."

Allie estreita os olhos. "Certo. Vou perguntar uma segunda vez. Você está namorando..."

"Não estou." Suspiro. "Mas a gente tá se divertindo."

Ela fica boquiaberta. Um segundo se passa, depois outro, e, em seguida, seus olhos azuis se acendem, vitoriosos. "*Rá*! *Sabia* que você tava a fim dele! Ai, meu Deus! Segura o meu suco... Acho que preciso fazer uma dancinha feliz! Você sabe fazer a dança do homem correndo? Me ensina?"

Rio. "Ai, Deus, não precisa fazer uma dancinha feliz. Não é nada demais, tá legal? Provavelmente vai esfriar logo."

Quando sair com Justin.

Droga... É a primeira vez desde o aniversário de Dean que Justin passa pela minha cabeça. Fiquei totalmente concentrada em Garrett, no jeito como me excita, as coisas que quero fazer com ele. Mas, agora que me lembro do encontro chegando, sinto uma pontada de culpa.

Posso mesmo sair com outra pessoa depois do que Garrett e eu fizemos na noite passada?

Mas... A gente não está ficando nem nada. Ele não é meu namorado e obviamente não me considera sua namorada, então... por que não?

Ainda assim, a vontade de desmarcar com Justin se recusa a ir embora, mas deixo-a de lado, enquanto Allie continua a tagarelar sobre como o nosso lance é o máximo.

“Você dormiu com ele? Ah, por favor, diz que sim! E, por favor, diz que foi bom! Sei que você e Devon não tinham uma química nível Brangelina, mas, pelo que ouvi, Garrett Graham sabe uma coisa ou outra.”

Sabe. Ah, se sabe.

“Não dormi com ele.”

Ela parece decepcionada. “Por que não?”

“Porque... não sei. Porque não aconteceu. Fizemos outras coisas.” Meu rosto fica mais quente. “E isso é tudo que vou dizer sobre o assunto, tá bom?”

“Não, de jeito nenhum. Melhores amigas devem contar tudo uma para a outra. Você sabe tudo sobre a minha vida sexual. Sabe sobre quando Sean e eu tentamos anal, sabe até qual é o tamanho do pau de Sean.”

“São muito mais detalhes do que eu gostaria de saber”, interrompo. “Eu te amo pra sempre, mas nunca, nunca quis saber sobre o sexo anal e definitivamente poderia ter vivido sem ter que ver você com uma régua mostrando o tamanho do pênis do seu namorado!”

Allie faz beicinho. “Você não presta. Mas não se preocupe, vou acabar descobrindo todos os detalhes sórdidos. Sou muito boa em arrancar informação.”

É verdade. Ela é. Mas não vai conseguir nada agora.

Revirando os olhos, me levanto. “Certo, estamos conversadas? Porque preciso mesmo sair.”

“Tudo bem, pode ir. E não, não estamos conversadas.” Ela sorri para mim. “E não estaremos até você pegar aquela régua e acabar com o mistério: qual é o tamanho do pau de Garrett Graham?”

“Tchauzinho, pervertida.”

Quinze minutos depois, a primeira coisa que vejo quando entro na sala do coro é um violoncelista.

Pergunta: Como você sabe quando as coisas saíram do controle?

Resposta: Quando encontra um violoncelista na sua sala de ensaio sem mais nem menos.

Desde que M.J. aceitou a ideia de Cass de ter um coral, desisti de discutir com qualquer um deles. A essa altura, podem fazer o que bem entenderem — ou melhor, o que *Cass* bem entender —, porque simplesmente não tenho mais forças para entrar no jogo dele.

"Está atrasada." Cass resmunga em desaprovação enquanto tiro o casaco.

"Eu sei."

Espera que eu me desculpe.

Não peço desculpas.

"Hannah, este é Kim Jae Woo", diz M.J., com um sorriso hesitante. "Ele vai acompanhar vocês durante a segunda estrofe."

Aham. Claro que vai.

Não me incomodo em perguntar quando essa decisão foi tomada. Apenas aceno e murmuro: "Parece bom".

Durante a hora seguinte, nós nos concentramos apenas na parte central da música. Em geral, Cass pararia a cada dois segundos para reclamar de algo que fiz, mas hoje o peso de sua crítica recai no pobre Kim Jae Woo. O calouro coreano me lança um olhar de pânico toda vez que Cass o maltrata, mas tudo o que posso fazer é dar de ombros e oferecer um sorriso simpático.

É triste. Perdi todo o entusiasmo por essa música. A única coisa que dá alento agora é saber que se não ganhar a bolsa de estudos graças à produção exagerada de Cass, vou ter uma segunda chance em abril, no festival da primavera.

Às duas, Cass encerra o ensaio, e solto um suspiro de alívio quando visto o casaco. Ao sair para o corredor, levo um susto ao encontrar Garrett parado lá. Está usando seu casaco da Briar, segurando dois copos de café e me cumprimenta com um sorriso torto que faz meu coração acelerar.

"Oi!" Franzo a testa. "O que tá fazendo aqui?"

"Passei no seu quarto, mas Allie disse que estava ensaiando, então pensei em vir aqui e esperar você terminar."

"Você tava aí o tempo todo?"

"Não, peguei um café e dei uma volta. Acabei de chegar." Ele olha por cima do meu ombro para a sala de música. "O ensaio acabou?"

"Acabou." Pego o copo que me oferece e abro a tampa de plástico. "Temos um violoncelista agora."

Garrett franze os lábios. “Aham. Aposto que você está totalmente *empolgada* com a ideia.”

“Indiferente, eu diria.”

Uma voz estridente reclama atrás de mim. “Você está bloqueando a porta, Hannah. Algumas pessoas têm mais o que fazer.”

Revirando os olhos, me afasto da porta e deixo Cass e Mary Jane saírem. Cass nem se digna a olhar para mim, mas quando percebe com quem estou falando, seus olhos azuis voam na minha direção.

“Cass, você conhece Garrett?”, pergunto, educada.

Ele se volta cautelosamente para o jogador de hóquei alto e forte ao meu lado. “Não. Prazer em conhecê-lo, cara.”

“Você também, Chazz.”

Meu parceiro de dueto se contrai. “É Cass.”

Garrett pisca inocentemente. “Ah, desculpa... Não foi isso que eu disse?”

As narinas de Cass se inflam.

“Então, ouvi dizer que você vai cantar um dueto com a minha menina”, acrescenta Garrett. “Espero que não esteja criando problemas pra ela. Não sei se você sabe disso, mas a minha Han-Han tem um péssimo hábito de deixar as pessoas pisarem nela.” Ele arqueia uma sobrancelha escura. “Mas você não faria isso, certo, Chazz?”

Apesar da pontada de constrangimento que suas palavras provocam em mim, também estou segurando o riso.

“É. Cass.”

“Foi o que eu disse, não?”

Os dois se encaram de cima a baixo numa pose bastante viril por um bom tempo. Como eu esperava, Cass é o primeiro a quebrar o contato visual.

“Que seja”, resmunga. “Vamos, M.J., estamos atrasados.”

Enquanto ele arrasta a loura gentil como uma mala, volto-me para Garrett com um suspiro. “Precisava fazer essa cena?”

“Claro que sim.”

“Tudo bem. Só confirmando.”

Nossos olhos se cruzam, e uma explosão de calor surge dentro de mim. Ai, meu pai. Sei exatamente o que ele está pensando agora. Ou melhor, o que está pensando em *fazer*.

Me comer.

E estou pensando a mesma coisa.

Posso ter dito a Allie que a coisa toda vai esfriar logo, mas, no momento, as chamas estão ainda mais quentes do que na noite passada.

"Minha casa?", murmura.

As duas palavras, roucas e graves, fazem minhas coxas se contraírem tanto que é uma surpresa eu não distender um músculo.

Em vez de responder — minha garganta está seca de tanto desejo —, pego o café de sua mão e jogo os dois copos no lixo atrás dele.

Garrett ri. "Vou entender isso como um sim."

27

HANNAH

Não tenho ideia do que conversamos no carro até a casa de Garrett. Sei que falamos. Sei que vi a paisagem voando pela janela. Sei que até respirei, levando oxigênio aos pulmões como uma pessoa normal. Só não consegui *registrar* nada disso.

No instante em que chegamos ao quarto dele, jogo as mãos ao redor de seu pescoço e o beijo. Foda-se essa história de um passo de cada vez. Quero-o demais para ir devagar, e minhas mãos se atrapalham na fivela do seu cinto antes que sua língua entre em minha boca.

Sua risada rouca faz cócegas em meus lábios, e, em seguida, mãos fortes seguram as minhas, para me impedir de abrir seu cinto. "Por mais que aprecie o entusiasmo, vou ter que desacelerar você, Wellsy."

"Mas não quero ir devagar", protesto.

"Só lamento, docinho."

"Docinho? Quem é você, minha avó?"

"Ela chama as pessoas de 'docinho'?"

"Na verdade, não", confesso. "Vovó xinga feito um caminhoneiro. No Natal passado, soltou um *filho da puta* na mesa de jantar, e meu pai quase engasgou com a comida."

Garrett solta uma risada. "Acho que gosto da sua avó."

"Ela é uma graça."

"Aham. Parece mesmo." Ele deita a cabeça. "Agora podemos parar de falar da sua avó, sra. Assassina de Climas?"

"Você matou primeiro", observo.

"Não, só mudei o ritmo." Seus olhos cinzentos fervem de calor. "Agora sobe na cama para eu fazer você gozar."

Ai. Meu. Deus.

Eu me jogo no colchão tão rápido que trago outra risada aos lábios de Garrett, mas não me importo de parecer ansiosa. O nervosismo que senti ontem à noite não está revirando meu estômago hoje, porque todo o meu corpo está tremendo de excitação. Lá no fundo, me vem a ideia de que talvez não vá conseguir de novo, ou pelo menos não com o toque de Garrett, mas, puta merda, estou morrendo de vontade de descobrir.

Ele se deita ao meu lado, enfia a mão pelos meus cabelos e me beija. Nunca estive com um cara tão bruto comigo. Devon me tratava como se eu fosse quebrar, mas Garrett não. Não sou um frágil artefato de porcelana para ele. Sou só... eu. Adoro a forma como fica animado, a maneira como puxa meu cabelo se minha cabeça não está exatamente onde quer que esteja, ou como morde meu lábio quando tento provocá-lo, privando-o da minha língua.

Sento na cama apenas para que ele possa tirar minha blusa, e ele segue em frente, abrindo meu sutiã com uma única mão, o tipo de destreza que aprendi a esperar de Garrett. Assim que tira a própria camiseta, pressiono a boca contra seu peito. Não cheguei a encostar nele ontem e estou morrendo de vontade de saber qual é a sensação de tocá-lo, que gosto ele tem. Sua pele é quente sob meus lábios, e quando minha língua se move tímida sobre um mamilo, um gemido rouco escapa de sua garganta. Num piscar de olhos, estou de costas na cama, e estamos nos beijando de novo.

Garrett envolve meu peito com a mão, brincando com o mamilo entre os dedos. Minhas pálpebras se fecham num espasmo, e, neste momento, não me importo se ele está olhando para mim. Só penso no bem que me faz sentir.

“Sua pele parece de seda”, murmura.

“Você roubou isso de um cartão Hallmark?”, provoco.

“Não, tô só constatando um fato.” Seus dedos roçam a parte inferior de meus seios. “Você é macia, suave e perfeita.” Ele levanta a cabeça para me lançar um olhar irônico. “Meus calos devem estar te arranhando toda, né?”

Estão, mas é um arranhão erótico que faz meu coração pular. “Se você parar de me tocar, vou socar você.”

"Não vale a pena, isso só vai fazer você quebrar a mão. E acontece que gosto das suas mãos." Com um sorriso malicioso, Garrett pega minha mão direita e a leva direto para a virilha.

O volume duro sob minha palma é tão tentador que não posso deixar de acariciá-lo. As feições de Garrett se retesam. Um segundo depois, ele tira minha mão depressa. "Ah, merda. Péssima ideia. Assim eu não aguento."

Solto um riso. "Tem alguém rápido no gatilho?"

"Para com isso, mulher. Sou capaz de durar a noite toda."

"Aham. Claro que..."

Ele me interrompe com um beijo escaldante que me deixa sem ar. Em seguida, um brilho travesso ilumina seus olhos de novo, e ele abaixa a cabeça para beijar meu mamilo.

Uma onda de explosões de prazer me percorre por dentro. Quando a língua de Garrett se projeta e rodeia o mamilo arrepiado, quase flutuo. Meus seios sempre foram sensíveis e, neste momento, suas terminações nervosas não poderiam estar mais estimuladas. Quando ele chupa o mamilo com força, vejo estrelas. Garrett passa para o outro seio, dando-lhe a mesma atenção minuciosa, os mesmos beijos preguiçosos e as lambidas provocantes.

Em seguida, começa a deixar beijos em seu caminho para baixo.

Apesar da excitação disparando em meu sangue, experimento uma onda de ansiedade. Não consigo evitar a lembrança de todas as vezes em que Devon fez exatamente a mesma coisa, deixando uma trilha de beijos por meu corpo. Ou quanto tempo passou entre as minhas pernas, já que penetração não parecia resolver meu problema.

Mas eu *não* deveria lembrar do meu ex agora, então afasto todos os pensamentos de Devon da mente.

A respiração de Garrett faz cócegas em meu umbigo enquanto sua língua roça minha barriga. Posso sentir seus dedos trêmulos ao abrir o botão da minha calça jeans. Gosto de saber que pode estar nervoso, ou, no mínimo, que está tão empolgado quanto eu. Ele sempre transparece tanta desenvoltura e autoconfiança, mas agora, aqui, parece estar se agarrando ao último fio de equilíbrio.

"Posso?", sussurra, deslizando a calça jeans e a calcinha por meus quadris. Em seguida, sua respiração acelera, e me sinto ligeiramente constrangida quando seu olhar faminto se fixa no ponto entre minhas pernas.

Inspiro lentamente e respondo: "Pode".

O primeiro roçar de sua língua contra minha pele é como uma corrente elétrica disparando por minha coluna. Solto um gemido tão alto que ele levanta a cabeça abruptamente.

"Tuck tá em casa", adverte, com um brilho divertido nos olhos, "então sugiro que a gente pegue leve."

Tenho que morder o lábio para não fazer barulho, porque o que ele está fazendo comigo... meu Deus. É tããããão bom. Ele circula a língua por meu clitóris, e então chupa com movimentos suaves e lentos que me deixam absolutamente alucinada de desejo.

De repente, lembro de como Allie confessou que teve de "treinar" Sean para fazer isso, porque ele costumava cair de boca feito um motor no clitóris dela desde o início. Mas Garrett não precisa de treino. Ele dá tempo para o meu prazer crescer, indo devagar e me deixando louca, me fazendo implorar.

"Por favor", reclamo quando o ritmo volta a ficar dolorosamente vagaroso. "Mais."

Ele ergue a cabeça, e tenho certeza de que nunca vi nada mais sensual do que seus lábios molhados e os olhos cinzentos e ardentes. "Acha que pode gozar assim?"

Eu me surpreendo ao fazer que "sim" com a cabeça. Mas não acho que esteja mentindo. Estou tão a ponto de bala que me sinto como uma bomba de desenho animado prestes a detonar.

Com um gemido baixo de aprovação, ele se abaixa e envolve meu clitóris com os lábios. Chupa com força, enfiando ao mesmo tempo um dedo dentro de mim, e disparo feito fogos de artifício.

O orgasmo é mil vezes mais intenso do que os que já me proporcionei, talvez porque meu corpo saiba que não era eu fazendo isso acontecer. Era *Garrett*. Ele conseguiu me deixar toda mole e produziu uma onda de satisfação gostosa e pulsante através de mim.

Quando enfim essas sensações incríveis diminuem, deixam em seu lugar uma descarga quente de paz e um sentimento estranhamente agridoce. O que acontece em seguida é algo que só vi em filme e que me mata de vergonha.

Começo a chorar.

Num piscar de olhos, Garrett escala meu corpo e examina meu rosto, preocupado. "O que houve?" Parece arrasado. "Ah, merda. Machuquei você?"

Nego com a cabeça e pisco em cima do ataque de lágrimas. "Estou... chorando... porque..." Inspiro profundamente. "Porque estou feliz."

Suas feições relaxam, e agora ele parece tentar não rir. Sua mandíbula se contorce à medida que seus olhos encontram os meus. "Vai, pode dizer", ordena ele.

"Dizer o quê?" Uso a ponta do cobertor para enxugar as bochechas.

"Diga: *Garrett Graham, você é um deus do sexo. Você conseguiu o que nenhum outro homem jamais conseguiu. Você...*"

Dou um soco em seu ombro. "Ai, por favor, você é *tão* idiota. Nunca, nunca vou dizer isso."

"Claro que vai." Ele sorri para mim. "Quando eu der um jeito em você, vai estar gritando isso pra todo mundo ouvir."

"Sabe o que eu tô pensando?"

"Mulheres não devem pensar, Wellsy. É por isso que seus cérebros são menores. A ciência comprova."

Dou outro soco, e uma risada descontrolada escapa de sua boca. "Nossa. Tô *brincando*. Você sabe que não acredito nisso. Sou devoto do santuário da feminilidade." Ele adota uma expressão solene. "Tá bom, vai, no que tá pensando?"

"Acho que é hora de eu calar a sua boca."

Ele solta um risinho. "Ah, é? E como você planeja ca..." Então solta um assobio quando seguro o volume em sua calça e aperto com vontade. "Você é safada."

"E você é um grosso, então acho que vamos ter que dar um jeito nisso também."

"Ah, obrigado por constatar que sou mesmo grosso." Ele sorri com inocência, mas não há nada de inocente na maneira como empurra seu pau duro contra a minha mão.

De repente, não tenho mais vontade de provocá-lo. Só quero vê-lo se contorcendo. Não consigo parar de pensar na imagem dele na noite passada, quando...

Meu sexo se contrai com a lembrança.

Ataco a fivela do cinto, e, desta vez, ele me deixa abri-la. Na verdade, deita de costas e me deixa fazer o que bem entender.

Tiro suas roupas como se estivesse desembrulhando um presente bonito e, logo que o vejo nu, me dou um momento para admirar meu prêmio. Seu corpo é longo e esguio, com um tom dourado na pele, em vez do branco pálido de muitos dos rapazes da Briar. Corro os dedos por seu abdômen de pedra, sorrindo ao notar seus músculos tremendo sob meu toque. Em seguida, acompanho o desenho da tatuagem em seu braço esquerdo e pergunto: "Por que fogo?".

Ele dá de ombros. "Gosto de fogo. E acho que chamas são estilosas."

A resposta me diverte, mas também me impressiona. "Uau. Achei que ia ouvir uma conversa fiada sobre o significado da imagem. Juro, sempre que você pergunta a alguém sobre a tatuagem, as pessoas dizem que significa 'coragem' em taiwanês ou algo assim, quando todo mundo sabe que provavelmente significa 'batata' ou 'sapato' ou 'bebaço'. *Ou* contam uma história interminável sobre como chegaram ao fundo do poço X anos atrás, mas trabalharam duro e é por isso que têm uma fênix renascendo das cinzas tatuada nas costas."

Garrett ri, mas logo fica sério. "Acho que este não é o momento para eu contar do tribal na minha canela. Significa 'eterno otimista'."

"Ai, merda. Sério?"

"Não. Tô te zoando. Mas seria uma ótima lição para você aprender a não ficar julgando a arte no corpo das pessoas."

"Ei, às vezes é bom ouvir que alguém tem uma tatuagem só porque gosta dela. Estava elogiando você, seu idiota." Eu me inclino e beijo as chamas que circundam seus bíceps — tenho de admitir, são mesmo muito estilosas.

"Ah, claro, continua elogiando então", pede, com a fala arrastada. "Mas tome o cuidado de usar a língua enquanto estiver fazendo isso."

Reviro os olhos, mas não paro o que estou fazendo. Corro a língua sobre as chamas negras, então vou beijando-o até o peito. Garrett tem gosto de sabonete, sal e homem, e eu adoro isso. Tanto que não consigo parar de lamber cada centímetro desse maldito corpo.

Sei que está gostando da minha exploração minuciosa tanto quanto eu, porque sua respiração se torna instável, e posso sentir a tensão ondulando por seus músculos. Quando minha boca conclui seu caminho roçando a ponta do pênis, o corpo inteiro de Garrett fica tenso.

Ergo o rosto e encontro seus olhos cinzentos vidrados em mim. "Você não precisa fazer isso... se não quiser", diz com a voz rouca.

"Hmm. Então ainda bem que eu quero, né?"

"Algumas meninas não gostam."

"Algumas meninas não sabem o que estão perdendo."

Minha língua toca sua carne dura, e seus quadris se erguem da cama. Lambo a cabeça lisa e inchada, saboreando seu gosto, desvendando a textura com a língua. Quando enfio a ponta na boca e chupo devagar, ele solta um gemido afobado do fundo da garganta.

"Meu Deus, Wellsy. Isso é..."

"É o quê?", provoco-o, olhando para ele.

"Inacreditável", rouqueja ele. "Não pare nunca. Falando sério. Quero sua boca no meu pau pro resto da vida."

Será que esse pedido rouco é bom para o meu ego?

Pode apostar.

É *ótimo* para o meu ego.

Como ele é grande demais para enfiar todo na boca — e não sou nenhuma especialista em garganta profunda —, envolvo-o pela base com os dedos, chupando e movendo a mão ao mesmo tempo, alternando o ritmo entre lento e provocante para rápido e frenético. A respiração de Garrett se acelera, os gemidos tornando-se cada vez mais desesperados.

"Hannah", exclama. Sinto suas coxas tensionarem e sei que está prestes a gozar.

Nunca engoli antes e não tenho coragem de experimentar agora, então deixo minha mão terminar o trabalho, acariciando-o até se aliviar. Com um grunhido rouco, Garrett arqueia a coluna, e um jato úmido jorra em meus dedos e sua barriga. A expressão em seu rosto é fascinante, e não consigo desviar os olhos. Os lábios estão entreabertos; as bochechas, tensas. Seus olhos são um redemoinho enevoado e cinzento, como uma massa espessa de nuvens logo antes de uma tempestade.

Alguns segundos depois, seu corpo relaxa, praticamente afundando no colchão, e um suspiro saciado emana de sua boca. Adoro vê-lo assim. Mole, exausto e com dificuldade de respirar.

Pego uns lenços da caixa na mesa de cabeceira e o limpo, mas quando tento me levantar para jogar fora, ele me puxa para baixo e me beija com força. "Cara... isso foi incrível."

"Isso significa que agora a gente pode fazer sexo?"

"Rá. Vai sonhando." Ele abana o dedo para mim. "Um passo de cada vez, Wellsy. Lembra?"

Faço beicinho feito uma criança de seis anos de idade. "Mas a gente *sabe* que sou capaz de alcançar o orgasmo. Você acabou de ver isso."

"Na verdade, acabei de sentir na boca."

Meu coração dá um pulo com sua descrição direta. Fico em silêncio por um momento, então deixo escapar um suspiro derrotado. "Será que isto vai fazer você mudar de ideia?" Olho feio para ele e, em seguida, começo a recitar, relutante. "Garrett Graham, você é um deus do sexo. Você conseguiu o que nenhum outro homem jamais conseguiu. Você... insira aqui mais comentários positivos." Levanto uma sobrancelha. "Pronto, *agora* a gente pode transar?"

"De jeito nenhum", responde, animado.

Então, para meu total e completo espanto, pula da cama e pega a calça jeans descartada.

"O que está fazendo?", exijo saber.

"Me vestindo. Tenho treino em trinta minutos."

Como se estivesse só esperando a deixa, alguém bate ruidosamente contra a porta do quarto. "Bora, G., tá na hora!", chama Tucker.

Puxo o cobertor em pânico, desesperada para me cobrir, mas os passos de Tucker já estão se afastando.

"Se quiser, pode ficar aqui até a gente voltar", oferece Garrett ao colocar a camiseta. "Vão ser só algumas horas."

Hesito.

"Ah, fica", implora ele. "Tenho certeza de que Tucker vai cozinhar uma coisa boa para o jantar, então pode ficar por aqui, e eu levo você para casa depois."

A ideia de estar sozinha na casa dele é... estranha. Mas a ideia de um jantar caseiro em vez de comer no refeitório é bastante tentadora. "Tudo bem", finalmente cedo. "Acho que posso fazer isso. Acho que vou ver um filme enquanto você estiver fora. Quem sabe tirar uma soneca."

"Qualquer uma dessas duas coisas eu deixo." Ele me olha. "Mas você não pode, em hipótese alguma, assistir *Breaking Bad* sem mim."

"Tudo bem, não vou."

"Promete..."

Reviro os olhos. "Prometo."

"G.! Anda logo!"

Num piscar de olhos, Garrett se aproxima e me dá um beijo rápido nos lábios. "Preciso ir. Até mais."

No instante seguinte, ele se foi, e estou sozinha no quarto de Garrett Graham, o que é, bom, vou dizer logo — completamente surreal. Nunca tinha nem falado com o cara antes das provas, e agora estou sentada na sua cama, nua. Vai entender.

Fico surpresa por ele não ter ficado preocupado que eu fosse bisbilhotar suas coisas e encontrar sua coleção de pornôs, mas, quando paro para pensar, percebo que não é tão surpreendente assim. Garrett é a pessoa mais honesta e direta que já conheci. Se tiver uma coleção de filmes pornôs, provavelmente não se dá ao trabalho de escondê-la. Aposto que está tudo bem organizado numa pasta claramente identificada bem na área de trabalho do computador.

Ouço vozes e passos no andar de baixo, em seguida, a porta da frente se abre e se fecha. Depois de alguns segundos, levanto e visto minhas roupas, porque não me sinto confortável de ficar andando nua num quarto que não é meu.

Decido não tirar uma soneca, porque me sinto estranhamente energizada depois do orgasmo. E *isso* é o mais surreal de tudo, saber que tive mesmo um orgasmo com um cara.

Devon e eu tentamos alcançar isso por oito longos meses.

Garrett conseguiu em duas tentativas.

Será que isso quer dizer que estou consertada?

A pergunta é muito filosófica para o meio da tarde, então deixo-a de lado e desço até o primeiro andar para beber alguma coisa. Mas, quando entro na cozinha, me vem um insight. Garrett e os amigos provavelmente vão estar exaustos quando chegarem em casa. Por que colocar Tucker para queimar a barriga no fogão quando já estou na cozinha com tempo de sobra?

Uma olhada rápida na geladeira, na despensa e nos armários deixa claro que Garrett não estava brincando — esta cozinha *é* usada, porque está muito bem abastecida. A única receita que sei de cabeça é a lasanha de três queijos da minha avó, então junto todos os itens de que vou precisar e empilho na bancada de granito. Estou prestes a começar a cozinhar quando algo me ocorre.

Franzindo os lábios, pego o telefone do bolso de trás e ligo para minha mãe. São só quatro horas, por isso imagino que não tenha saído para o trabalho ainda.

Felizmente, ela atende no primeiro toque. "Oi, meu amor! Que surpresa boa."

"Oi. Tem um segundo?"

"Tenho cinco minutos inteiros, na verdade", responde, com uma risada. "Seu pai está me levando para o trabalho hoje, então é ele quem tem a honra de limpar a neve do lado de fora do carro."

"Vocês já estão com tanta neve assim?", pergunto, horrorizada.

"Claro que estamos. É o aque..."

"Juro por Deus, mãe, se você disser que é o aquecimento global, vou desligar", aviso, porque por mais que ame meus pais, seus sermões sobre aquecimento global me deixam louca. "E por que meu pai vai levar você? O que aconteceu com seu carro?"

"Está na oficina. Estava precisando trocar as pastilhas de freio."

"Ah." Abro, distraída, uma caixa de massa para lasanha. "De qualquer forma, queria perguntar sobre a receita de lasanha da vovó. Serve oito pessoas, né?"

"Dez", corrige ela.

Franzindo a testa, penso em quanta comida Garrett pediu quando foi à lanchonete na semana passada, depois multiplico por quatro jogadores de hóquei e...

"Merda", murmuro. "Acho que não vai dar. Se quiser servir para vinte pessoas, é só dobrar os ingredientes, ou tem algum jeito diferente de calcular?"

Mamãe faz uma pausa. "Por que exatamente você está cozinhando lasanha para vinte pessoas?"

"Não... Mas estou cozinhando para quatro jogadores de hóquei que imagino terem o apetite de vinte pessoas."

"Entendi." Há outra pausa, e praticamente posso ouvir o sorriso do outro lado da linha. "E um desses quatro jogadores de hóquei é alguém... especial?"

"Você pode simplesmente me perguntar se é meu namorado, mãe. Não precisa ser tão brega."

"Certo. E ele é seu namorado?"

"Não. Na verdade estamos meio que juntos, acho..." *Meio? Ele acabou de fazer você gozar!* "Mas somos mais amigos do que qualquer outra coisa."

Amigos que fazem um ao outro gozar.

Calo a voz irritante em minha cabeça e mudo de assunto depressa. "Você tem tempo para repassar a receita rapidinho comigo?"

"Claro."

Cinco minutos mais tarde, desligo o telefone e começo a preparar o jantar para o cara que me fez gozar hoje.

28

GARRETT

A casa cheira a restaurante italiano quando passo pela porta. Viro para Logan, que me lança um olhar de "o que está acontecendo aqui?", e dou de ombros, como quem diz "não sei de nada", porque, sinceramente, não faço ideia. Abaixo para desamarrar as botas pretas, então sigo o aroma de dar água na boca até a cozinha. Quando chego à porta, pisco algumas vezes, porque acabo de me deparar com o que parece ser uma miragem.

Meus olhos são recebidos pela bunda gostosa de Hannah. Ela está debruçada sobre a porta do fogão, usando as luvas cor-de-rosa de Tuck e tirando uma travessa fumegante de lasanha da prateleira do meio. Ao som dos meus passos, olha por cima do ombro e sorri. "Ah, oi. Chegaram bem na hora."

Tudo o que posso fazer é ficar de boca aberta.

"Garrett? Oi?"

"Você fez o *jantar*?", gaguejo.

Sua expressão animada falha momentaneamente. "Fiz. Tudo bem?"

Estou chocado demais — e genuinamente tocado — para responder.

Por sorte, Dean aparece na porta e responde por mim. "Princesa, que cheiro bom!"

Tucker aparece depois de Dean. "Vou colocar a mesa", acrescenta.

Meus três amigos entram na cozinha. Tucker e Dean para ajudar Hannah, enquanto Logan apenas fica parado ao meu lado, parecendo embasbacado.

"E ela também sabe cozinhar?", suspira.

Algo em sua voz — bom, não *algo*, mas o inconfundível tom de angústia em sua voz — me faz ficar tenso. Merda. Ele não pode estar apaixonado por ela, pode? Achei que só queria dormir com ela, mas pelo jeito como a olha agora...

Não estou gostando disso.

"Cara, segura a onda", murmuro, o que provoca uma risada em Logan, que obviamente sabe o que estou pensando.

"Nossa, tá com uma cara ótima", diz Tucker, em pé diante do prato de lasanha com uma faca e uma espátula.

Nós cinco nos sentamos à mesa, que Hannah não só limpou, mas cobriu com uma toalha azul e branca. Tirando minha mãe, nenhuma mulher fez o jantar para mim antes. Eu meio que... gosto disso.

"E aí? Vai se fantasiar amanhã?", pergunta Tucker para Hannah, servindo um quadrado modesto de lasanha no prato dela.

"Para o quê?"

Tuck ri. "Pro Halloween, sua tonta."

Hannah deixa escapar um suspiro. "Ai, merda. Já é *amanhã*? Juro, não tenho noção de tempo."

"Tenho uma sugestão de fantasia para você", se intromete Dean. "Enfermeira sexy. Não, nada disso. Vivemos num mundo moderno... *Médica* sexy. Uuuuhhh, ou piloto da marinha sexy."

"Não vou me vestir de nada sexy, muito obrigada. Já basta ter que ficar presa distribuindo bebidas na cervejada do alojamento."

Rio. "Você caiu nessa? Não creio." Na cervejada anual de Halloween dos alojamentos as pessoas vão de prédio em prédio pegando bebida grátis. Ouvi dizer que é muito mais divertido do que parece.

Ela projeta o queixo, melancólica. "Ano passado também. Foi um saco. Se vocês forem, precisam passar na Bristol House."

"Adoraria, gata", diz Logan, num tom sedutor que me faz enrijecer. "Mas não espere pelo G. aqui."

Ela me olha. "Você não vai fazer nada no Halloween?"

"Não", respondo.

"Por que não?"

"Porque ele detesta o Halloween", Dean informa a ela. "Tem medo de fantasmas."

Mostro o dedo para ele. Mas em vez de explicar o verdadeiro motivo que me faz odiar o dia 31 de outubro com cada fibra do meu ser, simplesmente dou de ombros e digo: "É um feriado inútil de tradições idiotas".

Logan dá uma risada. "Ui, falou o chefe do Esquadrão Antidiversão."

Tucker termina de servir todos os pratos, em seguida senta e enfia um garfo em sua lasanha. "Cacete, isso tá muito bom", murmura entre garfadas.

Depois disso, toda a conversa deixa de existir, porque, depois de três horas de treino de finalização, os caras e eu estamos famintos, o que significa que nos transformamos em homens das cavernas. Não demoramos nada para destruir a lasanha, o pão de alho e a salada Caesar que Hannah preparou. E *destruímos* com vontade. Não sobra nem metade de uma porção na travessa no momento em que nos damos por satisfeitos.

"Sabia que deveria ter triplicado a receita", diz Hannah, arrependida, olhando para os pratos vazios, impressionada. Em seguida, tenta se levantar para limpar a mesa, e Tucker por pouco não a derruba para impedir que vá até a pia.

"Minha mãe me ensinou boas maneiras, Wellsy." Ele lança um olhar decidido na direção dela. "Se alguém cozinhou para você, você limpa. Ponto." Sua cabeça se volta para a porta justamente quando Logan e Dean estão tentando sair de fininho. "Aonde as senhoras vão? Pratos, seus babacas. G., você tá de folga hoje porque tem que levar a nossa linda chef pra casa."

No corredor, planto minhas mãos na cintura de Hannah e deito o pescoço para beijá-la. "Não dava pra você ser mais alta?", resmungo.

"Não dava pra você ser mais baixo?", devolve ela.

Roço os lábios nos seus. "Obrigado por fazer o jantar. Foi muito gentil da sua parte."

Um rubor cora suas bochechas. "Imaginei que eu te devia isso... você sabe..." O tom rosado se transforma em vermelho. "Por você ser um deus do sexo e tal."

Rio. "Isso significa que toda vez que eu te fizer gozar você vai cozinhar para mim?"

"Não. Foi só hoje. Chega de cozinhar para você." Ela fica na ponta dos pés e leva a boca ao meu ouvido. "Mas ainda quero os orgasmos."

Como se *algum dia* eu pudesse negar isso a ela.

"Vamos, vou levar você de volta. Tem aula amanhã cedo, certo?" Fico surpreso ao perceber que realmente sei seus horários.

Não sei bem o que está acontecendo entre nós. Tá, concordei em ajudá-la com seu problema sexual, mas... problema resolvido, certo? Ela conseguiu o que queria de mim, e nem precisamos transar para que isso acontecesse. Então, tecnicamente, ela não precisa dormir comigo. Nem continuar me vendo, aliás.

E eu... bom, não quero uma namorada. Minha atenção está e sempre esteve voltada exclusivamente para o hóquei, a formatura e o *draft* — o processo seletivo de novos jogadores no qual estou pensando em me inscrever depois da formatura. Sem falar na tarefa de impressionar os olheiros, que já estão começando a aparecer em algumas partidas. Agora que a temporada está a todo vapor, isso significa mais treinos e jogos, menos tempo para me dedicar a qualquer coisa — ou pessoa — que não o hóquei.

Então, por que a ideia de não passar mais tempo com Hannah me causa a mais estranha sensação de embrulho no estômago?

Ela tenta dar um passo no corredor, mas puxo sua mão e a beijo novamente, e desta vez não é um selinho. Beijo com força, me entregando ao seu gosto e ao seu calor e a tudo que diz respeito a Hannah. Nunca esperei por ela. Às vezes, as pessoas entram na sua vida e, de repente, você não sabe como foi capaz de viver sem elas antes. E já não consegue entender como vivia a vida, saía com os amigos e dormia com outras pessoas sem ter essa pessoa importante na sua vida.

Hannah interrompe o beijo com uma risada suave. "Arruma um quarto", brinca.

Decido que talvez seja hora de reavaliar a minha posição sobre namoradas.

HANNAH

"Buuuuuuu! Feliz Halloween!"

Viro o rosto do armário — onde estava tentando encontrar uma roupa mais ou menos apropriada para o Halloween que não fosse uma fantasia, porque odeio me fantasiar — e fico boquiaberta diante da criatura que surge em minha porta. Não tenho a menor ideia do que Allie está fantasiada. Tudo o que vejo é uma roupa azul bem justa, muitas penas e... aquilo são orelhas de gato?

Roubo o bordão de Allie e pergunto: "O que, neste mundão de meu Deus, você deveria ser?".

"Sou uma ave-gato." Então me lança um olhar que diz *dããã*.

"Uma ave-gato? O que é... *por quê?*"

"Porque não consegui me decidir se queria ser um gato ou um passarinho, então Sean meio que falou 'seja os dois', e eu pensei 'quer saber? Ideia genial, namorado'." Ela sorri para mim. "Tenho certeza de que ele estava dando uma de espertinho, mas decidi seguir a sugestão à risca."

Não contenho uma gargalhada. "Ele vai desejar ter sugerido algo menos ridículo, como enfermeira sexy, ou bruxa sexy, ou..."

"Fantasma sexy, árvore sexy, rolo de papel higiênico sexy." Allie suspira. "Ótimo, vamos simplesmente colocar a palavra sexy na frente de qualquer substantivo normal e, vejam só! Uma fantasia! Porque, quer saber, se você está a fim de se vestir de periguete, por que simplesmente não se veste de periguete? E sabe o que mais? Odeio Halloween."

Solto um riso contido. "Então por que vai à festa? Você devia ser juntar a Garrett. Ele tá em casa, de mau humor."

"Sério?"

"Ele é contra Halloween", explico, mas isso não soa legal em voz alta.

Tive a estranha impressão na noite passada de que ele tem um motivo mais sério para odiar o Halloween, em vez de simplesmente "é um feriado sem sentido, blá-blá-blá". Talvez algo terrível tenha acontecido com ele há muitas luas numa noite de 31 de outubro, como ter tomado uma ovada por hooligans quando era criança. Aaah, ou talvez tenha assistido a *Halloween* e então passou a ser atormentado por pesadelos durante semanas, que foi o que aconteceu comigo quando assisti a meu primeiro e único filme do Michael Myers, aos doze anos.

"Enfim, Sean está esperando por mim lá embaixo, então vou indo." Allie se aproxima e me dá um enorme beijo na bochecha. "Divirta-se distribuindo bebidas com Tracy."

É, tá bom. Já me arrependi de ter concordado em ajudar Tracy com a cervejada do alojamento. Não estou no menor clima de passar a noite inteira esperando que universitários bêbados apareçam na Bristol House para descolar bebidas e shots de gelatina. Na verdade, quanto mais penso nisso, mais fico tentada a pular fora, sobretudo quando imagino Garrett em casa sozinho, fazendo cara feia para o espelho ou jogando uma bola de tênis contra a parede, como fazem na prisão.

Em vez de continuar em minha busca por uma fantasia que não seja uma fantasia, saio do quarto, vou até o corredor e bato à porta de Tracy.

"Já vai!" Ela parece quase um minuto depois, penteando os cabelos crespos ruivos com uma das mãos e passando pó branco nas bochechas com a outra.

"Oi!", exclama. "Feliz Halloween!"

"Feliz Halloween." Faço uma pausa. "Então, o negócio é seguinte... o quanto você vai me odiar se eu der bolo na cervejada do alojamento? E, ainda por cima, pedir seu carro emprestado?"

A decepção inunda seus olhos. "Você não vem? Por quêêêê?"

Merda, realmente espero que ela não comece a chorar. Tracy é do tipo de mulher que berra por qualquer coisa, embora eu honestamente ache que são lágrimas de crocodilo, porque sempre secam rápido demais.

"Um amigo meu tá tendo uma noite ruim", digo, sem jeito. "E precisa de companhia."

Ela me lança um olhar desconfiado. "E esse amigo atende pelo nome de Garrett Graham?"

Abafo um suspiro. "Por que você acha isso?"

"Porque Allie disse que vocês estão namorando."

É a cara dela sair fazendo fofoca.

"Nós não estamos namorando, mas, sim, é dele que estou falando", admito.

Para minha surpresa, Tracy abre um enorme sorriso. "Errr, por que você não falou desde o começo, sua boba? Claro que vou quebrar essa, se isso significa que você vai pegar Garrett Graham! Aliás, invejinha, hein, amiga, porque... *Ai. Meu. Deus.* Se aquele delícia sequer *sorrisse* para mim, acho que minha calcinha pegaria fogo."

Não quero ter que lidar com nem um décimo dessa resposta, então resolvo ignorá-la por completo. "Tem certeza de que você vai ficar bem?"

"Tenho, vai dar tudo certo." Ela me dispensa com a mão. "Minha prima que estuda na Brown está passando uns dias aqui. Vou pedir ajuda pra ela."

"Eu ouvi isso!" Uma voz feminina grita de dentro do quarto.

"Obrigada por me entender", digo com gratidão.

"Sem problemas. Espera um segundo." Tracy desaparece e volta logo depois com as chaves do carro penduradas no indicador. "Então, não sei o que você pensa sobre vídeos caseiros de sexo, mas, se tiver uma chance, grave tudinho que fizer com aquele gostoso hoje."

"*Nem pensar.*" Pego as chaves e sorrio para ela. "Divirta-se, amiga."

De volta ao meu quarto, pego o telefone no sofá da sala e mando uma mensagem para Garrett.

Eu: *Tá em casa?*

Ele: *Tô.*

Eu: *Acabei de miar a cervejada. Posso passar aí?*

Ele: *Fico feliz q tenha caído em si, gata. Traz logo essa bunda gostosa aqui.*

29

GARRETT

Quando a porta da frente se abre, estou bastante apreensivo, porque meio que espero que Hannah apareça em alguma fantasia ridícula numa tentativa de me contagiar com o espírito do Halloween e me convencer a ir à festa do alojamento.

Por sorte, é a Hannah de sempre que passa a cabeça pela porta da sala de estar e olha para mim. E isso significa que está linda de morrer, e meu pau logo se manifesta. O cabelo está preso num rabo de cavalo baixo, com a franja penteada para um dos lados, e está usando um suéter vermelho folgado e calça de ginástica preta. E as meias, claro, são rosa-choque.

"Oi." Ela senta ao meu lado no sofá.

"Oi." Passo o braço à sua volta e dou um beijo em sua bochecha, o que parece a coisa mais natural do mundo a se fazer.

Não tenho a menor ideia se sou o único que se sente assim, mas Hannah não se afasta, nem zomba de mim pelo comportamento típico de namorado. Entendo isso como um sinal promissor.

"E aí? Por que desistiu da festa?"

"Não tava no clima. Fiquei imaginando você aqui chorando sozinho e a pena foi maior."

"Não tô chorando, besta." Aponto para o documentário maçante sobre leite que está passando na TV. "Mas tô aprendendo sobre pasteurização."

Ela me encara, embasbacada. "Vocês pagam uma *grana* para assinar um milhão de canais e é *isso* que você escolheu ver?"

"Na verdade eu tava mudando de canais e passei por esse, vi um monte de teta de vaca e, sabe como é, fiquei excitado e...

"AFFF!"

Caio na gargalhada. "Tô brincando, gata. Na real, as pilhas do controle acabaram e sou preguiçoso demais para levantar e mudar de canal. Tava assistindo a uma minissérie fantástica sobre a Guerra Civil antes de as tetas aparecerem."

"Você realmente curte história, né?"

"É interessante."

"Algumas partes. Outras, não muito." Ela deita a cabeça no meu ombro, e eu brinco, distraído, com uma mecha de cabelo que se soltou do seu penteado. "Fiquei triste por causa da minha mãe, hoje de manhã", confessa.

"É? Por quê?"

"Ela ligou para dizer que talvez eles também não possam sair de Ransom para o Natal."

"Ransom?", pergunto, sem entender.

"A minha cidade. Ransom, em Indiana." Uma pitada de rancor transparece em sua voz. "Também conhecida como 'amostra grátis do inferno'."

Meu estado de espírito logo se torna mais sombrio. "Por causa do...?"

"Do estupro?", pergunta, com ironia. "Você pode falar a palavra, sabe? Não é contagiosa."

"Eu sei." Engulo em seco. "É só que não gosto de dizer porque torna tudo mais... real, acho. E não consigo suportar a ideia de que tenha acontecido com você."

"Mas aconteceu", diz ela, baixinho. "Não dá para fingir que não."

Ficamos em silêncio por um instante.

"Por que seus pais não podem visitar você?", pergunto.

"Dinheiro." Ela suspira. "Se você tiver se interessado por mim achando que eu fosse herdeira de alguma coisa, é melhor saber logo que estou na Briar com bolsa integral e que recebo auxílio financeiro para meus gastos. Minha família tá falida."

"Pode ir embora." Aponto a porta. "É sério. Pode ir embora."

Hannah me mostra a língua. "Engraçadinho."

"Não ligo pra quanto dinheiro a sua família tem, Wellsy."

"Disse o milionário."

Meu peito enrijece. "Não sou milionário... meu pai é. Tem uma diferença."

"Acho que sim." Ela dá de ombros. "Mas, então, meus pais estão afundados numa montanha de dívidas. E..." Ela se interrompe, e um vislumbre de dor perpassa seus olhos verdes.

"E o quê?"

"É tudo minha culpa", admite.

"Duvido muito."

"Não, é minha culpa sim." Ela parece triste. "Eles tiveram que hipotecar a casa uma segunda vez para pagar os advogados. O processo contra Aaron, o cara que..."

"Deveria estar preso", termino a frase para ela, porque, honestamente, não posso ouvi-la dizer a palavra *estupro* de novo. Simplesmente não posso. Toda vez que penso no filho da mãe que fez isso, uma raiva incandescente invade meu estômago, e meus punhos formigam com vontade de esmurrar alguma coisa.

A verdade é que trabalhei a vida inteira para manter meu temperamento sob controle. A raiva era uma emoção constante durante minha infância, mas, por sorte, encontrei uma válvula de escape saudável para ela... o hóquei, um esporte que me permite bater em adversários num ambiente seguro e regulamentado.

"Ele não foi preso", diz Hannah, baixinho.

Meu olhar se volta para o dela. "Você tá brincando?"

"Não." Seus olhos assumem um brilho distante. "Quando cheguei em casa naquela noite... na noite em que aconteceu... meus pais olharam para mim e souberam que algo de errado tinha acontecido. Nem lembro o que disse para eles. Tudo o que sei é que chamaram a polícia e me levaram para o hospital, eu fiz o exame de corpo de delito, fui entrevistada, interrogada. Sentia tanta vergonha. Não queria falar com os policiais, mas minha mãe me disse que eu tinha que ser corajosa e contar tudo, para impedir que ele fizesse aquilo com outra pessoa."

"Ela parece uma mulher muito inteligente", digo, com a voz rouca.

"E é." A voz de Hannah falha. "Enfim, Aaron foi preso, mas logo foi solto sob fiança, e eu tive que encontrar com o filho da mãe na cidade e no colégio..."

"Eles o deixaram voltar para o colégio?", exclamo.

"Ele não podia chegar a menos de cem metros de mim em momento algum, mas, sim, voltou para o colégio." Ela me lança um olhar sombrio. "Eu comentei que a mãe dele era prefeita de Ransom?"

Sinto o espanto fisicamente dentro de mim. "Caralho."

"E o pai dele era o encarregado da paróquia." Ela solta uma risada sarcástica. "A família dele praticamente dirige a cidade, então, na verdade, foi uma surpresa ele ter sido preso, pra começo de conversa. Ouvi dizer que a mãe fez um escândalo quando apareceram na casa deles. Ops, na *mansão* deles." Ela faz uma pausa. "Resumindo, houve um monte de audições e depoimentos preliminares, e tive que sentar na frente dele no tribunal e olhar para aquela cara convencida. Depois de um mês dessa palhaçada, o juiz finalmente decidiu que não havia provas suficientes para julgar e dispensou o caso."

O horror me acerta com mais força do que Greg Braxton seria capaz. "Tá falando sério?"

"Pode apostar."

"Mas eles tinham os exames e o seu testemunho...", gaguejo.

"Tudo o que os exames provaram foi que teve sangue e rompimento de tecido...", ela enrubesce, "... mas eu era virgem, então o advogado deles alegou que a perda da virgindade poderia ser a causa. De resto, era a palavra de Aaron contra a minha." Ela ri de novo — dessa vez, de espanto. "Na verdade, era a minha palavra contra a dele e de três amigos."

Franzo a testa. "Como assim?"

"Acontece que os amiguinhos dele atestaram para o juiz, sob juramento, que usei drogas naquela noite por vontade própria. Ah, e que havia meses que estava me jogando em cima do Aaron, então ele, *claro*, não podia dizer 'não'. Eles disseram isso como se eu fosse a maior prostituta drogada do planeta. Foi humilhante."

Não conhecia o significado de raiva cega até este exato instante. Porque a simples ideia de que Hannah tenha sido obrigada a passar por tudo isso me faz querer matar todas as pessoas daquele fim de mundo infernal de onde ela veio.

"E piora", avisa ela, ao ver minha expressão.

Solto um gemido. "Ai, Deus. Não aguento mais ouvir."

"Ah." Ela desvia os olhos, desconfortável. "Desculpa. Esquece."

Pego seu queixo depressa e viro seu rosto para mim. "Foi só jeito de dizer. *Preciso* ouvir isso."

"Tá. Bom, depois que as acusações foram retiradas, a cidade inteira se voltou contra mim e meus pais. Todo mundo disse um monte de coisas horríveis a meu respeito. Eu era uma vagabunda, eu seduzi o cara, eu tentei enquadrá-lo, esse tipo de coisa tranquila. Terminei tendo que receber aulas particulares até o final do semestre. E a mamãe prefeita e seu marido pastor processaram a minha família."

"Tá de sacanagem?", digo, com os dentes quase cerrados.

"Pois é. Alegaram que causamos estresse emocional ao filho deles, que o caluniamos, e um monte de outras besteiras que não lembro mais. O juiz não deu tudo o que eles pediram, mas decidiu que meus pais tinham que pagar os encargos legais da família de Aaron. O que significa que tiveram de pagar por *dois* advogados." Hannah engole em seco. "Sabe quanto o nosso cobrava por cada dia que foi ao tribunal?"

Tenho medo de perguntar.

"Dois mil dólares." Seus lábios se torcem num sorriso amargo. "E o nosso advogado era *barato*. Então imagina quanto o da senhora prefeita cobrava por dia. Meus pais tiveram que financiar a casa de novo *e* pegar um empréstimo para cobrir as taxas adicionais."

"Merda." Quase posso sentir meu coração se partindo dentro do peito. "Sinto muito."

"Eles estão presos naquela porcaria de cidade por minha causa", acrescenta Hannah, categoricamente. "Meu pai não pode largar o emprego na madeireira porque é um trabalho estável e ele precisa do dinheiro. Mas pelo menos está trabalhando na cidade vizinha. Ele e minha mãe não podem entrar no centro de Ransom sem lidar com olhares de reprovação ou sussurros desagradáveis. Não podem vender a casa porque vão perder dinheiro com isso. Não podem se dar ao luxo de me verem este ano. E sou medrosa demais para voltar lá para vê-los. Não consigo, Garrett. Não quero nunca mais pisar naquele lugar."

Não a culpo. Que inferno, me sinto da mesma forma sobre a casa do meu pai, em Boston.

"Os pais de Aaron ainda moram lá. Ele ainda os visita todo verão." Ela me olha com uma expressão desamparada. "Como posso voltar?"

"Você já foi alguma vez desde que entrou na faculdade?"

Ela faz que sim. "Uma. E, no meio dessa visita, meu pai e eu tivemos que ir à loja de ferragens e encontramos dois dos pais dos amigos de Aaron, os filhos da mãe que mentiram por ele. Um dos pais fez um comentário mal-educado, algo como 'olha só, a vadia e o pai dela comprando uma escada, porque com certeza ela gosta de trepar'. Ou qualquer coisa do tipo. E meu pai teve um *troço*."

Inspiro fundo.

"Foi atrás do sujeito que disse isso e quebrou feio a cara dele, antes de a briga ser apartada. E *claro* que tinha um policial passando perto da loja naquela hora e prendeu meu pai por agressão." Hannah contrai os lábios. "As queixas foram retiradas quando o dono da loja interveio e disse que meu pai tinha sido provocado. Pelo menos ainda existem umas poucas pessoas honestas em Ransom. Mas, não, nunca mais voltei depois disso. Tenho medo de topar com Aaron e... sei lá. Acabar *matando* o cara pelo que fez com a minha família."

Hannah repousa o queixo em meu ombro, e posso sentir as ondas de tristeza irradiando de seu corpo.

Não tenho ideia do que dizer. Tudo o que descreveu é tão brutal, e, ainda assim... posso entender. Sei como é odiar alguém tanto assim, fugir porque tem medo do que pode fazer se vir o rosto dessa pessoa. O que talvez seja capaz de fazer.

Minha voz é rouca pra caramba quando deixo escapar: "A primeira vez que meu pai me bateu foi no Halloween".

Hannah ergue a cabeça, espantada. "O quê?"

Quase não continuo, mas depois da história que me contou, não posso segurar. Preciso que saiba que não é a única a ter experimentado esse tipo de raiva e desespero. "Tinha doze anos quando aconteceu. Foi um ano depois de a minha mãe morrer."

"Caramba. Não tinha ideia." Ela arregala os olhos, mas não por pena, e sim por empatia. "Tinha a impressão de que você não gostava do seu pai... Percebia no jeito como você fala dele, mas não imaginei que fosse porque..."

"Porque ele caía de pau em cima de mim?", completo por ela, a voz transbordando de ressentimento. "Meu pai não é o homem que finge ser para o mundo. Sr. Estrela do Hóquei, homem de família, todo aquele trabalho de caridade que faz. Ele é perfeito no papel, não é? Mas em casa era... um monstro do caralho."

Os dedos de Hannah estão quentes quando ela os entrelaça aos meus. Aperto-os, precisando de uma distração física para a dor que comprime meu peito.

"Nem sei o que fiz para irritá-lo naquela noite. Cheguei em casa depois de sair para pedir doces com uns amigos, acho que falamos sobre algo, ele deve ter gritado por causa de alguma coisa, mas não me recordo. Só me lembro do olho roxo e do nariz quebrado, e de ficar atordoado demais por ele ter colocado mesmo a mão em mim." Rio, rispidamente. "Depois disso, passou a acontecer com regularidade. Mas nunca quebrou osso nenhum. Não, porque isso me colocaria no banco de reservas, e para ele era fundamental que eu pudesse jogar hóquei."

"Quanto tempo isso durou?", sussurra.

"Até eu ficar grande o suficiente para revidar. Tive sorte, só apanhei por uns três anos, talvez quatro. Minha mãe conviveu com isso por quinze anos. Quer dizer, imaginando que ele tenha começado a bater nela no dia em que se encontraram. Ela nunca me disse quanto tempo foi de verdade. Mas quer saber, Hannah?" Ergo os olhos para ela, envergonhado pelo que estou prestes a dizer. "Quando minha mãe morreu de câncer de pulmão..." Chego a sentir o estômago embrulhar. "Fiquei *aliviado*. Porque ela pararia de sofrer."

"Ela poderia ter se separado dele."

Faço que não com a cabeça. "Ele a teria matado antes de deixar isso acontecer. Ninguém abandona Phil Graham. Ninguém se divorcia dele, porque isso deixaria uma mancha negra em sua reputação intocada, e ele não aceitaria." Suspiro. "Ele não bebe nem tem problemas com abuso de substâncias, se é o que está pensando. Ele é só... doente, acho. Perde a paciência por qualquer besteira, e só sabe resolver os problemas com os punhos. Além de ser um filho da mãe de um narcisista. Nunca conheci ninguém tão cheio de si, tão arrogante. Minha mãe e eu éramos só acessórios para ele. A esposa troféu, o filho troféu. Não dá a mínima para ninguém além dele próprio."

Nunca contei isso para qualquer pessoa antes. Nem Logan ou Tuck. Nem mesmo Birdie, o mestre em guardar segredos. Guardei para mim tudo o que fosse relacionado ao meu pai. Porque a triste verdade é que tem muita gente por aí que ficaria tentada a vender a história para fazer um dinheiro. Não que não confie em meus amigos. Confio, é claro, mas quando você se decepciona com a pessoa em que mais deveria confiar na vida, acaba pouco propenso a oferecer ao mundo qualquer tipo de munição contra você mesmo.

Mas confio em Hannah. Tenho certeza de que não vai falar sobre isso com ninguém, e enquanto a minha confissão paira no ar, é como se um peso tivesse sido retirado do meu peito.

"Então, é isso", concluo, bruscamente, "na última vez em que comemorei a porra do Halloween, levei uma surra do meu próprio pai. Não é uma memória muito feliz, é?"

"Não, não é." Sua mão livre acaricia meu queixo coberto por uma barba por fazer, porque estava com preguiça demais hoje. "Mas sabe o que minha psicóloga costumava me dizer? A melhor maneira de esquecer uma lembrança ruim é substituí-la por uma boa."

"Com certeza é bem mais fácil falar do que fazer."

"Talvez, mas não custa tentar, né?"

Minha respiração entala na garganta quando ela sobe no meu colo. Quem diria que eu conseguiria ficar duro depois de termos a conversa mais deprimente da história? Mas meu pau sobe no instante em que sua bunda firme senta nele. Ela me dá um beijo suave e doce, e solto um gemido de decepção quando sua boca de repente se afasta da minha.

Mas não fico decepcionado por muito tempo, porque, quando me dou conta, ela está ajoelhada no chão à minha frente, libertando meu pau da calça de moletom.

Já recebi um milhão de boquetes. Não estou me gabando, é só a verdade. Mas quando a boca de Hannah encosta em mim, meu saco fica apertado e meu pau pulsa de excitação, latejando como se fosse a primeira vez que a língua de uma menina me toca.

A cabeça quase explode quando o calor úmido de sua boca me envolve. A mão pequena e delicada acaricia minha coxa enquanto ela usa a boca. A outra mão segura meu pau com firmeza, o polegar esfregando aquele ponto sensível sob a cabeça, e cada chupada demorada me leva mais e mais fundo para um esquecimento puro e feliz.

Meus quadris começam a se mover. Não consigo me conter. Entro mais e mais fundo em sua boca e enfio os dedos em seus cabelos para guiá-la. Mas Hannah não parece se importar. Meus movimentos frenéticos trazem um gemido aos lábios dela, e o som sensual vibra pelo meu pau, ressonando por minha coluna.

A sucção quente me deixa louco. Não me lembro de uma época em que não quisesse essa mulher. Em que não estive tão *desesperado* por ela.

É só quando abro os olhos que me dou conta de onde estamos. Meus amigos estão numa festa, mas amanhã temos treino logo cedo e um jogo, o que significa que não vão ficar na rua até tarde hoje. E podem entrar na sala a qualquer momento.

Toco o rosto de Hannah para pará-la. "Vamos lá para cima. Não tenho a menor ideia de quando os caras vão chegar."

Ela se levanta sem dizer uma palavra e estende a mão para mim.

Seguro sua mão e a levo para o segundo andar.

HANNAH

Garrett deixa a luz apagada.

Ele tranca a porta atrás de nós, e posso ver seus olhos brilhando na escuridão. Tira a roupa tão rápido que rio, e em dois tempos está nu na minha frente. O corpo musculoso é como um borrão em meio às sombras, caminhando na minha direção.

"Por que ainda está vestida?", resmunga.

"Porque nem todo mundo é tão eficiente em ficar pelado como você."

"Não é tão difícil, gata. Aqui, deixa eu te ajudar."

Estremeço quando ele corre as mãos sob minha blusa e lentamente a arrasta até a minha clavícula. Garrett planta um beijo suave entre os bojos do meu sutiã antes de puxar a roupa pela minha cabeça. Dedos ásperos roçam meus quadris e brincam comigo ainda semivestida, então ele cai de joelhos e puxa o tecido de algodão da minha calça de ginástica para baixo junto com ele.

Tudo o que posso ver é a cabeça escura pairando a centímetros das minhas coxas, e é uma visão tão erótica, tão sensual, que mal posso respirar. Quando sua boca roça o pontinho já inchado de desejo, uma onda de prazer quase me derruba, e agarro sua cabeça para me equilibrar.

"Espera", aviso. "Não vou conseguir ficar de pé com você fazendo isso."

Com uma risada, Garrett se levanta e me pega nos braços como se eu não pesasse absolutamente nada.

Caímos na cama com um baque, rindo ao virarmos de frente um para o outro. Estamos os dois nus, e é a coisa mais natural do mundo.

Quando ele fala, é algo tão absurdo que sou realmente pega de surpresa. "Pensei que seu nome fosse com M."

"Você achou que me chamasse *Mannah*?"

Garrett ri. "Não, achei que fosse Mona, ou Molly, ou Mackenzie. Qualquer coisa com M."

Não sei se devo achar graça ou me sentir ofendida. "Certo..."

"Quase dois meses, Hannah. Fiquei dois meses sem saber seu nome."

"Bom, a gente não se conhecia."

"Você sabia o *meu* nome."

Solto um suspiro. "Todo mundo sabe o seu nome."

"Como pude passar tanto tempo sem perceber você, caramba? Por que precisei ver uma porcaria de um dez na sua prova para prestar atenção?"

Ele soa tão genuinamente chateado que me arrasto para junto dele e o beijo. "Não importa. Agora você me conhece."

"Conheço", diz, com intensidade, em seguida escorrega para baixo e pega um dos meus mamilos na boca. "Sei que quando faço *isso*...", ele chupa com força, um gemido me escapa, e ele solta meu mamilo com um barulhinho molhado, "... você geme alto o suficiente para acordar o prédio todo. E sei que quando faço *isso* seus quadris começam a se mover como se estivessem à procura do meu pau." Ele lambe meu outro mamilo, brincando com a língua sobre ele, e, na mesma hora, meus quadris se contorcem involuntariamente e meu sexo se aperta num vazio dolorido.

Garrett ergue a cabeça e a apoia num dos cotovelos, o bíceps flexionado junto do meu ombro. "Também sei que gosto de você", diz, com a voz rouca.

Um riso trêmulo me escapa. "Também gosto de você."

"Tô falando sério. Gosto de você pra caralho."

Não tenho certeza de como responder, então simplesmente seguro as costas de sua cabeça e puxo-o para um beijo. Depois disso, tudo se torna um borrão. Suas mãos e lábios estão em toda parte, e uma onda de prazer me varre para um lugar bonito onde só existimos nós dois, Garrett e eu. Ele se afasta apenas para alcançar a gaveta junto da cama, e meu pulso acelera, porque sei o que está pegando e o que está prestes a acontecer. O barulho de uma embalagem se abrindo corta a escuridão, e tenho um vislumbre dele vestindo uma camisinha, mas, em vez de vir para cima de mim e assumir o controle, deita-se de costas e me passa as rédeas.

"Sobe em mim." Sua voz é rouca, tremendo de desejo.

Engolindo em seco, monto em seu colo e pego seu pênis com uma das mãos. É comprido, grosso e imponente, mas esta posição me permite controlar o quanto receber. Sento nele, e meu pulso galopa como um cavalo de corrida. Descendo centímetro por centímetro, experimento a mais deliciosa sensação de alargamento, até que ele está todo lá dentro, e, de repente, estou preenchida. Incrivelmente preenchida. Meus músculos internos apertam seu pau, envolvendo-o em ondas, e ele solta um ruído desesperado que ressoa através do meu corpo.

"Ah, merda." Garrett crava os dedos em meus quadris antes que eu possa me mover. "Me fala da sua avó de novo."

"*Agora?*"

Sua voz está tensa. "É, agora, porque não sei se alguém já disse isso antes, mas você é mais apertada do que um... não, não vou pensar no quanto você é apertada. Qual é o nome da sua avó?"

"Sylvia." Faço um esforço desmedido para não rir.

Sua respiração se acelera de forma audível. "Onde ela mora?"

"Flórida. Casa de repouso." Gotas de suor brotam em minha testa, porque Garrett não é o único perto de perder o controle aqui. A pressão entre as minhas pernas é insuportável. Meus quadris querem se mover. Meu corpo anseia por alívio.

Garrett solta uma expiração longa e entrecortada. "Certo. Tudo sob controle." Sorri, e seus dentes brancos brilham na sombra. "Permissão para continuar."

"Graças. A. Deus."

Levanto e desço de novo com tanta força que nós dois gememos. Essa necessidade cega é algo novo para mim. Cavalgo sobre ele num ritmo furioso e rápido, mas ainda não é o bastante. Preciso de mais e mais e mais, e, por fim, estou apenas me esfregando contra ele, porque descobri que, quando me inclino para a frente e faço isso, meu clitóris roça em seu osso pubiano e intensifica o prazer.

Meus seios estão esmagados contra o peito forte. Ele é tão masculino, tão viciante. Beijo seu pescoço e percebo que sua pele está quente sob meus lábios. Garrett está pegando fogo, os batimentos cardíacos martelando loucamente contra meus seios, e quando levanto a cabeça um pouco e vejo seu rosto, sou capturada por sua expressão, as feições contorcidas e o intenso brilho de prazer nos olhos. Estou tão concentrada nele que, quando o orgasmo chega, me pega totalmente desprevenida.

"*Ahhh*", grito, tombando sobre ele, enquanto uma onda de felicidade pura atravessa meu corpo.

Garrett esfrega minhas costas enquanto ofego de prazer. Meu sexo se contrai, apertando seu membro rígido, seus dedos furam minhas omoplatas, e ele xinga. "Hannah... ah, cacete, gata, que gostoso."

Ainda estou recuperando o fôlego, quando ele começa a se mover para cima, rápido e fundo, os quadris subindo enquanto me preenche, uma, duas vezes, até que, enfim, dá um último impulso e geme. Suas feições se contraem, as sobrancelhas escuras se juntam como se estivesse sentindo dor, mas sei que não está. Beijo seu pescoço de novo, chupando a pele febril enquanto ele treme embaixo de mim, me apertando tão forte que retém todo o ar dos meus pulmões.

Depois que nós dois nos recuperamos e a camisinha é descartada, Garrett se junta a mim na cama e me abraça por trás. O peso do seu braço me faz sentir segura, aquecida e valorizada. Posso dizer o mesmo da forma como ele espalma a mão em minha barriga e acaricia a pele nua, distraidamente. Seus lábios se apertam contra minha nuca, e sei, de verdade, que nunca me senti tão feliz na vida.

"Fica aqui esta noite?", murmura.

"Não posso", murmuro de volta. "Preciso devolver o carro de Tracy."

"Diz que foi roubado", sugere. "Posso servir de testemunha."

Rio baixinho. "De jeito nenhum. Ela me mataria."

Garrett descansa o rosto no meu ombro, girando os quadris para roçar o pênis semirrígido em minha bunda. E suspira feliz. "Você tem a bunda mais gostosa do planeta."

Não tenho a menor ideia de como chegamos a este ponto. Um dia, estava dizendo a Garrett para não me encher o saco, no outro, estou aconchegada na cama com ele. A vida às vezes é tão estranha.

"Ei", diz, um pouco mais tarde. "Você não trabalha sexta à noite, trabalha?"

"Não. Por quê?"

"Vamos jogar em Harvard amanhã." Hesita. "Que tal ir ao jogo?"

Hesito também. Sinto que estou mergulhando de cabeça. Esta noite, disse a ele coisas que nunca contei a ninguém, e tenho certeza de que a confissão sobre seu pai também não é algo que muitas pessoas saibam. No entanto, não quero perguntar a ele o que isso significa. Tenho medo de estar enxergando coisa demais onde não existe nada.

Tenho pavor de tornar isto algo real.

"Você pode ir com o Jeep", acrescenta, com a voz rouca. "Vou de ônibus com o time, o carro vai estar parado na garagem mesmo."

"Posso levar a Allie?"

"Claro." Ele beija meu ombro, e um arrepio percorre meu corpo. "Leve quem você quiser. Na verdade, precisamos de torcida. Jogos fora de casa são um saco, porque ninguém torce pra gente."

Engulo o pequeno nó estranho em minha garganta. "Tudo bem... Acho que topo."

Ficamos em silêncio de novo, e, de repente, percebo algo duro cutucando minha bunda. Sua ereção evidente me faz rir.

"Sério, cara? De novo?"

Ele solta uma risada. "O que foi que você falou sobre minha resistência no outro dia? Quem mandou? *Cara.*"

Ainda rindo, giro de frente para ele e colo meu corpo à sua pele quente e aos músculos rígidos. "Segunda rodada?", murmuro.

Seus lábios encontram os meus. "É pra já."

30

HANNAH

“Não acredito que isso tá acontecendo”, anuncia Dexter — mais ou menos pela milionésima vez — no banco de trás do Jeep de Garrett.

Ao seu lado, Stella suspira e concorda — também pela milionésima vez: “Quem diria, né? Estamos no carro de Garrett Graham. Parte de mim tá com vontade de dar uma de Carrie Underwood e gravar meu nome nos assentos de couro”.

“Não se atreva!”, ameaço do assento do motorista.

“Relaxa, não vou fazer nada. Mas parece que se não deixar minha marca neste carro, ninguém nunca vai acreditar que estive nele.”

Caramba, nem *eu* posso acreditar que ela está aqui. Allie ter topado vir para Cambridge comigo não foi nenhuma surpresa, já que ainda está em busca de detalhes a respeito de Garrett, mas me espantei que Stella e Dex tenham insistido em vir junto.

Até o momento, os dois já me perguntaram pelo menos duas vezes durante a viagem se Garrett e eu estamos namorando. Usei minha resposta-padrão — *só saímos às vezes*. Mas está ficando cada vez mais difícil convencer a mim mesma disso.

Seguimos pelo restante do trajeto cantando aos berros. Dex e eu cantamos juntos, e nossa harmonia é absurdamente incrível — por que não chamei *Dex* para um dueto, droga? Allie e Stella seriam incapazes de cantar de forma afinada nem que suas vidas dependessem disso, mas se juntam a nós nos refrões, e estamos todos muito animados quando paro o carro no estacionamento da arena de hóquei.

Nunca vim a Harvard antes e gostaria de ter mais tempo para explorar o campus, mas já estamos atrasados, então levo meus amigos para dentro, porque não quero correr o risco de não encontrar lugar. Fico espantada com o tamanho da arena, bastante moderna, e com a quantidade de pessoas aqui esta noite. Por sorte, encontramos quatro lugares vazios perto do lado da Briar no rinque. Não perdemos tempo comprando comida, já que devoramos uma tonelada de batatinhas no caminho.

"Certo, como funciona esse jogo mesmo?", pergunta Dexter.

Sorrio. "Sério?"

"É, sério. Sou um garoto negro de Biloxi, Han-Han. Acha que sei alguma coisa de hóquei?"

"Muito justo."

Enquanto Allie e Stella conversam sobre uma de suas aulas de teatro, faço um rápido resumo a Dex sobre o que ele pode esperar. No entanto, quando os jogadores surgem no gelo, percebo que minha explicação não lhes fez justiça. Este é o primeiro jogo de hóquei que vejo ao vivo, e não esperava o clamor da multidão, o volume ensurdecedor do sistema de som, a rapidez surpreendente dos jogadores.

Garrett joga com a camisa 44, mas não preciso nem olhar para o número para saber qual dos jogadores de preto e prata ele é. Está no centro da linha de ataque e, no segundo em que o árbitro deixa cair o disco, ganha a disputa inicial e faz um passe para Dean — que eu pensei que jogava de ala, mas, aparentemente, faz parte da defesa.

Estou ocupada demais prestando atenção em Garrett para me concentrar em qualquer um dos outros jogadores. Ele é... hipnotizante. Se já é alto sem patins, agora parece enorme. E é tão veloz que tenho dificuldade de acompanhá-lo com o olhar. Voa sobre o gelo, perseguindo o disco que Harvard roubou de nós e marcando o adversário como um profissional. Briar sai na vantagem, graças a um gol de um jogador que o locutor chama de Jacob Berderon, e levo um segundo para perceber que está falando de Birdie, o aluno do último ano de cabelos escuros que conheci no Malone's.

O cronômetro no placar vai diminuindo, mas, quando penso que Briar vai conseguir fechar o primeiro período sem levar um gol, um dos atacantes de Harvard faz uma finalização rápida em cima de Simms e empata o jogo.

Quando o período termina e os jogadores desaparecem em seus respectivos túneis, Dex me cutuca nas costelas e diz: "Sabe de uma coisa? Isso não é tão chato. Talvez devesse começar a jogar hóquei".

"Você sabe patinar?", pergunto.

"Não... Mas não deve ser tão difícil assim, né?"

Caio na gargalhada. "Melhor continuar com a música", aconselho. "Ou, se estiver mesmo determinado a entrar para o mundo dos esportes, jogue futebol. A Briar faria bom uso de você."

Pelo que tenho ouvido, nosso time de futebol americano está na pior colocação que a universidade já viu nos últimos anos, tendo ganhado apenas três dos oito jogos que disputou até agora. Mas Sean disse que eles ainda têm uma chance de chegar às finais, se, segundo ele, "colocarem a merda da cabeça no lugar e começarem a ganhar umas merdas de uns jogos". Fico com pena de Beau, com quem realmente gostei de conversar na festa.

No instante em que penso em Beau, o rosto de Justin me vem à cabeça como se trazido por uma lufada de vento.

Merda.

Temos um jantar no domingo à noite.

Como fui me esquecer disso?

Porque você estava ocupada demais fazendo sexo com Garrett.

É, por isso.

Mordo o lábio, na dúvida sobre o que fazer. Não pensei em Justin uma única vez durante toda a semana, mas isso não diminui o fato de que passei o semestre *inteiro* com ele na cabeça. Algo me atraiu nele para começo de conversa, e não posso simplesmente ignorar isso. Além do mais, nem sei o que está acontecendo entre mim e Garrett. Ele não levantou a questão namorado/ namorada. E não sei se *quero* ser sua namorada.

Tenho um perfil ideal no que diz respeito a rapazes. Calmo, sério, temperamental. Criativo, se eu tiver sorte. Tocar um instrumento é sempre uma vantagem. Inteligente. Sarcástico, mas não de um jeito depreciativo. Sem medo de mostrar suas emoções. Alguém que me faça sentir... paz.

Garrett tem algumas dessas qualidades, mas não todas. E não sei se *paz* é a forma exata de descrever o que sinto quando estou com ele. Quando estamos discutindo ou perturbando um ao outro, é como se meu corpo inteiro estivesse ligado na tomada. E quando estamos nus... é como se fogos de artifício explodissem dentro de mim.

Será que isso é bom?

Merda, não sei. Meu histórico com homens não é exatamente uma série de sucessos. O que sei sobre relacionamentos? E como posso ter certeza de que Justin não é o cara com quem deveria estar se não sair com ele pelo menos uma vez?

"Então, por que eles falam em 'penetrar na área'?", pergunta Dex, fascinado, quando o segundo período começa. "E por que isso soa tão pornográfico?"

Do meu outro lado, Allie se estica para sorrir para Dexter. "Amor, tudo no hóquei soa pornográfico. 'Entre as pernas'? 'Desarmar com o taco'? 'Jogada por trás'?" Ela suspira. "Vai lá em casa qualquer dia escutar meu pai gritando '*Enfia!*' milhares de vezes enquanto assiste a uma partida, e aí sim você vai ver o que é pornografia."

Dex e eu rimos tanto que quase caímos das cadeiras.

GARRETT

Ao deixarmos o vestiário de visitantes depois do jogo, eu e os outros caras ainda estamos a mil por termos esmagado o time da casa. Mesmo que tenha sido um dos jogadores do segundo ano a marcar aquela belezura do último gol que garantiu a nossa vitória, decidi que Hannah é o meu amuleto da sorte e que, a partir de agora, tem que participar de todos os nossos jogos, porque nas últimas três partidas que disputamos contra Harvard, fomos massacrados.

Marcamos de nos encontrar fora da arena depois do jogo, e, como combinado, ela está lá esperando por mim quando saio. Além de Hannah, vejo Allie, uma garota de cabelos escuros que não conheço e um cara enorme que poderia muito bem estar no time de futebol. Maxwell ficaria louco se tivesse um monstro desses na linha de ataque.

No momento em que Hannah me vê, se afasta dos amigos e caminha até mim. "Oi." Parece surpreendentemente tímida e hesitante, como se não soubesse se deve me abraçar ou me beijar.

Resolvo seu dilema, fazendo as duas coisas, e, quando toco os lábios nos dela, ouço um "Eu sabia!" vitorioso de onde seus amigos estão. A exclamação vem da menina que não é Allie.

Afasto-me para sorrir para Hannah. "Escondendo o jogo sobre nós para os seus amigos, é?"

"Nós?" Ela ergue as sobrancelhas. "Não sabia que éramos *nós*."

Agora definitivamente não é o momento para discutir o status da nossa relação — se é que podemos chamar de relação —, portanto, dou de ombros simplesmente e digo: "Gostou do jogo?".

"Foi intenso." Ela sorri para mim. "Mas vi que você não marcou nem um gol. Tá ficando preguiçoso?"

Meu sorriso se alarga. "Minhas humildes desculpas, Wellsy. Prometo fazer melhor da próxima vez."

"Acho bom."

"Vou marcar três para você, que tal?" Meus colegas passam por nós e vão até o ônibus, que nos espera a uns seis metros dali, mas ainda não estou pronto para me separar de Hannah. "Fiquei feliz que você veio."

"Eu também." Ela parece estar falando a verdade.

"Tem planos para amanhã à noite?" Tenho outro jogo amanhã, mas é de tarde, e estou morrendo de vontade de ficar sozinho com Hannah de novo para... hmm, adivinha? "Pensei que a gente podia se ver depois de eu voltar do...", paro de falar quando uma sombra aparece em minha visão periférica. Meus ombros se enrijecem assim que vejo meu pai descendo os degraus da entrada da arena.

Este é o ponto da noite que eu temo. A hora do grande aceno, seguido dos passos dele, que se afasta em silêncio.

Como se estivesse seguindo um roteiro, recebo o aceno.

Mas ele não se afasta.

Meu pai quase me mata de susto ao dizer: "Garrett. Quero falar com você".

Sua voz grave faz um frio correr pela minha espinha. Odeio o simples som da sua voz. Odeio a visão do seu rosto.

Odeio absolutamente tudo nele.

Hannah franze a testa de preocupação ao ver meu rosto. "É o...?"

Em vez de responder, dou um passo relutante para longe dela. "Volto num minuto", murmuro.

Meu pai já está a meio caminho do estacionamento. Nem mesmo se vira para ver se o estou seguindo. Afinal, na cabeça de Phil Graham, ninguém perderia a chance de estar perto dele.

De alguma forma, minhas pernas exaustas me levam em sua direção. Percebo vários de meus colegas de time parados junto à porta do ônibus, nos observando com curiosidade. Alguns parecem visivelmente invejosos. Que piada. Se soubessem quem ele é...

Quando o alcanço, não me dou ao trabalho de cumprimentar. Só faço uma cara feia e pergunto, seco. "O que você quer?"

Como eu, ele vai direto ao ponto. "Espero sua presença em casa no dia de Ação de Graças."

Meu espanto se manifesta sob a forma de uma risada estridente. "Não, obrigado. Tô fora."

"Não. Você vai para casa." Um olhar sombrio endurece suas feições. "Ou vou arrastar você."

Realmente não sei o que deu nele agora. E por acaso ele se importa se apareço em casa ou não? Não piso lá desde que entrei na Briar. Passo o ano letivo em Hastings e, nos verões, trabalho sessenta horas por semana numa empresa de construção em Boston e guardo todos os centavos que ganho para pagar o aluguel e fazer supermercado, porque não quero gastar um tostão a mais do que o absolutamente necessário do dinheiro do meu pai.

"Desde quando você liga para onde eu passo meus feriados?", resmungo.

"Você é necessário em casa este ano." Está falando por entre dentes cerrados, como se estivesse detestando isso ainda mais do que eu. "Minha namorada vai fazer o jantar e quer que você venha."

A namorada dele? Nem sabia que tinha uma namorada. E quão triste é o fato de eu não saber merda nenhuma sobre a vida do meu pai?

A maneira como formulou a frase também não me escapa. *Ela* quer que eu vá. Não ele.

Fito-o nos olhos, o mesmo tom de cinza dos meus. "Fala pra ela que tô doente. Ou, dane-se, fala que eu morri."

"Não me provoca, garoto."

Ah, ele vai vir com essa de *garoto* agora, é? Era assim que sempre me chamava logo antes de seus punhos esmurrarem minha barriga, ou acertarem minha cara, ou quebrarem meu nariz pela centésima vez.

"Não vou", digo, friamente. "Ponto final."

Ele se aproxima, os olhos ardendo sob a aba do boné do Bruins enterrado na cabeça, e voz reduzida a um sussurro. "Escuta aqui, seu ingrato de merda. Não peço muito de você. Na verdade, não peço *nada* de você. Deixo você fazer o que bem entende, pago sua faculdade, seus livros, seu material esportivo."

O lembrete faz meu estômago ferver de raiva. Tenho uma planilha no computador com tudo o que ele já pagou, assim, quando tiver acesso à minha herança, vou saber o valor que preciso escrever no cheque que estou pensando em mandar para ele antes de dizer "*Até nunca mais*".

Mas a matrícula do semestre que vem deve ser paga em dezembro, um mês antes de eu ter acesso a essa herança. E não tenho o suficiente na poupança para cobrir o montante total.

O que significa que vou continuar devendo a ele por um tempo ainda.

"Tudo o que espero em troca", concluiu, "é que você jogue como o campeão que é. O campeão que *produzi*." Um sorriso feio de escárnio retorce sua boca. "Bom, é hora de pagar a dívida, filho. Você vai aparecer em casa no dia de Ação de Graças. Entendido?"

Nossos olhos se fixam um no outro.

Poderia matar este homem, se soubesse que seria capaz de me safar. Mataria mesmo.

"Entendido?", repete.

Dou um curto aceno de cabeça e vou embora sem olhar para trás.

Hannah espera por mim perto do ônibus, a preocupação nublando seus olhos verdes. "Tá tudo bem?", pergunta, em voz baixa.

Solto o ar numa expiração irregular. "Sim. Tudo o.k."

"Tem certeza?"

"Tá tudo bem, gata. Prometo."

"Graham, anda logo!", grita o treinador atrás de mim. "Está atrasando todo mundo."

De alguma forma, consigo forçar um sorriso. "Preciso ir. Será que a gente pode sair amanhã depois do jogo?"

"Me liga quando terminar. Vou ver onde estou."

"Parece bom." Deixo um beijo em sua bochecha e sigo para o ônibus, onde o treinador está batendo o pé, impaciente.

Ele observa Hannah caminhando de volta até os amigos, em seguida me lança um sorriso irônico. "Bonita. Namorada?"

"Não tenho ideia", confesso.

"Em geral, é assim com as mulheres. Elas é que dão as cartas, e nós ficamos perdidos." Ele me dá um tapa no braço. "Vamos lá, garoto. Hora de ir."

Sento em meu lugar de sempre ao lado de Logan, perto da frente do ônibus, e ele me lança um olhar engraçado enquanto abro o meu casaco e descanso a cabeça no encosto.

"O quê?", murmuro.

"Nada", diz, casualmente.

Conheço o cara há tempo o suficiente para saber que um "nada" de Logan significa exatamente o contrário, mas ele coloca os fones do iPod e passa a me ignorar a maior parte da viagem. Só quando estamos a dez minutos da faculdade é que puxa os fones abruptamente e se vira para mim.

"Foda-se", anuncia. "Vou dizer de uma vez."

A desconfiança começa a rodear em minhas entranhas feito um abutre. Espero sinceramente que não esteja prestes a confessar que sente algo por Hannah, porque a coisa vai ficar muito feia se fizer isso. Olho ao redor, mas a maioria dos meus colegas está dormindo ou ouvindo música. Os alunos mais velhos estão no fundo do ônibus, rindo de algo que Birdie acabou de dizer. Ninguém está prestando atenção em nós.

Abaixo o tom de voz. "O que foi?"

Ele deixa escapar um suspiro cansado. "Fiquei na dúvida se deveria dizer alguma coisa, mas, porra, G., não gosto de ver ninguém sendo passado para trás, principalmente meu melhor amigo. Mas achei melhor esperar até depois do jogo." Ele dá de ombros. "Não queria que você se distraísse no gelo."

"Do que você tá falando, cara?"

"Dean e eu acabamos na casa de Maxwell na noite passada, uma festa de Halloween", confessa Logan. "Kohl tava lá e..."

Estreito meus olhos. "E o quê?"

Logan parece tão desconfortável que todos os meus músculos enrijecem com a tensão. Ele não é do tipo que faz rodeios, então o negócio deve ser sério.

"Disse que vai sair com Wellsy neste fim de semana."

Meu coração para. "Mentira."

"Foi o que pensei, mas..." Outro dar de ombros. "Ele insistiu que era verdade. Achei melhor avisar você, sabe, só para o caso de ele não estar inventando."

Engulo em seco, minha mente está a um milhão de quilômetros por segundo. *Mentira* continua sendo o que prefiro imaginar, mas parte de mim não tem tanta certeza. Kohl é o único motivo para Hannah estar em minha vida. Porque estava interessada *nele*.

Mas isso foi *antes*. Antes de eu e ela nos beijarmos...

Mas depois disso ela ainda foi à festa para ver Kohl.

Certo. Engulo em seco de novo. Bom, foi depois do beijo, mas antes de todo o resto. O sexo. Os segredos que compartilhamos um com o outro. Toda aquela *intimidade*.

Falei para você que ficar abraçadinho era um erro, cara.

Meu eu interior cínico causa estragos em meu cérebro, trazendo uma onda de cansaço para o meu peito. Não, Kohl deve estar mentindo. Hannah jamais concordaria em sair com ele sem me avisar.

Né?

"De qualquer forma, achei que você precisava saber", comenta Logan.

É difícil pra caramba falar com a garganta apertada do jeito que está, mas dou conta de murmurar uma única palavra. "Valeu."

31

HANNAH

Garrett me manda uma mensagem quando estou me arrumando para dormir. Allie e eu entramos em casa há literalmente cinco minutos, e fico surpresa de que ele tenha entrado em contato ainda hoje. Achei que fosse apagar assim que chegasse em casa, depois do jogo.

Ele: *Preciso falar c/ vc.*

Eu: *Agr?*

Ele: *É.*

Certo. Pode ser uma mensagem de texto, mas não é difícil inferir seu tom, que parece ser de máxima irritação.

Eu: *Hmm, claro. Me liga?*

Ele: *Na verdade, tô na porta.*

Viro a cabeça para a porta do quarto, meio que esperando encontrá-lo ali. Então me sinto uma idiota, porque percebo que ele está falando da porta do alojamento, e não do meu quarto. Ainda assim, deve ser sério, porque Garrett não costuma aparecer sem avisar.

Um enjoo me toma o estômago durante o caminho pela área comum até abrir a porta. Como era de esperar, Garrett está em pé atrás dela, ainda vestindo o casaco do time e a calça de moletom, como se tivesse vindo direto para cá, em vez de passar em casa para trocar de roupa.

"Oi", cumprimento, convidando-o a entrar com um gesto. "O que aconteceu?"

Ele olha atrás de mim para a sala vazia. "Cadê Allie?"

"Já foi dormir."

"Podemos conversar no seu quarto?"

O enjoo piora. Não consigo decifrar sua expressão. Os olhos não dizem nada, e seu tom é completamente desprovido de emoção. Será que tem algo a ver com o pai? Não consegui ouvir a conversa, mas a linguagem corporal transmitia uma forte agressividade. Eu me pergunto se talvez eles...

"Você vai sair com Justin este fim de semana?"

Garrett faz a pergunta no instante em que fecho a porta do quarto, e percebo, consternada, que isso não tem *nada* a ver com o pai dele.

Mas tem tudo a ver comigo.

Um misto de surpresa e uma sensação instantânea de culpa batalha dentro de mim à medida que ergo os olhos para fitar os seus. "Quem disse isso?"

"Logan. Mas ele ouviu de Kohl."

"Ah."

Garrett não se move. Não tira o casaco. Nem sequer pisca. Só mantém o olhar fixo em mim. "É verdade?"

Engulo em seco. "Sim e não."

Pela primeira vez desde que chegou aqui, sua expressão transparece alguma emoção — aborrecimento. "Como assim?"

"Quer dizer que ele me convidou para sair, mas ainda não decidi se vou ou não."

"Você disse que ia?" Seu tom de voz tem uma pitada de ironia.

"Bom, disse, mas..."

Os olhos de Garrett se inflamam. "Você disse mesmo que ia? Quando ele chamou?"

"Na semana passada", admito. "No dia seguinte à festa de Beau."

Seu rosto relaxa. Só um pouco. "Então foi antes do aniversário de Dean? Antes de você e eu...?"

Faço que sim

"Certo." Ele respira. "Tudo bem. Não é tão ruim quanto eu imaginava." Mas, em seguida, suas feições endurecem novamente e suas narinas se expandem. "Espera aí, o que você quer dizer com 'Ainda não decidi se vou'?"

Dou de ombros, impotente.

"Você não vai, Hannah!"

Sua voz rude me faz estremecer. "Quem vai me impedir? *Você*? Porque, da última vez que verifiquei, você e eu não estávamos namorando. Estamos só nos divertindo."

"É isso que você..." Ele para, a boca se fecha numa careta. "Quer saber? Acho que você está certa. Acho que estamos só nos divertindo."

Mal posso acompanhar os pensamentos confusos que disparam em meu cérebro. "Você disse que não namora", digo, baixinho.

"Eu disse que não tenho tempo para uma namorada", revida ele. "Mas quer saber? As prioridades mudam."

Hesito. "Então você tá dizendo que quer que eu seja sua namorada?"

"É, talvez seja isso que esteja dizendo."

Meus dentes afundam em meu lábio inferior. "Por quê?"

"Por que o quê?"

"Por que você iria querer isso?" Mordo com ainda mais força. "Você é cem por cento focado no hóquei, lembra? E, além do mais, brigamos muito."

"Nós não brigamos. Discutimos."

"É a mesma coisa."

Ele revira os olhos. "Não é não. Discutir é algo divertido e bem-humorado. Brigar é..."

"Ai, meu Deus, estamos brigando sobre como brigamos!", interrompo, incapaz de conter o riso.

Os ombros de Garrett relaxam ao som do meu riso. Ele dá um passo na minha direção, avaliando o meu rosto. "Sei que você gosta de mim, Wellsy. E gosto muito de você. Seria tão terrível assim se tornássemos isso uma coisa oficial?"

Engulo em seco de novo. Odeio ser colocada contra a parede, e estou muito confusa para entender qualquer coisa agora. Agir por impulso não é algo que faço com frequência. Nunca tomo decisões sem pensar muito, e, embora outras meninas pudessem estar dando cambalhotas diante da ideia de tornar as coisas "oficiais" com Garrett Graham, sou mais pragmática do que isso. Não esperava gostar desse cara. Nem transar com ele. Menos ainda estar numa posição em que ele pode virar meu namorado.

"Não sei", digo, afinal. "Quer dizer, não pensava mesmo na gente em termos de namorados. Só queria...", minhas bochechas se esquentam, "... explorar a atração e ver se... você sabe. Mas não considerei o que viria depois." Minha confusão triplica, transformando minha cabeça em geleia. "Nem tenho ideia do que isso seja, ou onde poderia dar, ou..."

À medida que deixo a fala no ar, noto a expressão no rosto de Garrett, e a dor em seus olhos me fere profundamente como uma faca.

"Você nem tem ideia do que isso seja ou onde poderia dar? Meu Deus, Hannah. Se você..." Ele deixa escapar um suspiro, soltando os ombros largos. "Se você realmente não sabe, então estamos perdendo nosso tempo. Porque eu sei *exatamente* o que é isso. Eu..." Ele para de forma tão abrupta que é como se eu tivesse levado uma chicotada.

"Você o quê?", sussurro.

"Eu..." Ele se interrompe de novo. Os olhos cinzentos se escurecem. "Quer saber? Esqueça. Acho que você tem razão. Estamos apenas explorando a atração." Soa cada vez mais amargo. "Sou só o seu terapeuta sexual, não é? Não, não, melhor: sou só uma merda de um *fluffer*."

"*Fluffer*?", digo sem expressão.

"De filme pornô", murmura. "Eles trazem a *fluffer* para chupar os caras entre uma tomada e outra para manter o pau duro." Seu tom se colore de raiva. "Era esse o meu trabalho, não é? Deixar você excitadinha para o Kohl? Pronta pra trepar com ele?"

A indignação pinica minha pele. "Em primeiro lugar, isso é nojento. Em segundo, isso não é justo, e você sabe."

"Aparentemente, não sei de nada."

"Ele me pediu para sair antes de eu dormir com você! E eu provavelmente nem ia mais!"

Garrett solta uma risada ríspida. "*Provavelmente*? É. Valeu." Dá um passo na direção da porta. "Quer saber? Vai pra essa porcaria de encontro. Você conseguiu o que queria de mim. Acho que *Justin* pode assumir a partir daqui."

"Garrett..."

Mas ele já foi. E não só isso: fez de sua saída algo bem público, batendo minha porta com força, pisando duro pelo alojamento e batendo a porta da saída também.

Fico olhando para o espaço vazio que um segundo antes estava ocupado por ele.

Porque, como Garrett disse, *eu sei exatamente o que é isso*.

As palavras roucas que ele acabou de usar ecoam em minha cabeça, e um turbilhão de emoções aperta meu coração, porque tenho certeza de que também sei exatamente o que é isso.

E tenho medo de que, por conta de um momento de indecisão de uma fração de segundo, tenha estragado tudo.

32

GARRETT

A temperatura parece ter caído uns vinte graus desde que entrei na Bristol House até o momento em que saí, feito um furacão. Uma rajada de vento cortante me atinge o rosto e gela as pontas das orelhas, enquanto marcho em direção ao estacionamento.

Está vendo? É por *isso* que evito o drama que é ter uma namorada. Deveria estar nas nuvens agora, porque trucidamos o time de Harvard. Em vez disso, estou chateado, frustrado e mais nervoso do que imaginava. Hannah está certa — estávamos só nos divertindo. Do mesmo jeito que estava só me divertindo com Kendall, ou com a garota antes dela, ou com a garota antes dela. Nem pestanejei antes de terminar com qualquer uma delas, então por que estou tão chateado agora?

Mas ainda bem que saí de lá. Estava prestes a me passar por um completo idiota. Dizendo coisas que não deveria, correndo o risco até de *implorar*. Meu Deus. Desse jeito vou acabar virando um pau-mandado.

Estou na metade do caminho até o carro quando ouço Hannah chamando meu nome.

Meu peito se aperta. Viro para trás e vejo-a correndo pela trilha da Bristol House até o estacionamento. Ainda está de pijama — uma calça xadrez e uma camiseta preta com notas musicais amarelas na frente.

Fico tentado a continuar andando, mas a visão dos seus braços nus e as bochechas coradas pelo frio me irrita ainda mais do que a nossa briga. "Caramba, Hannah", reclamo, quando me alcança. "Você vai pegar um resfriado."

"Isso é mito", retruca. "Tempo frio não causa resfriado."

Mas está visivelmente tremendo, e, quando envolve os braços em torno de si mesma e começa a esfregar a pele nua para se aquecer, solto um resmungo de aborrecimento e tiro meu casaco depressa.

Rangendo os dentes, passo-o por cima dos ombros dela. "Aqui."

"Obrigada." Parece tão irritada quanto eu. "Qual é o seu problema, Garrett? Você não pode simplesmente ir embora feito louco no meio de uma discussão séria!"

"Não tinha mais nada pra discutir."

"Mentira." Ela balança a cabeça com raiva. "Você não me deixou falar!"

"Deixei sim", respondo, categoricamente. "E, vai por mim, você disse o bastante."

"Nem *lembro* o que falei. Sabe por quê? Porque você me pegou totalmente desprevenida e nem sequer me deu um segundo para *pensar*."

"E o que tem para pensar? Ou você tá a fim de mim, ou não tá."

Hannah solta um barulho frustrado. "Você não tá sendo justo de novo. Só porque de repente *você* decidiu que tá pronto para um relacionamento e que devemos ficar juntos, não significa que vou gritar '*Êêê, uhu!*' feito uma garota de fraternidade. Você obviamente teve tempo para pensar sobre isso e assimilar a ideia, mas não me deu nem um segundo. Só invadiu meu quarto, fez um monte de acusações e foi embora."

Sinto uma pontada de culpa. Hannah não deixa de ter razão. Vim hoje aqui sabendo *exatamente* o que queria dela.

"Desculpa não ter avisado sobre o encontro com Justin", acrescenta, baixinho. "Mas não vou me desculpar por precisar de mais do que cinco segundos para avaliar a possibilidade de enxergar nós dois como um casal."

Minha respiração sai numa nuvem branca de condensação que logo se deixa levar pelo vento. "Desculpa por ter saído correndo", admito. "Mas não vou me desculpar por querer ficar com você."

Seus lindos olhos verdes avaliam meu rosto. "Você ainda quer?"

Faço que sim. Então engulo em seco. "E você?"

"Depende." Ela deita a cabeça. "Vamos ter exclusividade?"

"Claro, não tem nem discussão", digo, sem hesitar. A ideia de Hannah com outra pessoa é como uma punhalada na barriga.

"Você concorda que devemos ir devagar?" Ela muda o peso da perna, sem jeito. "Porque com o festival chegando, e as férias, as provas, sua escala de jogos... vamos começar a ficar ocupados, e não posso prometer ver você todos os segundos do dia."

"A gente se vê quando der", digo, simplesmente.

Estou surpreso com a calma em minha voz, com o quão contido permaneço, embora haja milhares de borboletas agitadas batendo asas na minha barriga e gritando *sim*, *sim*, *sim* a todo volume. Caramba. Estou prestes a complicar minha vida inserindo uma namorada nela, mas, de alguma forma, estou cem por cento tranquilo com isso.

"Então tudo bem." Hannah sorri para mim. "Vamos oficializar."

Uma nuvem negra obscurece um pouco minha felicidade. "E Justin?"

"O que tem ele?"

"Você disse que ia sair com ele", respondo, entredentes.

"Na verdade, desmarquei o encontro antes de vir aqui fora."

As borboletas dentro de mim levantam voo de novo. "Desmarcou?"

Ela assente com a cabeça.

"Então não tá mais toda caidinha por ele?"

Um lampejo de humor brilha em seus olhos. "Tô toda caidinha por *você*, Garrett. Só você."

E, simples assim, minha ansiedade desaparece e se transforma numa explosão de alegria pura que me traz um sorriso aos lábios. "Eu sabia que estava."

Revirando os olhos, ela se aproxima e esfrega o rosto frio contra meu queixo. "Agora será que a gente pode voltar lá para dentro? Minha bunda tá congelando e preciso do meu *fluffer* para me esquentar."

Estreito os olhos. "O que você falou?"

Ela pisca, fazendo cara de inocente. "Ah, desculpa. Eu falei *fluffer*?" Um sorriso ilumina todo o seu rosto. "Quis dizer *namorado*."

As palavras mais bonitas que já ouvi na vida.

33

HANNAH

A vida vai bem.

A vida vai maravilhosa, surpreendente e *assustadoramente* bem.

Estas duas últimas semanas de namoro com Garrett têm sido um borrão de risos, carinhos e sexo apaixonado, misturado com eventos da vida real, como aulas, estudo, ensaios e jogos de hóquei. Garrett e eu construímos uma conexão que me pegou de surpresa, mas, ainda que Allie continue me provocando por causa da súbita reviravolta da minha parte no que diz respeito ao cara, não me arrependo da decisão de oficializar as coisas com ele e ver onde elas vão dar. Até agora, tudo tem funcionado muito bem.

Mas, sabe, o problema da vida é o seguinte: quando ela vai bem *assim*, inevitavelmente, algo dá errado.

"Sei que é um inconveniente", acrescenta Fiona, minha orientadora de artes cênicas. "Mas infelizmente não há nada que eu possa fazer a não ser aconselhar você a falar direto com Mary Jane e..."

"De jeito nenhum", interrompo, os dedos apertando com força os braços da cadeira. Encaro a loura bonita do outro lado da mesa e me pergunto como pode descrever esta bomba atômica como um *inconveniente*.

E ainda quer que eu fale com Mary Jane?

Nem. Pensar.

Por que *diabos* eu iria falar com aquela filha da mãe que se deixou passar por uma lavagem cerebral e que acabou de destruir qualquer chance que eu tinha de ganhar uma bolsa de estudos?

Ainda estou me recuperando do que Fiona me comunicou. Mary Jane e Cass me *abandonaram*. Eles têm de fato permissão para me expulsar do dueto para que Cass possa cantá-lo como um solo.

Que *merda*.

No entanto, lá no fundo, não estou surpresa. Garrett tinha me alertado de que algo assim poderia acontecer. Eu mesma me preocupei com a possibilidade. Mas nunca em um milhão de anos imaginei que Cass fosse fazer isso *quatro semanas* antes do festival.

Ou que minha orientadora estaria *tão tranquila a respeito*.

Cerro os dentes. "Não vou falar com Mary Jane. É óbvio que ela já se decidiu sobre isso."

Ou melhor, que *Cass* decidiu por ela, quando a convenceu a conversar com nossos respectivos orientadores e choramingar que sua música não estava funcionando como um dueto e que iria retirá-la do festival se não fosse apresentada como um solo. Cass, é claro, foi rápido em apontar que seria um absurdo desperdiçar uma música tão boa, e que ele se oferecia *gentilmente* para me deixar cantá-la. Foi quando Mary Jane insistiu que ela deveria ser cantada por uma voz masculina.

Vá se foder, M.J.

"Então, o que devo fazer agora?", pergunto, com a voz firme. "Não tenho tempo para aprender uma música nova e trabalhar com outro compositor."

"Não, não tem", concorda Fiona.

Em geral, aprecio sua abordagem direta, mas hoje tive vontade de lhe dar um tapa.

"É por isso que, dadas as circunstâncias, o orientador de Cass e eu concordamos em afrouxar as regras no seu caso. Você não precisa trabalhar com um aluno de composição. Nós concordamos — e o chefe do departamento assinou embaixo — que você pode cantar uma de suas próprias músicas. Sei que você tem um monte de originais em seu repertório, Hannah. E, na verdade, acho que é uma grande oportunidade para você mostrar não só a sua voz, mas suas habilidades de composição." Ela faz uma pausa. "No entanto, você só vai disputar uma bolsa de estudos por performance, já que não é aluna de composição."

Minha mente continua a girar como um carrossel. Sim, tenho algumas músicas originais que posso cantar, mas nenhuma delas está nem perto de estar pronta para uma apresentação.

"Por que Cass não está sendo penalizado por isso?", indago.

"Olha, não posso dizer que aprovo o que Cass e Mary Jane fizeram, mas, infelizmente, esta é uma das desvantagens de se trabalhar num dueto." Fiona suspira. "Todos os anos tem pelo menos uma parceria que acaba logo antes do festival. Lembra de Joanna Maxwell? Que se formou no ano passado?"

A irmã de Beau.

Assinto.

"Bem, o par dela a largou *três dias* antes do festival dos alunos do último ano", confidencia Fiona.

Pisco de surpresa. "Jura?"

"Pois é. Resumindo, isso aqui ficou um caos completo por três dias."

Meu humor se eleva, ainda que apenas um pouco, quando lembro que Joanna não só ganhou a bolsa, como também chamou a atenção de um agente que mais tarde lhe conseguiu o tal teste em Nova York.

"Você não precisa de Cassidy Donovan, Hannah." A voz de Fiona é firme, transmitindo muita segurança. "Você é ótima fazendo solos. *Esse* é o seu ponto forte." Ela me lança um olhar severo. "Pelo que me lembro, foi exatamente isso que aconselhei no início do semestre."

Sinto a culpa esquentar meu rosto. É. Não posso negar. Ela *havia* me alertado de suas preocupações sobre o projeto desde o início, mas deixei Cass me convencer de que seríamos imbatíveis juntos.

"Você vai ter tudo o que for necessário para se preparar", acrescenta. "Nós vamos reorganizar o cronograma, para que tenha acesso a uma janela de ensaio sempre que precisar. E, se quiser um acompanhamento, tem todos os alunos da orquestra à disposição. Você vai precisar de mais alguma coisa?" Um pequeno sorriso surge em seus lábios. "Confia em mim, o orientador de Cass não está nem um pouco feliz com isso. Então, se houver algo que você queira, me diga agora, e acho que consigo providenciar pra você."

Estou prestes a sacudir a cabeça, mas então algo me ocorre. "Na verdade, tem sim. Quero Jae. Digo, Kim Jae Woo."

Fiona franze a testa. "Quem?"

"O violoncelista." Ergo o queixo com firmeza. "Quero o violoncelista."

GARRETT

"Não *acredito* que ele fez isso!" Allie soa lívida de seu lado da mesa, os olhos azuis em chamas enquanto olha para Hannah.

Minha namorada está com aquela expressão "estou fazendo muita força para não demonstrar o quanto estou furiosa agora", mas posso sentir as emoções voláteis que irradiam de seu corpo. Ela alisa a ponta do avental. "Sério mesmo? Porque eu acreditei rapidinho", responde Hannah. "Aposto que esse era o plano dele o tempo todo. Me deixar maluca por dois meses e depois me sacanear logo antes do show."

"Filho da mãe", Dexter murmura de seu assento ao lado de Allie. "Alguém precisa dar uma boa surra nesse menino." Dex se volta para mim e Logan. "Será que algum de vocês jogadores de hóquei não pode resolver esse problema? Só um sustinho?"

"Com prazer", diz Logan, alegremente. "Qual é o endereço?"

Cutuco meu amigo de lado. "Não vamos bater em ninguém, seu idiota. A menos que você queira enfrentar a ira do treinador... e uma suspensão." Eu me viro para Hannah com um olhar pesaroso. "Não se preocupa, estou espancando o cara agorinha mesmo na minha cabeça, linda. Isso conta, né?"

Ela ri. "Claro. Isso eu deixo." E enfia o bloco de pedidos no bolso do avental. "Já volto."

À medida que Hannah segue para a bancada, fico admirando sua bunda por tanto tempo que recebo três risos altos de escárnio de meus companheiros de mesa. E nem me fale em como é estranho estar numa mesa com meu melhor amigo e os melhores amigos *de Hannah*.

Tinha certeza de que seus amigos artistas seriam condescendentes e frios a meu respeito, sobretudo depois que ela me contou o que pensam da turminha de atletas da Briar. Mas acho que meu charme natural os conquistou. Allie e Dex já me tratam como se fôssemos amigos de anos. Stella, que descobriu sua paixão por hóquei durante o jogo contra Harvard, agora me manda mensagens dia sim, dia não para perguntar alguma coisa sobre o esporte. E embora aquele tal de Jeremy ainda seja um tanto irônico toda vez que me vê, sua namorada, Megan, é muito legal, então estou disposto a dar mais algumas chances para ele provar que não é um babaca.

"Ela tá puta da vida", comenta Logan enquanto observa Hannah conversando com o cozinheiro atrás do balcão de pedidos.

"Não é pra menos", responde Dex. "Sério, que tipo de sacanalha egoísta larga a dupla logo antes de um show?"

Logan solta um risinho. "Sacanalha? Certeza que vou passar a usar isso."

"Ela vai ficar bem", comenta Allie, confiante. "Hannah tem músicas impressionantes. Não precisa de Cass."

"Ninguém precisa de Cass", concorda Dex. "É o equivalente humano da sífilis."

Enquanto todos riem, perco-os de foco e volto toda a minha atenção para Hannah. Não esqueço da primeira vez que vim ao Della's, com o único propósito de persuadi-la a me dar aulas. Faz só um pouco mais de um mês, mas sinto como se a conhecesse desde sempre.

Não sei o que estava pensando quando determinei aquela regra de não namorar. Sabe de uma coisa? Ter uma namorada é bom demais. Sério. Posso transar sempre que quiser, sem ter que me esforçar para isso. Tenho alguém para desabafar depois de um dia de merda ou uma derrota devastadora no gelo. Posso fazer as piadas mais medíocres do mundo, e o mais provável é que Hannah ria.

Ah, e adoro estar com ela, simples assim.

Hannah volta à nossa mesa trazendo as bebidas. Ou melhor, trazendo as bebidas que Allie e Dex pediram. Logan e eu pedimos refrigerante, mas recebemos água.

"Cadê meu Dr. Pepper, Wellsy?", reclama Logan.

Ela o fita com um olhar severo. "Você sabe quanto açúcar tem num refrigerante?"

"Uma quantidade perfeitamente aceitável que não me impede de beber um?", arrisca Logan.

"Errado. A resposta é *demais da conta*. Vocês vão jogar contra o Michigan em uma hora... não podem se entupir de açúcar antes de uma partida. Vão ter uma descarga de energia de cinco minutos e depois apagar na metade do primeiro período."

Logan suspira. "G., por que a sua namorada virou nossa nutricionista agora?"

Pego meu copo d'água e dou um gole, derrotado. "Quer discutir com ela?"

Logan vira-se para Hannah, cuja expressão diz, de forma patente: *refrigerante, só por cima do meu cadáver*. Então se volta para mim e responde, triste: "Não".

34

HANNAH

Meu telefone apita logo antes da meia-noite, mas não estou dormindo. Na verdade, nem vesti o pijama ainda. No segundo em que cheguei em casa depois do trabalho, peguei o violão e voltei ao trabalho. Agora que Cass complicou minha vida da forma mais egoísta e vingativa possível, coisas como "colocar o sono em dia", "relaxar" e "não entrar em pânico" não existem mais. Pelo próximo mês, serei praticamente um zumbi, a menos que encontre, magicamente, um jeito de conciliar faculdade, trabalho, Garrett e ensaios sem ter um colapso nervoso.

Baixo o violão e dou uma olhada no celular. É Garrett.

Ele: *N consigo dormir. Acordada?*

Eu: *Tá c/ segundas intenções?*

Ele: *N. Quer q esteja?*

Eu: *N, tô ensaiando. Totalmente estressada.*

Ele: *Mais uma razão pra segundas intenções.*

Eu: *Pode ir sossegando o facho, cara. Pq vc não consegue dormir?*

Ele: *Td dói.*

Sinto uma onda de pena tremular em minha barriga. Garrett tinha ligado mais cedo para dizer que eles perderam o jogo, e aparentemente ele levou umas pancadas feias esta noite. Da última vez que conversamos, ainda estava botando bolsas de gelo pelo corpo inteiro.

Estou com muita preguiça de digitar, então ligo, e Garrett atende no primeiro toque.

Sua voz rouca preenche meu ouvido. "Oi."

"Oi." Eu me recosto contra o travesseiro. "Desculpa não poder ir até aí beijar todos os seus dodóis, mas estou trabalhando na música."

"Tudo bem. Só tem um dodói que quero que você beije, e você parece distraída demais para isso." Ele faz uma pausa. "Tô falando do meu pinto, viu?"

Contenho uma risada. "É. Entendi. Não precisa explicar."

"Já decidiu qual música vai cantar?"

"Acho que sim. A que cantei para você no mês passado, quando estávamos estudando. Lembra?"

"Lembro. Era triste."

"Triste é bom. Gera mais impacto emocional." Hesito. "Esqueci de perguntar hoje mais cedo... seu pai foi ao jogo?"

Uma pausa. "Nunca perde um."

"Tocou no assunto do dia de Ação de Graças de novo?"

"Não, ainda bem. Nem sequer olha para mim quando a gente perde, então não imaginei que estaria a fim de papo." A voz de Garrett está repleta de amargura, e o ouço limpando a garganta. "Coloca no viva-voz. Quero ouvir você cantar."

Meu coração está apertado de emoção, mas tento esconder a reação, adotando um tom descontraído. "Quer que eu cante uma música de ninar, coisinha linda da mamãe?"

Ele ri. "Parece que meu peito foi atropelado por um caminhão. Preciso de uma distração."

"Tudo bem." Aperto o botão de viva-voz e pego o violão. "Sinta-se livre para desligar se ficar entediado."

"Linda, eu poderia assistir a você vendo *tinta secar* e não ficaria entediado."

Garrett Graham, meu galanteador pessoal.

Coloco o violão no colo e canto a música desde o início. Minha porta está fechada, e, embora as paredes do quarto sejam finas, não me preocupo em acordar Allie. A primeira coisa que fiz depois que Fiona me deu a notícia foi dar a Allie um par de protetores auriculares e avisá-la de que, até o festival, vou virar noites cantando.

Estranhamente, não estou mais com raiva. Estou *aliviada*. Cass tinha transformado o nosso dueto num número espalhafatoso e cheio de firulas, do tipo que desprezo. Então, por mais irritante que seja levar um fora, a melhor coisa é não ter que cantar com ele.

Repasso a música três vezes, até que minha voz fica rouca, e preciso parar e virar a garrafa d'água que tenho na mesinha de cabeceira.

“Ainda aqui, sabia?”

A voz de Garrett me assusta. Então rio, porque sinceramente tinha me esquecido de que ele estava na linha. “Não consegui colocar você para dormir, né? Não sei se deveria me sentir lisonjeada ou insultada.”

“Lisonjeada. Sua voz me dá calafrios. É impossível dormir.”

Sorrio, mesmo que ele não possa me ver. “Preciso dar um jeito neste último refrão. Fechar com uma nota alta ou baixa? Hmmm, talvez devesse mudar a parte do meio também. Quer saber? Tenho uma ideia. Vou desligar agora para resolver isso, e você precisa ir dormir. Boa noite, cara.”

“Wellsy, espere”, ele chama, antes que eu possa desligar.

Tiro o telefone do viva-voz e o levo ao ouvido. “O que foi?”

Sou recebida pela pausa mais longa do mundo.

“Garrett? Você está aí?”

“Hmm, estou. Desculpa. Ainda aqui.” Uma respiração pesada corta a chamada. “Vem comigo para o dia de Ação de Graças?”

Fico paralisada. “Sério?”

Outra pausa, ainda maior que a primeira. Chego a achar que vai retirar o convite. E acho que não ficaria chateada se o fizesse. Sabendo o que sei sobre o pai de Garrett, não tenho certeza se posso me sentar em uma mesa de jantar com o sujeito sem pular no pescoço dele.

Que tipo de homem bate no próprio filho? No filho de *doze* anos de idade.

“Não posso voltar lá sozinho, Hannah. Vem comigo?”

Sua voz falha nas últimas palavras, o que me parte o coração. Deixo escapar um suspiro e digo: “Claro que vou”.

35

HANNAH

A casa do pai de Garrett não é a mansão que eu esperava, mas uma casinha geminada de arenito vermelho, em Beacon Hill, o que imagino ser o equivalente a uma mansão quando se trata de Boston. O bairro, no entanto, é lindo. Já estive em Boston várias vezes, mas nunca nesta área chique, e não posso deixar de admirar a fileira de casas belíssimas do século XIX, as calçadas de tijolos e os antigos postes de lampião a gás ladeando as ruas estreitas.

Garrett mal fala uma palavra durante o trajeto de duas horas até a cidade. A tensão emana de seu corpo sob o terno em ondas constantes e palpáveis, o que só me faz ficar mais nervosa. E sim, digo *sob o terno*, porque ele está de calça social preta, uma camisa de botão impecável, paletó preto e gravata. O tecido caro envolve seu corpo musculoso como algo saído de um sonho, e nem a cara feia constante é capaz de reduzir sua sensualidade.

Aparentemente, seu pai exigiu que usasse um terno. E quando Phil Graham descobriu que o filho iria acompanhado, também pediu que me vestisse formalmente, daí o meu vestido azul de festa, que usei no festival de primavera. O tecido sedoso vai até o joelho, e combinei com sapatos prateados de salto dez que fizeram Garrett sorrir quando apareceu à minha porta, pois segundo ele agora talvez fosse capaz de me beijar em pé sem ficar com torcicolo.

Somos recebidos à porta não pelo pai de Garrett, mas por uma loura bonita num longo vermelho. Também está com um casaquinho de renda preto de manga comprida, o que me parece estranho, já que a temperatura dentro de casa está a um milhão de graus. Juro, está *muito quente* aqui, então faço questão de tirar rapidamente meu sobretudo na antessala elegante.

"Garrett", cumprimenta a mulher, calorosamente. "Que bom conhecer você. Finalmente."

Aparenta estar na casa dos trinta, mas é difícil julgar, porque tem o que costumo chamar de "olhos velhos". Aquele olhar profundo e experiente que revela que uma pessoa que tem a experiência de diversas gerações. Não sei por que acho isso. Nada em sua roupa elegante ou no sorriso perfeito sugere que tenha passado por alguma situação difícil, mas a sobrevivente em mim logo sente uma conexão com ela.

Garrett responde com um brusco, mas educado: "Bom conhecer você também...?".

Ele deixa a frase no ar, e os pálidos olhos azuis da mulher tremulam de infelicidade, ao perceber que o pai de Garrett não tinha dito ao filho o nome da namorada.

Seu sorriso vacila por um instante, antes de reaparecer. "Cindy", ela completa a frase. "E você deve ser a namorada de Garrett."

"Hannah", apresento-me, apertando sua mão.

"Muito prazer. Seu pai está na sala de visitas", anuncia ela a Garrett. "Está muito ansioso para ver você."

A bufada de sarcasmo que vem da direção de Garrett não passa despercebida nem para Cindy nem para mim. Aperto a mão de meu namorado num aviso silencioso para ser gentil, perguntando-me o tempo todo o que ela quis dizer com "sala de visitas". Sempre achei que a sala de visitas fosse onde as pessoas ricas se reuniam para beber xerez ou conhaque antes de passarem ao salão de jantar de trinta lugares.

Mas o interior da casa é muito maior do que parece pelo lado de fora. Passamos por duas salas — uma de estar e outra também de estar — antes de chegarmos à sala de visitas. Que parece... outra sala de estar. Penso na casa apertada dos meus pais em Ransom e em como aqueles míseros três cômodos quase os faliram, e sinto uma onda de tristeza. Não me parece justo que um homem como Phil Graham tenha todas estas salas e o dinheiro para mobiliá-las, enquanto pessoas boas como os meus pais têm que trabalhar tão duro para manter um teto sobre a cabeça.

Quando entramos, o pai de Garrett está numa poltrona marrom, equilibrando um copo com um líquido âmbar no joelho. Como Garrett está de terno, a semelhança entre os dois é chocante. Têm os mesmos olhos cinzentos, o mesmo queixo forte e o rosto esculpido, mas as feições de Phil parecem mais marcadas, e ele tem rugas ao redor da boca, como se tivesse passado tempo demais fazendo cara feia e os músculos tivessem congelado nessa posição.

"Phil, esta é Hannah", Cindy me apresenta, animada, sentando no sofá estofado de dois lugares ao lado da poltrona de Phil.

"Prazer em conhecê-lo, sr. Graham", cumprimento, educada.

Ele acena para mim.

Só isso. Um *aceno* de cabeça.

Não tenho ideia do que dizer depois disso, e minha mão umedece a de Garrett.

"Sentem-se, meninos." Cindy gesticula para o sofá de couro perto da lareira elétrica.

Obedeço.

Garrett permanece de pé. Não diz uma palavra para o pai. Nem para Cindy. Nem para mim.

Ai, merda. Se está pensando em seguir com este gelo a noite toda, então vai ser um longo e difícil dia de Ação de Graças.

Um silêncio absoluto se estende entre nós quatro.

Esfrego as mãos suadas nos joelhos e tento sorrir, mas talvez tenha feito uma careta. "Então... nada de futebol?", pergunto, descontraída, olhando para a TV de tela plana presa à parede. "Achei que fosse uma tradição de Ação de Graças." Isso é só o que minha família costuma fazer quando vamos para a casa de tia Nicole no feriado. Meu tio Mark é um fã inveterado de futebol, e, embora o restante de nós prefira hóquei, ainda nos divertimos assistindo à programação inteiramente dedicada ao futebol.

Garrett, no entanto, se recusou a chegar mais cedo do que o necessário, então as partidas da tarde já acabaram. Mas tenho certeza de que o jogo do Dallas está só começando.

Cindy é rápida em negar com a cabeça. "Phil não gosta de futebol."

"Ah", digo.

Surpresa: mais silêncio.

"Então, Hannah, o que você estuda?"

"Música. Performance vocal, para ser mais específica."

"Ah", diz ela.

Silêncio.

Garrett repousa o ombro contra a estante de carvalho alta perto da porta. Dou uma olhada na sua direção e vejo que sua expressão é completamente vazia. Outra olhada na direção de Phil e vejo que sua expressão é a mesma.

Ai, Deus. Acho que não vou ser capaz de sobreviver a esta noite.

"O cheiro está maravilhoso...", começo.

"Preciso dar uma olhada no peru...", começa Cindy.

Nós duas rimos, sem jeito.

"Deixa eu te ajudar com isso." Praticamente pulo do sofá, o que é um grande erro quando se está calçando um salto dez. Desequilibro-me por um instante e quase tenho um ataque do coração, com medo de tropeçar, mas então retomo o controle e consigo dar um passo sem cair.

Sim, sou uma péssima namorada. Situações desconfortáveis me deixam nervosa e inquieta e, por mais que queira ficar ao lado de Garrett e transmitir apoio ao longo desta noite infernal, não posso suportar a ideia de ficar presa numa sala com dois machos cuja hostilidade está envenenando o oxigênio do ar.

Lanço um olhar de desculpas para Garrett e sigo Cindy, que me leva até uma cozinha grande e moderna, com utensílios de inox e bancadas de mármore preto. Os cheiros deliciosos estão mais fortes aqui, e vejo travessas cobertas de papel-alumínio sobre a bancada suficientes para alimentar todo um país de Terceiro Mundo.

"Você fez tudo isso?", exclamo.

Ela se vira com um sorriso tímido. "Fiz. Adoro cozinhar, mas Phil raramente me dá a chance. Prefere jantar fora."

Cindy coloca um par de luvas antes de abrir a porta do forno. "Então, há quanto tempo você e Garrett estão juntos?", pergunta, puxando conversa e colocando a enorme travessa de peru sobre a grelha do fogão.

"Um mês, mais ou menos." Observo enquanto ela levanta o papel-alumínio, revelando a enorme ave. "E você e o sr. Graham?"

"Pouco mais de um ano." Está de costas para mim, então não posso ver sua expressão, mas algo em seu tom me faz levantar a guarda. "Nos conhecemos num evento de caridade que eu estava organizando."

"Ah. Você é produtora de eventos?"

Ela enfia um termômetro no peito do peru e depois nas coxas, e seus ombros relaxam visivelmente. "Está pronto", murmura. "E, respondendo à sua pergunta, eu *era* produtora de eventos, mas vendi minha empresa há alguns meses. Phil disse que sente muito a minha falta quando estou no trabalho."

Hã... Como assim?

Jamais poderia me imaginar desistindo de uma carreira porque um homem *sente muito a minha falta quando estou no trabalho*. Para mim, isso é o que chamo de alerta vermelho, se é que já vi um.

"Ah. Que... gentil." Aponto para a bancada. "Quer que eu ajude a esquentar isso? Ou não vamos comer agora?"

"Phil quer comer no instante em que o peru ficar pronto." Ela ri, mas soa forçada. "Quando estabelece um cronograma, quer que todos o sigam." Cindy aponta para a grande bacia no micro-ondas. "Pode começar esquentando o purê. Ainda preciso fazer o molho." Ela pega um pacote de molho pronto. "Normalmente faço do zero, usando o caldo do peru, mas não temos tempo, então vai ter que ser com isso."

Cindy desliga o forno e coloca o peru na bancada antes de voltar sua atenção para o molho. A parede sobre o fogão tem um monte de ganchos com panelas e frigideiras penduradas. Quando se estica para pegar uma delas, suas mangas rendadas deslizam pelo braço, e, ou estou imaginando coisas, ou há hematomas preto-azulados na parte interna de ambos os pulsos.

Como se alguém a tivesse agarrado. Com força.

Seus braços descem de novo, as mangas cobrem a pele, e decido que era só a renda preta brincando com meus olhos.

"Você mora aqui com o sr. Graham ou tem sua própria casa?", pergunto, enquanto espero o purê de batatas terminar de esquentar no micro-ondas.

"Vim morar com Phil cerca de duas semanas depois de nos conhecermos", admite.

Tenho que estar imaginando coisas, porque não é possível que o tom em sua voz seja de amargura, é?

"Ah. Meio impulsivo. Vocês mal se conheciam, não é?"

"É. Mal nos conhecíamos."

Certo, não estou imaginando coisas.

Isso foi *totalmente* amargurado.

Cindy olha por cima do ombro com um brilho inconfundível de tristeza nos olhos. "Não sei se alguém já lhe disse isso, mas a espontaneidade normalmente se volta contra você."

Não tenho ideia de como responder.

Então digo: "Ah".

Sinto que vou repetir muito isso esta noite.

36

GARRETT

Ele bate nela.

O filho da puta bate nela.

Bastam trinta minutos na companhia de Cindy para chegar a essa conclusão. Para entender os sinais. Vejo na forma como ela se esquiva quando ele a toca. Bem de leve e provavelmente imperceptível para os outros, mas é o mesmo jeito com que minha mãe reagia quando ele se aproximava dela. Quase como se estivesse antecipando o próximo golpe do seu punho, da palma da mão ou da merda da bota.

Mas esse não é o único sinal de alerta que Cindy está exibindo. O negócio rendado de manga comprida em cima do vestido vermelho torna óbvio — já fiquei com garotas de fraternidade demais para saber que não se combina sapato branco com casaco preto. E tem também o brilho de medo que se acende nos olhos dela toda vez que meu pai ameaça se mexer na cadeira. O jeito triste com que seus ombros desabaram quando ele disse que o molho estava aguado. A penca de elogios que lança na direção dele, porque obviamente quer deixá-lo feliz. Não, deixá-lo *calmo*.

No meio do jantar, minha gravata está praticamente me enforcando, e tenho certeza de que não vou ser mais capaz de controlar a raiva. Não acho que vou conseguir chegar ao final da sobremesa sem atacar o velho e perguntar como tem coragem de fazer isso com outra mulher.

Cindy e Hannah estão falando sobre alguma coisa. Não tenho ideia do que é. Meus dedos apertam o garfo com tanta força que fico surpreso de não quebrá-lo ao meio.

Ele tentou falar comigo sobre hóquei mais cedo, quando Hannah e Cindy estavam na cozinha. Tentei responder. Sei que fui capaz de elaborar frases propriamente ditas, com sujeito, predicado e a porra toda. Mas, desde que Hannah e eu entramos nesta maldita casa, minha cabeça está longe. Cada cômodo guarda uma memória que me faz a bile subir à garganta.

A cozinha foi onde quebrou meu nariz pela primeira vez.

A pior parte era lá cima, no meu quarto, onde nem ouso entrar hoje, porque tenho medo de que as paredes se fechem sobre mim.

Na sala de estar ele me espremeu contra a parede uma vez, quando meu time do oitavo ano não chegou às finais. Mas notei que ele cobriu o buraco no gesso com um quadro.

"Então é isso", Hannah está dizendo. "Agora vou apresentar um solo, que é o que deveria ter feito desde o início."

Cindy faz um barulho para expressar sua empatia. "Esse menino parece um pirralho mimado."

"Cynthia", diz meu pai, bruscamente. "Modos."

E lá está de novo — o estremecimento assustado. Um fraco "Sinto muito" é o que deveria seguir a reprimenda, mas, para a minha surpresa, ela não pede desculpas.

"Você não acha, Phil? Imagine se estivesse jogando com o Rangers e o seu goleiro deixasse você na mão às vésperas do primeiro jogo da Copa Stanley?"

Meu pai tensiona a mandíbula. "As duas situações são incomparáveis."

Cindy logo volta atrás. "É, acho que são."

Enfio uma garfada de purê de batata e recheio de peru na boca.

O olhar frio de meu pai recai sobre Hannah. "Há quanto tempo está saindo com meu filho?"

Vejo-a se ajeitando desconfortável na cadeira de canto de olho. "Um mês."

Ele assente, quase como se tivesse gostado da resposta. Quando fala de novo, percebo exatamente com o que ficou satisfeito. "Não é sério, então."

Hannah franze o cenho.

Eu também, porque sei o que ele está pensando. Não, sei pelo que está *torcendo*. Que esta coisa com Hannah seja passageira. Que esmoreça o mais rápido possível, para que eu possa voltar a me concentrar exclusivamente no hóquei.

Mas ele está errado. Merda, eu também estava errado. Achei que ter uma namorada iria me distrair de meus objetivos e dividir minha atenção. Adoro estar com Hannah, mas não perdi o hóquei de vista. Ainda estou mandando ver nos treinos e esmagando meus adversários no rinque. Este último mês me mostrou que posso ter Hannah *e* o hóquei na minha vida, e dar aos dois a atenção necessária.

"Garrett comentou com você que está planejando entrar no *draft* depois da formatura?", pergunta meu pai.

Hannah assente em resposta.

"Assim que for convocado, a agenda dele vai ficar ainda mais caótica. E imagino que a sua também." Meu pai pressiona os lábios. "Onde se vê depois da formatura? Na Broadway? Gravando um disco?"

"Não decidi ainda", responde ela, pegando o copo de água.

Noto que seu prato está vazio. Terminou tudo, mas não pediu para repetir. Nem eu, embora não possa negar que a comida de Cindy seja muito boa. Faz anos que não provo um peru tão suculento.

"Bom, a indústria musical é cruel para quem está começando uma carreira. Exige trabalho duro e muita perseverança." Meu pai faz uma pausa. "E uma dedicação imensa."

"Estou bem ciente disso." Os lábios de Hannah se fecham numa linha rígida, como se ela tivesse muito mais a falar e estivesse se contendo.

"O esporte profissional é a mesma coisa", acrescenta meu pai, severamente. "Exige o mesmo grau de dedicação. Distrações podem custar caro." Sua cabeça se volta na minha direção. "Não é, filho?"

Estico o braço e cubro a mão de Hannah com a minha. "Algumas distrações valem a pena."

Vejo suas narinas se expandindo.

"Parece que todo mundo já acabou de comer", intervém Cindy. "Que tal a sobremesa?"

Meu estômago revira diante da ideia de passar um segundo sequer a mais nesta casa. "Na verdade, Hannah e eu temos que ir", digo, bruscamente. "A previsão do tempo disse que ia nevar esta noite, e quero voltar antes que a estrada fique ruim."

Cindy volta a cabeça para as janelas que vão do chão ao teto do outro lado da sala de jantar. Atrás do vidro, não há um floco branco sequer no ar ou no chão.

Mas, graças a Deus, não comenta sobre a ausência de neve na rua. Se demonstra alguma coisa, é alívio de que a noite desconfortável esteja chegando ao fim.

"Vou tirar a mesa", oferece Hannah.

Cindy assente. "Obrigada, Hannah. Muito gentil da sua parte."

"Garrett." Meu pai arrasta a cadeira para trás. "Quero falar com você."

Então deixa a sala.

À merda ele e suas intimações. O filho da mãe nem agradeceu à namorada pela comida maravilhosa que preparou. Estou muito cansado desse cara, mas engulo a raiva e o sigo para fora da sala de jantar.

"O que você quer?", pergunto, assim que entramos em seu escritório. "E nem adianta me mandar ficar para a sobremesa. Vim para o dia de Ação de Graças, comemos peru, e agora tô indo embora."

"Não estou nem aí para a sobremesa. Precisamos falar sobre aquela garota."

"Aquela garota?" Solto uma risada ríspida. "Você tá falando de Hannah? Porque ela não é só uma garota. Ela é a minha *namorada*."

"Ela é uma fraqueza", retruca ele.

Reviro os olhos. "Como chegou a essa conclusão?"

"Você perdeu dois dos últimos três jogos!", explode ele.

"E isso é culpa dela?"

"Claro que é! Está fazendo você perder o foco no jogo."

"Eu não sou o único no rinque", digo, simplesmente. "E não fui o único que cometeu erros nesses jogos."

"No último, você cometeu um pênalti que custou muito caro", revida.

"É, cometi. Grande coisa. Ainda estamos no primeiro lugar da chave. Segundo no geral."

"Segundo lugar?" Está gritando agora, as mãos cerradas à medida que caminha na minha direção. "E você está feliz de ficar em *segundo* lugar? Criei você para chegar em *primeiro*, seu bosta!"

Teve uma época em que esses olhos em chamas e o rosto vermelho me fariam vacilar também. Mas não mais. Quando completei dezesseis anos e fiquei cinco centímetros mais alto e vinte quilos mais forte que meu pai, me dei conta de que não precisava mais ter medo dele.

Nunca vou esquecer a expressão nos olhos dele na primeira vez que reagi. Seu punho estava vindo na minha direção, e, num momento de clareza, percebi que podia *bloqueá-lo*. Não precisava mais ficar ali e apanhar. Podia devolver de igual para igual.

E devolvi. Ainda me lembro a satisfação de chocar meus punhos contra o queixo dele. E, embora tenha esbravejado de raiva, havia espanto — e medo — genuíno em seus olhos quando tropeçou para trás com a força do impacto.

Aquela foi a última vez que ele levantou a mão contra mim.

"O que você vai fazer?", provoco, apontando para os seus punhos. "Me bater? O quê, cansou de descontar naquela mulher?"

Seu corpo inteiro fica mais rígido do que granito.

"Acha que não sei que você tá usando Cindy como saco de pancada?", sibilo.

"Olha essa boca, garoto."

A raiva em minhas entranhas me domina. "Vai se foder", disparo. Minha respiração fica entrecortada à medida que o encaro nos olhos. "Como você consegue encostar um dedo nela? Como consegue encostar um dedo em *qualquer* pessoa? Qual é o seu problema?"

Ele caminha na minha direção, parando a meros trinta centímetros. Por um segundo, acho que vai mesmo me bater. Quase *quero* que o faça. Assim vou poder bater de volta. Arrebentar os punhos nessa cara idiota e mostrar o que é apanhar de alguém que deveria amar você.

Mas meus pés permanecem fixos no mesmo lugar, as mãos rígidas junto ao corpo. Porque não importa o quanto queira esmurrá-lo, nunca vou me deixar chegar tão baixo quanto ele. Nunca vou perder o controle e ficar *igual* a ele.

"Você precisa de ajuda", exclamo. "É sério, velho. Precisa, e realmente espero que você procure ajuda antes de machucar aquela mulher mais do que já fez."

Arrasto-me para fora do escritório. Minhas pernas tremem tanto que é um milagre que consigam me carregar até a cozinha, onde encontro Hannah na pia, passando uma água nos pratos. Cindy está colocando a louça na máquina. Ambas se viram quando apareço, e as duas ficam pálidas.

"Cindy." Limpo a garganta, mas o nó imenso permanece. "Sinto muito ter que roubar Hannah agora, mas precisamos ir."

Depois de uma longa pausa, os cabelos louros movem-se num aceno rápido de cabeça. "Sem problema. Posso cuidar do resto."

Hannah desliga a torneira e caminha na minha direção lentamente. "Tudo bem?"

Balanço a cabeça. "Você pode esperar no carro? Preciso falar com Cindy um segundo."

Em vez de sair da cozinha, Hannah caminha de volta até a mulher, hesita por um instante e então lhe dá um abraço caloroso. "Muito obrigada pelo jantar. Feliz dia de Ação de Graças."

"Feliz dia de Ação de Graças", murmura Cindy, com um sorriso tenso.

Enfio a mão no bolso interno do paletó e pego as chaves do carro. "Toma. Vai ligando o carro", digo a Hannah.

Ela deixa a cozinha sem dizer mais nada.

Respirando fundo, caminho sobre o piso de azulejos e paro bem na frente de Cindy. Para meu horror, ela reage com o estremecimento mínimo e assustado que passei a noite testemunhando. Como se isso fosse uma situação *tal pai, tal filho*. Como se eu fosse...

"Não vou machucar você." Minha voz se quebra feito um ovo. Sinto náuseas só de ter que dizer isso a ela.

O pânico envolve seus olhos. "O quê? Ah, querido, não. Não achei..."

"Achou sim", digo, baixinho. "Não tem problema. Não a culpo. Sei o que é..." Engulo em seco. "Escuta, não tenho muito tempo, porque preciso sair desta casa antes que faça alguma coisa de que me arrependa, mas preciso que você saiba de uma coisa."

Ela solta a porta da lava-louça, pouco à vontade. "O quê?"

"Eu..." Engulo outro nó profundo e tento ir direto ao ponto, porque nenhum de nós quer mesmo ter esta conversa. "Ele também fazia isso comigo e com a minha mãe, tá legal? Abusou da gente, física e verbalmente, por anos."

Seus lábios se entreabrem, mas ela não diz uma palavra.

Sinto um aperto no coração à medida que me forço a prosseguir. "Ele não é um homem bom. É perigoso, violento e... doente. Ele é doente. Você não precisa me dizer o que ele tá fazendo com você. Talvez eu esteja errado e ele não esteja fazendo nada... mas acho que tá, porque vejo no jeito como você reage perto dele. Também reagi assim. Cada movimento meu, cada palavra que dizia... tudo que fiz era marcado pelo medo, porque estava desesperado para que não me espancasse de novo."

Seu olhar desolado é toda a confirmação de que preciso.

"Enfim." Inspiro fundo. "Não vou arrancar você daqui nos meus ombros, nem chamar a polícia e dizer que esta casa abriga um caso de abuso. Não é o meu papel, e não vou interferir. Mas preciso que você saiba de algumas coisas. Um, não é culpa sua. Nunca se culpe por isso, porque a responsabilidade é toda dele. Você não fez nada para provocar a crítica dele nem seus ataques verbais, e só deixou de corresponder às expectativas dele porque elas são *impossíveis* de corresponder." Meu peito se aperta com tanta força que minhas costelas doem. "E dois, se algum dia você precisar de alguma coisa, qualquer coisa, quero que me ligue, certo? Se quiser conversar, ou ir embora e precisar de ajuda para juntar suas coisas ou qualquer coisa, me liga. Ou se ele... fizer alguma coisa e você precisar de ajuda, pelo amor de Deus, me liga. Promete?"

Cindy parece estupefata. Completa e inteiramente estupefata. Seus olhos azuis estão vidrados, e ela começa a piscar depressa, como se estivesse tentando conter as lágrimas.

A cozinha fica tão silenciosa quanto uma casa funerária. Ela simplesmente me fita, piscando loucamente, os dedos de uma das mãos mexendo na manga.

Depois do que parece uma eternidade, acena com a cabeça, trêmula, e sussurra: "Obrigada".

O aquecimento está a toda quando sento no banco do motorista. Hannah ligou o carro e está de cinto, como se estivesse tão desesperada quanto eu para sair daqui.

Passo a marcha e acelero, afastando-me do meio-fio, numa urgência de me afastar dessa casa. Se tiver a sorte de jogar pelo Boston algum dia, vou morar o mais longe possível de Beacon Hill.

"Então... foi tudo meio intenso", comenta Hannah.

Não posso conter o riso de escárnio. "Meio?"

Ela suspira. "Tava tentando ser diplomática."

"Nem precisa se dar ao trabalho. Foi um pesadelo do início ao fim." Meus dedos apertam o volante com tanta força que ficam brancos. "Ele bate nela."

Há um momento de silêncio, mas quando Hannah responde, é com tristeza, e não surpresa. "Foi o que pensei. A manga dela deslizou na cozinha, e achei ter visto marcas nos pulsos."

A revelação provoca uma nova onda de raiva. Merda. Uma parte de mim queria que estivesse errado a respeito de Cindy.

O silêncio recai sobre nós à medida que pego o acesso à estrada. Pouso a mão no câmbio, e Hannah a cobre com a sua. Acaricia meus dedos, o toque gentil aliviando um pouco da pressão em meu peito.

"Ela ficou com medo de mim", murmuro.

Desta vez, *Hannah* demonstra surpresa. "Do que você tá falando?"

"Quando fiquei sozinho com ela na cozinha, dei um passo na sua direção, e ela estremeceu. Ela *estremeceu*, como se estivesse com medo que eu fosse machucá-la." Minha garganta se fecha. "Tudo bem, eu entendo. Minha mãe era assim também. Eu também. Mas... caralho. Não acredito que ela achou que eu fosse capaz de bater nela."

A voz de Hannah se embarga de tristeza. "Acho que não é só com você. Ele tá abusando dela, então Cindy deve ter medo de *todo mundo* que se aproxima. Foi assim comigo depois do estupro. Assustada, nervosa, suspeitando de todo mundo. Levei muito tempo para relaxar na frente de estranhos, e, mesmo agora, tem coisas que ainda não faço. Como beber em público. Quer dizer, a menos que você esteja lá para ser meu guarda-costas."

Sei que o último comentário foi uma tentativa de me fazer sorrir, mas não é o que acontece. Ainda estou preocupado com a reação de Cindy.

Na verdade, perdi a vontade de conversar. Simplesmente... não consigo. Ainda bem que Hannah não me força. Adoro isso nela, nunca força a barra para preencher os silêncios.

Ela pergunta se tudo bem botar uma música e, quando faço que sim, liga o iPod no som do carro e coloca uma seleção que de fato me faz sorrir. É a de rock clássico que mandei para ela por e-mail, quando nos conhecemos. Percebo que pula a primeira música, porque era a preferida da minha mãe. Tenho certeza de que explodiria de chorar se a ouvisse agora.

E isso demonstra o quanto Hannah Wells é... maravilhosa. É tão atenta a mim, meu humor, minhas dores. Nunca estive com alguém que me entendesse tão bem.

Uma hora se passa. Sei que foi uma hora porque é o tempo de duração da playlist, e quando ela termina, Hannah coloca outra, o que me faz sorrir também, porque tem um monte de Rat Pack, Motown e Bruno Mars.

Estou calmo agora. Na real, *um pouco mais* calmo. Toda vez que sinto como se estivesse relaxando, lembro do medo nos olhos de Cindy, e a pressão aperta meu peito de novo. À medida que as incertezas se misturam em minhas entranhas, forço-me a não me ater à pergunta que remói meu cérebro, mas, ao acelerar pela rampa de saída e seguir pela estrada de duas pistas rumo a Hasting, ela me volta à cabeça, e, desta vez, não consigo evitá-la.

"E se eu for capaz?"

Hannah abaixa o volume. "De quê?"

"E se eu for capaz de machucar alguém?", pergunto, a voz rouca. "E se for igualzinho a ele?"

Ela responde convicta. "Você não é."

Uma tristeza me sobe pela coluna. "Tenho o mesmo temperamento, *sei* que tenho. Queria estrangulá-lo hoje." Aperto os lábios. "Precisei de toda a minha força de vontade para não jogá-lo contra a parede e espancá-lo até a morte. Mas não valia a pena. *Ele* não vale a pena."

Ela pega a minha mão e entrelaça os dedos nos meus. "E é por isso que você não é como ele. Você *tem* essa força de vontade, e isso significa que não tem o mesmo temperamento. Porque ele é incapaz de se controlar. Deixa a raiva tomar conta e machuca as pessoas em volta, pessoas que são mais fracas do que ele." Ela aperta minha mão com mais força. "O que você faria se eu o irritasse agora?"

Pisco, confuso. "Como assim?"

"Vamos fingir que não estamos neste carro. Estamos no meu quarto, ou na sua casa, e... sei lá... digo que dormi com outra pessoa. Não, digo que estou dormindo com o time inteiro de hóquei desde que nos conhecemos."

O pensamento faz minhas entranhas se revirarem.

"O que você faria?", pergunta.

Olho para ela com uma cara feia. "Terminaria tudo e iria embora."

"Só isso? Não ficaria tentado a me bater?"

Recuo, horrorizado. "Claro que não. Pelo amor de Deus."

"Exatamente." A palma de sua mão move-se com carinho sobre meus dedos frios. "Porque você não é como ele. Não importa quão bravo fique com alguém, não iria machucar essa pessoa."

"Não é verdade. Já me envolvi em mais de uma briga no gelo", admito. "E, uma vez, soquei um cara no Malone's, mas foi porque ele disse alguma merda sobre a mãe do Logan, e eu *não* podia deixar meu amigo na mão."

Ela suspira. "Não estou dizendo que você seja incapaz de violência. Todo mundo é capaz. Estou dizendo que você não faria mal a alguém que ama. Pelo menos não intencionalmente."

Peço a Deus que esteja certa. Mas quando seu DNA vem de um homem que *faz* mal às pessoas que ama, vai saber.

Eu começo a tremer, e sei que Hannah percebe, porque aperta minha mão direita para firmá-la. "Para o carro", diz.

Franzo a testa de novo. Estamos bem num trecho escuro da estrada, e, muito embora não haja outros carros à vista, não gosto da ideia de parar no meio do nada. "Por quê?"

"Porque quero beijar você e não posso fazer isso enquanto seus olhos estão na estrada."

Um sorriso involuntário surge em meus lábios. Ninguém nunca me pediu para encostar o carro para poder me beijar. Embora esteja exausto, chateado, triste e sei lá mais o quê, a ideia de Hannah me beijando agora soa como o paraíso na terra.

Sem uma palavra, paro no acostamento, coloco em ponto morto e ligo o pisca alerta.

Ela se aproxima e segura meu queixo. Seus dedos delicados acariciam minha barba por fazer, então ela se inclina e me beija. Só um toque fugaz de seus lábios, antes de se afastar de leve e sussurrar: "Você não é como ele. Nunca vai ser". Seus lábios fazem cócegas em meu nariz e beijam a pontinha. "Você é uma pessoa boa." Ela me dá um beijinho na bochecha. "Você é honesto, bom e compassivo." Morde de leve meu lábio inferior. "Quer dizer, não me leve a mal, às vezes você é um idiota completo, mas é um tipo de idiotice tolerável."

Não posso conter um sorriso.

"Você não é como ele", repete, com mais firmeza agora. "A única coisa que vocês dois têm em comum é que os dois são jogadores de hóquei talentosos. Parou aí. Você *não* é como ele."

Nossa, como precisava ouvir isso. Suas palavras tocam aquele lugar aterrorizado em meu coração, e, à medida que a pressão em meu peito se dissipa, seguro sua cabeça por trás e a beijo com força. Minha língua penetra sua boca, e solto um gemido feliz, porque ela tem gosto de frutas vermelhas e cheiro de cereja, e adoro isso. Quero passar o resto da noite beijando essa mulher, o resto da vida, mas não esqueci de onde estamos no momento.

Relutante, interrompo o beijo — exatamente quando a mão dela baixa em direção à minha virilha.

"O que você tá fazendo?", rouquejo, e em seguida gemo de novo, quando ela esfrega meu pau dolorido por cima da calça.

"Qual é a sensação?"

Agarro sua mão para impedir seus movimentos. "Não sei se você tá ciente disso, mas estamos dentro do carro, no acostamento."

"Jura? Achei que estivéssemos num avião a caminho de Palm Springs."

Engulo uma risada, que se transforma num chiado quando a mulher provocante ao meu lado me acaricia de novo. Hannah aperta a cabeça do meu pau, e meu saco se contrai, pequenas ondas de calor varando meu corpo. Ai, merda. Está *longe* de ser a hora de fazer isto, mas tenho que saber se está tão excitada quanto eu e não consigo conter minha mão quando ela desce até o seu joelho. Acaricio a pele macia de sua coxa antes de deslizar a mão sob o vestido.

Encosto na calcinha e solto um gemido quando sinto o tecido úmido na palma da minha mão. Está molhada. Molhada de verdade.

De alguma forma, consigo puxar a mão de volta. "Não podemos fazer isso."

"Por que não?" Um brilho travesso se acende em seus olhos, o que não me surpreende, porque estou descobrindo depressa que Hannah é superaventureira quando confia em alguém e se permite baixar a guarda.

E ainda me surpreende que ela confie em *mim*.

"Qualquer um pode passar por nós." Faço uma pausa significativa. "Até uma viatura da polícia."

"Então é melhor sermos rápidos."

Num piscar de olhos, ela abre a minha calça e enfia a mão na minha cueca. Na mesma hora, meus olhos reviram para o alto.

"Pro banco de trás", explodo.

Seus olhos se arregalam e, em seguida, se enchem de prazer. "Sério?"

"Porra, se a gente vai fazer isso, melhor fazer direito", respondo, com um suspiro. "'Mostre a que veio ou nem precisa vir', lembra?"

A rapidez com que se lança no banco de trás me faz gargalhar. Rindo, abro o porta-luvas, pego uma tira de preservativos escondidos e me junto a ela.

Quando vê o que estou segurando, fica boquiaberta. "Camisinha? Tudo bem, talvez eu esteja brava com isso, apesar de que, provavelmente, não deveria estar, porque é muito útil agora. Mas, sério? Você tem camisinha no *carro*?"

Dou de ombros. "Claro. E se eu estiver dirigindo um dia e esbarrar com a Kate Upton enguiçada na beira da estrada?"

Hannah bufa. "Entendi. Esse é o seu tipo então? Louras peitudas com curvas de sobra?"

Cubro seu corpo com o meu e apoio os cotovelos ao seu lado. "Não... Prefiro morenas peitudas." Enterro o rosto em seu pescoço e acaricio sua pele. "Uma em especial. Que, aliás, também tem curvas de sobra." Minhas mãos escorregam até sua cintura. "E quadris minúsculos." Deslizo-as por ela e aperto suas curvas. "E uma bunda boa de pegar." Enfio uma das mãos entre suas pernas. "E a buceta mais apertada do planeta."

Ela estremece. "Você tem uma boca tão suja."

"É, mas você ainda me ama."

Sua respiração falha. "Verdade." Seus olhos verdes brilham para mim. "Eu te amo."

Meu coração quase explode enquanto essas três palavras maravilhosas pairam entre nós. Outras meninas já me disseram isso antes, mas desta vez é diferente. Porque é Hannah quem está falando, e ela não é qualquer menina. E porque sei que, ao dizer que me ama, está falando de mim — Garrett —, e não da estrela do time de hóquei da faculdade, nem do sr. Popular, nem do filho de Phil Graham. Ela *me* ama.

É difícil falar com o nó enorme que tenho na garganta. "Também te amo." É a primeira vez que digo a uma mulher que a amo, e a sensação não poderia ser melhor.

Hannah sorri. Em seguida, puxa minha cabeça para me beijar, e, de repente, não estamos mais falando. Levanto seu vestido e baixo as calças. Nem tiro a calcinha, só empurro de lado, visto uma camisinha com uma das mãos e guio meu pau para dentro dela.

Ela geme no instante em que a penetro. E não estava brincando quando falei que é apertada. Ela me comprime feito um torno, e vejo estrelas, tão perto de perder o controle que tenho que me esforçar para não chegar ao clímax.

Já transei com garotas dentro do carro antes.

Nunca tinha feito amor com uma.

"Você é tão linda", murmuro, incapaz de tirar os olhos dela.

Começo a me mover, morrendo de vontade de ir devagar e fazer isso durar, mas estou dolorosamente ciente de onde estamos. Um bom samaritano — ou pior, um policial — pode ver o Jeep e achar que precisamos de ajuda na estrada, e, caso decida se aproximar, vai ter uma boa visão da minha bunda, os quadris metendo e os braços de Hannah segurando minhas costas.

Além disso, a posição restringe meus movimentos. Tudo o que posso fazer é dar estocadas rápidas e superficiais, mas Hannah não parece se importar. Produz os ruídos mais sensuais à medida que me mexo dentro dela, suspiros sussurrados e gemidos trêmulos, e, quando acerto um lugar específico, geme tão alto que tenho que apertar minha bunda para não gozar. Posso sentir o orgasmo se aproximando, mas quero que ela goze também. Quero ouvi-la gritar e me apertar com espasmos em volta do meu pau.

Coloco a mão entre nós, com o polegar em seu clitóris, esfregando de leve. "Mostra pra mim, gata", sussurro em seu ouvido. "Goza pra mim. Quero ver você gozando no meu pau."

Ela aperta os olhos com força, os quadris se erguendo para atender minhas estocadas apressadas, então grita de prazer, e gozo com tanta força que minha visão falha e minha mente se parte em milhões de pedaços.

Quando o prazer avassalador finalmente se dissipa, percebo a música que está tocando.

Abro os olhos. “Você baixou One Direction de novo?”

Ela torce os lábios. “Não...”

“Aham. Então, por que está tocando ‘Story of My Life’?”, pergunto.

Ela faz uma pausa, em seguida, solta um grande suspiro. “Porque gosto de One Direction. Pronto. Falei.”

“Sorte a sua que te amo”, aviso. “Senão nunca aceitaria isso.”

Hannah sorri. “Sorte a sua que *eu* te *amo*. Porque você é um idiota completo, e não tem um monte de meninas por aí que aguentariam.”

Ela provavelmente tem razão quanto à parte do idiota.

E, sem dúvida, está certa quanto à sorte.

37

HANNAH

"Não tô gostando disso", declaro. "Sério, lindo, minhas pernas tão começando a doer. Já falei, não sou flexível."

A risada de Garrett vibra através do meu corpo. Meu corpo *nu*, devo acrescentar, porque estamos no meio do sexo. Do qual acabo de confessar não estar gostando.

Talvez eu *seja* mesmo uma assassina de climas.

Mas quer saber? Não estou nem aí. Ainda sou contra esta posição. Garrett está ajoelhado na minha frente, e meus tornozelos estão em seus ombros. Talvez se ele não fosse um jogador de hóquei forte e imenso, eu não me sentiria como se minhas pernas estivessem descansando no alto da porcaria do Empire State, morrendo de câimbra.

Ainda rindo, Garrett se inclina para a frente e meus músculos respiram aliviados quando escorrego as pernas e as engancho atrás de sua bunda. Na mesma hora, o ângulo muda, e um gemido escapa de minha boca.

"Melhor?", pergunta, com a voz rouca.

"Ai, meu Deus. Isso. Faz isso de novo."

"Não tenho ideia do que fiz."

"Você girou os quadris, tipo... *uuuhhh*... assim."

Toda vez que me preenche, meu corpo aperta sua ereção. Toda vez que sai, me sinto vazia, dolorida, desesperada. Estou viciada neste cara. Nos seus beijos e no seu gosto, na sensação do seu cabelo curto sob meus dedos, e o tendão suave em suas costas quando cravo as unhas nele.

Ele flexiona os quadris, sua respiração se acelera e ele entra com mais força, mais fundo, transformando minha visão numa névoa branca.

Então leva a mão ao ponto em que estamos unidos e esfrega meu clitóris, e lá vamos nós. Ele goza primeiro, mas continua entrando em mim, tremendo com a sensação de alívio. Seu clímax me excita, e estremeço mais forte, mordendo o lábio para não gritar e transparecer para os seus amigos às deliciosas sensações que percorrem meu corpo agora.

Depois disso, ele gira, ficando de costas na cama, e deito em cima dele, escalando seu corpo como um macaco, para dar beijinhos em seu rosto e pescoço.

"Por que você sempre tem muito mais energia depois do sexo?", resmunga.

"Não sei. Não importa." Beijo todo seu corpo, até deixá-lo rindo de alegria. Sei que gosta da atenção. Ainda bem, porque não consigo me conter. Por alguma razão, viro uma máquina de fazer carinhos quando estou perto dele.

A vida está boa de novo. Uma semana se passou desde o dia de Ação de Graças, e Garrett e eu ainda estamos firmes e fortes. Apesar de ocupados. O prazo para a entrega dos trabalhos de fim de curso está chegando, inclusive o da matéria de Tolbert, com a qual venho ajudando Garrett. A agenda de treinos deles está mais abarrotada do que nunca, e a minha de ensaios também, com a preparação para o festival. Mas pelo menos estou animada com isso de novo.

Jae e eu fizemos um arranjo maravilhoso, e estou confiante de que vai ser um show e tanto. Mas ainda não perdoei Cass e Mary Jane pelo que fizeram. M.J. me mandou várias mensagens, perguntando se podemos nos encontrar e conversar, mas tenho ignorado. E como Fiona arrumou um lugar exclusivo para eu ensaiar, numa das salas de coro dos alunos do último ano, não vi M.J. nem Cass desde que me abandonaram.

E a cereja no bolo da minha vida maravilhosa? Meu pai ligou na semana passada com ótimas notícias — eles vão para a casa da tia Nicole no Natal. Já comprei minha passagem e mal posso esperar para encontrá-los, mas estou decepcionada que Garrett não possa ir comigo. Eu o convidei, mas as datas não bateram, porque o time tem um jogo um dia depois da minha viagem e outro dois dias antes de eu voltar. Então Garrett vai passar as férias com Logan, que, aparentemente, é de uma cidade a vinte minutos de Hastings.

Batidas altas à porta de Garrett me despertam de meus pensamentos felizes. A porta está trancada, então não fico preocupada que alguém entre, mas ainda puxo o cobertor por força do hábito.

"Desculpe interromper, meninos e meninas", grita Logan, "mas está na hora de guardar p e v. Temos que sair, G."

Lanço um olhar vazio para Garrett. "P e v?" Não consigo entender metade das siglas e abreviaturas que Logan inventa.

Garrett sorri para mim. "Ah, como assim, sério? Essa até *eu* entendi. Piada de adolescente."

Penso de novo e então coro. "Como exatamente se guarda uma vagina?"

Ele solta um riso. "Pergunte a Logan. Na verdade, por favor, não pergunte." Ele salta da cama e perambula em busca de suas roupas. "Você vem ao jogo depois do ensaio?"

"Vou, mas acho que não vou conseguir aparecer antes do segundo período. Argh. Quando chegar, provavelmente só vai ter lugar em pé."

"Vou pedir a alguém para guardar um lugar para você."

"Obrigada."

Dou um pulo no banheiro, me arrumo e volto para o quarto, onde encontro Garrett na beira da cama, abaixando-se para calçar a meia. Meu coração perde o compasso diante da visão. Cabelo bagunçado, bíceps flexionados, manchas vermelhas no pescoço onde o mordisquei. É lindo pra caramba.

Cinco minutos depois, saímos de sua casa e seguimos cada um o seu caminho. Estou com o carro de Tracy, então volto para o campus, para ensaiar. Agora que Cass está fora da jogada, finalmente posso me divertir cantando de novo.

E como me divirto. Eu e meu violoncelista particular chegamos a um consenso sobre o fechamento da música, e, duas horas depois, estou dirigindo para a arena de hóquei da Briar. Mandei uma mensagem para Allie, para ver se queria vir ao jogo comigo, mas está ocupada com Sean, e meus outros amigos estão enterrados sob montanhas de trabalhos da faculdade, o que me faz agradecer que já tenha adiantado os meus. A maioria das minhas disciplinas são performance ou teoria musical, então só precisava me concentrar nos trabalhos de literatura inglesa e ética, e os dois já estão quase prontos.

Chego à arena mais tarde do que imaginava. O terceiro período acabou de começar, e fico espantada de ver o 1 a 1 piscando no placar, porque a Briar está jogando contra um time de Buffalo, da segunda divisão. Garrett tinha certeza de que não seria um jogo difícil, mas aparentemente estava errado.

Tem um lugar vazio à minha espera atrás do banco do time da casa, cortesia de uma aluna do último ano chamada Natalie. Garrett já falou dela, mas ainda não a conhecia. Ao que parece, namora Birdie desde o primeiro ano, o que é impressionante. Poucos relacionamentos universitários duram tanto.

Natalie é engraçada e gentil, e nos divertimos assistindo ao jogo juntas. Quando Dean leva uma pancada particularmente forte que o faz deslizar pelo gelo, nós duas suspiramos de nervoso.

"Ai, meu Deus", exclama Natalie. "Ele tá bem?"

Felizmente, Dean está bem. Ele limpa o gelo e fica de pé, deslizando em direção ao banco da Briar para uma mudança de linha. Assim que Garrett toca o gelo, meu pulso acelera. Não dá para ignorar o quanto ele é talentoso. Rápido com os pés, habilidoso com o taco, forte nas finalizações. Seu primeiro passe alcança o taco de Birdie, que voa sobre a linha azul em direção à zona neutra. Birdie lança o disco, e Garrett o persegue. O jogador de centro do outro time também, e cotovelos se erguem dentro da área, à medida que o atacante da Buffalo tenta ganhar a vantagem.

Garrett chega primeiro e dá a volta no gol, lançando uma tacada rápida. O goleiro defende com facilidade, mas o rebote volta direto para Birdie. Ele lança o disco de volta para o goleiro, cuja luva se ergue um segundo tarde demais.

Natalie pula da cadeira e grita até ficar rouca quando o gol de Birdie muda o placar. Nós nos abraçamos animadas e, daí para a frente, prendemos o fôlego pelos últimos três minutos de jogo. O outro time luta para ganhar a posse do disco, mas o jogador de centro da Briar, um aluno de segundo ano, sai na vantagem na disputa de disco seguinte, e dominamos o restante do jogo, que termina com um placar final de 2 a 1.

Natalie e eu caminhamos em direção ao corredor, sendo empurradas por todos os lados feito gado, enquanto descemos a escada.

"Tô tão feliz por você e Garrett", comemora ela.

O comentário me faz sorrir, porque faz apenas vinte minutos que me conhece. "Eu também", respondo.

"É sério. Ele é um cara tão legal, mas é também tão intenso quando se trata de hóquei. Quase não bebe, não se envolve com ninguém. Não é saudável ser *tão* concentrado em alguma coisa assim, sabia?"

Saímos de perto do rinque, mas não deixamos a arena. Em vez disso, abrimos caminho pela multidão em direção ao corredor que leva aos vestiários, para esperar nossos meninos. Garrett Graham é o *meu*. Um pensamento surreal, mas gosto da ideia.

"Por isso acho que você faz bem pra ele", continua. "Ele parece tão feliz e relaxado toda vez que o encontro."

Minha coluna fica rígida quando identifico um rosto familiar no meio da multidão.

O pai de Garrett.

Está a seis metros de nós, indo na mesma direção. O boné enfiado fundo na cabeça, mas isso não o impediu de ser notado, porque um grupo de rapazes de casaco da Briar logo se aproxima para pedir autógrafos. Ele assina os casacos e uma foto que um deles lhe entrega. Não consigo ver o pôster, mas imagino que seja uma foto tirada durante um jogo nos seus dias de glória, como as que vi emolduradas em sua casa. Phil Graham, a lenda do hóquei.

Agora tentando se realizar através do filho.

Fico tão presa ao meu ódio pelo pai de Garrett que não tomo cuidado por onde ando, e uma risada assustada salta de minha boca quando esbarro em alguém. Com força.

"Perdão. Não estava prestando atenção..." O pedido de desculpas morre em meus lábios quando noto em quem esbarrei.

Rob Delaney parece tão surpreso quanto eu.

Na fração de segundo em que nossos olhos se encontram, viro uma estátua de gelo. Calafrios tomam todos os centímetros de meu corpo. Meus pés ficam paralisados no chão. Sou arrebatada por ondas de terror uma após a outra.

Não vejo Rob desde o dia em que testemunhou no tribunal — *em nome do meu estuprador*.

Não sei o que dizer. Ou fazer. Ou pensar.

Alguém grita: “Wellsy!”.

Viro a cabeça.

Quando retorno o olhar, Rob está se afastando depressa, como se estivesse tentando escapar de um tiro de revólver.

Não consigo respirar.

Garrett aparece do meu lado. Sei que é ele, porque reconheço o toque gentil de sua mão em meu rosto, mas meu olhar permanece fixo em Rob se afastando. Está vestindo um casaco da Buffalo State College. É lá que estuda? Nunca me preocupei em descobrir o que aconteceu com os amigos de Aaron. Para que faculdade foram, o que estão fazendo agora. A última vez que tive algum contato com Rob Delaney foi de forma indireta. Quando meu pai atacou o pai dele na loja de ferragens, em Ransom.

“Hannah. Olha pra mim.”

Não sou capaz de desviar os olhos de Rob, que ainda não conseguiu sair da arena. O grupo de amigos com que está parou para conversar com algumas pessoas, e ele lança um olhar de pânico por cima do ombro, empalidecendo ao perceber que ainda estou olhando para ele.

“Hannah. Meu Deus. Você está branca feito um papel. O que aconteceu?”

Também acho que estou pálida. Tão branca quanto Rob. Parece que nós dois acabamos de ver um fantasma.

Quando me dou conta, minha cabeça está sendo puxada para o lado, as mãos de Garrett segurando meu queixo para forçar o contato visual.

“O que está acontecendo? Quem é aquele cara?” Ele seguiu meu olhar e agora está observando Rob com uma desconfiança visível.

“Ninguém”, digo baixinho.

“Hannah.”

“Não é ninguém, Garrett. Por favor.” Viro de costas para a porta, afastando qualquer tentação de olhar na direção de Rob.

Garrett faz uma pausa. Examina meu rosto. Em seguida, prende a respiração. “Ai, cacete. É o...?” A pergunta horrorizada paira entre nós.

“Não”, respondo rápido. “Não é. Prometo.” Meus pulmões queimam por falta de oxigênio, então me forço a inspirar fundo. “É só um cara.”

“Que cara? Qual o nome dele?”

"Rob." A náusea inunda minha barriga feito um cardume de tubarões. "Rob Delaney."

O olhar de Garrett permanece fixo sobre meu ombro, o que me diz que Rob ainda está aqui. Droga, por que não vai embora logo?

"Quem é ele, Hannah?"

Por mais que tente, não consigo disfarçar que fiquei completamente sem chão.

Meu rosto se desfaz, e sussurro: "É o melhor amigo de Aaron. Um dos caras que testemunharam contra mim depois do...".

Garrett já está se afastando depressa.

38

GARRETT

O sangue lateja em meus ouvidos. Ouço Hannah me chamando, mas não consigo parar de me mover. É como se estivesse vendo o mundo através de uma névoa vermelha. Entrei no piloto automático, transformando-me num míssil teleguiado programado para acertar babacas e viajando em linha reta na direção de Rob Delaney.

O filho da mãe que ajudou o estuprador de Hannah a se safar.

"Delaney", grito.

Seus ombros se enrijecem. Várias pessoas olham para nós, mas só estou interessado em uma no momento. Ele se vira, os olhos escuros cintilando momentaneamente de pânico ao me notar. Ele me viu conversando com Hannah. Provavelmente sabe o que ela me contou.

Diz algo para os amigos e se afasta apressado do grupo. Meu queixo vira uma pedra à medida que se aproxima de mim, cauteloso.

"Quem é você?", murmura.

"O namorado de Hannah."

Sua expressão de medo é inconfundível, mas ainda continua tentando dar uma de descontraído. "Ah, é? E o que você quer?"

Inspiro, tentando me acalmar. Não fico calmo. Nem um pouco. "Só queria conhecer o idiota que foi cúmplice de um estuprador."

Há um longo momento de silêncio. Em seguida, ele fecha a cara para mim. "Vai se foder. Você não sabe nada de mim, cara."

"Sei tudo de você", corrijo, o corpo todo tremendo de fúria mal contida. "Sei que deixou seu amigo drogar minha menina. Sei que ficou de guarda enquanto ele a levava lá pra cima, para machucá-la. Sei que cometeu perjúrio depois, para salvar a cara dele. Sei que é um bosta sem consciência."

“Vai se foder”, repete, mas sua autoconfiança vacila. Parece aflito agora.

“É sério? *Vai se foder*? Isso é tudo que tem a dizer? Acho que faz sentido.” Engulo a bile revestindo minha garganta. “Você é um covarde incapaz de defender uma garota inocente. Então por que teria coragem para defender a si mesmo?”

As acusações amargas desencadeiam sua raiva. “Sai da minha frente, cara. Não vim aqui para ficar sendo atacado por um jogador idiota. Volta lá pra vagabunda da sua namorada e...”

Ah, isso não, *porra*.

Meu punho dispara.

Depois disso, é tudo um borrão.

As pessoas estão gritando. Alguém agarra a parte de trás do meu casaco, tentando me tirar de cima de Delaney. Minha mão lateja. Sinto gosto de sangue na boca. É como uma experiência extracorpórea que não posso nem descrever, porque não estou lá. Estou perdido numa névoa de raiva descontrolada.

“Garrett.”

Alguém me joga contra uma parede, e, instintivamente, lanço um gancho de direita. Tenho um vislumbre do vermelho, ouço meu nome de novo, um cortante e enfático “*Garrett*” — e minha visão clareia a tempo de ver o sangue escorrendo do canto da boca de Logan.

Ah, merda.

“G.” Sua voz é baixa e ameaçadora, mas não há dúvida da preocupação pairando em seus olhos. “G., você tem que parar.”

Todo o oxigênio em meus pulmões sai num rojão. Olho ao redor e deparo com um mar de rostos me fitando, ouço vozes abafadas e sussurros confusos.

Por fim, o treinador aparece, e, de repente, me dou conta da gravidade do que acabei de fazer.

Duas horas depois, estou diante da porta de Hannah e quase não tenho forças para bater.

Não me lembro da última vez que alcancei um nível tão intenso de cansaço. Em vez de comemorar a vitória com o time, fiquei mais de uma hora na sala do treinador ouvindo-o gritar comigo sobre brigas dentro da universidade. Que, por sinal, me rendeu uma suspensão de um jogo. Para ser sincero, estou surpreso que a punição não tenha sido mais severa, mas, depois de o treinador e alguns outros funcionários da Briar ouvirem toda a história que eu tinha para contar, decidiram pegar leve comigo. Hannah tinha me dado permissão para explicar seu histórico com Delaney, porque não queria que eles pensassem que sou algum psicopata que sai por aí atacando torcedores de hóquei aleatórios sem razão, mas ainda me sinto um lixo por compartilhar seu trauma com meu treinador.

Suspensão de um jogo. Meu Deus. Merecia muito mais.

Eu me pergunto se meu pai já ficou sabendo da notícia, mas é bem provável que sim. Aposto que tem alguém na Briar em sua folha de pagamento para dar informações a meu respeito. Por sorte, não estava por perto quando saí da arena, então fui poupado de ter que lidar com sua ira esta noite.

Mas Logan estava lá, esperando por mim, e nunca senti tanta vergonha na vida ao pedir desculpas por ter batido no meu melhor amigo. Hannah, no entanto, também havia me permitido compartilhar a verdade com Logan, e depois que expliquei a ele quem era Rob e por que fui atrás do cara, Logan estava pronto para ir ele mesmo atrás de Rob e ainda pediu desculpas *para mim* por ter me tirado de cima do desgraçado. Foi aí que percebi o quanto amo esse filho da mãe. Logan pode ter uma quedinha pela minha namorada, mas ainda é o melhor amigo que já tive. E nem posso culpá-lo pelo que sente, pois *quem* não iria querer estar com alguém tão incrível quanto Hannah?

Quando ela abre a porta para mim, estou nervoso pra caramba, mas Hannah me surpreende jogando os braços à minha volta na mesma hora. "Você tá bem?", pergunta, com urgência.

"Tô." Parece que estou falando com a boca cheia de cascalho, então limpo a garganta antes de continuar. "Desculpa. Estou tão arrependido, linda."

Ela deita a cabeça para examinar o meu rosto, o arrependimento gravado em suas feições. "Você não deveria ter ido atrás dele."

"Eu sei." Minha garganta se fecha. "Não consegui me controlar. Ficava imaginando aquele filho da puta sentado no banco das testemunhas, chamando você de prostituta e dizendo que usava drogas e que seduziu o amigo dele. Fiquei enjoado." Balanço a cabeça de leve. "Não, fiquei *louco*."

Hannah pega a minha mão e me leva para o seu quarto, fechando a porta atrás de si antes de se juntar a mim na beira da cama. Segura a minha mão de novo e suspira ao ver o estado dos meus dedos. Estão rachados e cobertos de sangue, e, embora eu tenha lavado as feridas antes de vir para cá, os pequenos cortes abriram e agora está escorrendo sangue.

"Você tá muito encrencado?", pergunta.

"Não tanto quanto mereço. Suspensão de um jogo, o que não deve afetar o time tanto assim. Temos um histórico sólido o suficiente para nos dar ao luxo de uma derrota, se isso acontecer. E ninguém chamou a polícia, porque Delaney se recusou a prestar queixa. O treinador da Buffalo até tentou fazê-lo mudar de ideia, mas ele disse para todo mundo que foi ele quem me provocou."

Suas sobrancelhas se arqueiam, espantadas. "Ele disse isso?"

"Disse." Deixo escapar um suspiro. "Acho que seria aborrecimento demais ter que lidar com a polícia. Vai ver só queria voltar para o buraco de onde saiu e fingir que isso nunca aconteceu. Do mesmo jeito que fingiu que o melhor amigo não machucou você." A bile queima em minha garganta. "Como isso pode ser justo, Hannah? Por que não tá mais com raiva? Por que não tá *furiosa* que o seu estuprador esteja solto por aí? E que os amigos escrotos dele tenham sido os que o *ajudaram* a se safar."

Ela suspira. "Não *é* justo. E *estou* com raiva. Mas... bom, a vida nem sempre é justa, meu amor. Olha só para o seu pai... ele é tão criminoso quanto Aaron e também não está na cadeia. Pelo contrário, ainda é reverenciado por todos os fãs de hóquei do país."

"É, porque ninguém sabe o que fez comigo e com minha mãe."

"E você acha que parariam de idolatrá-lo se soubessem? Alguns talvez, mas garanto que muitos nem iriam se importar, porque ele é um astro e ganhou muitos jogos, e isso faz dele um herói." Ela balança a cabeça, triste. "Você tem ideia de quantos agressores andam por aí impunes? Quantas acusações de estupro são retiradas por 'falta de provas', ou quantos estupradores se safam porque a vítima tem medo de contar para alguém? Então, sim, não é justo, mas também não vale a pena ficar se torturando por causa disso."

Minha garganta se inunda de pesar. "Você é uma pessoa melhor do que eu."

"Não é verdade", me repreende. "Lembra o que você me disse no dia de Ação de Graças? Que o seu pai não merece a sua raiva e a sua vingança? *Essa* é a melhor vingança, Garrett. Viver bem e ser feliz é o jeito de superar as merdas que ficaram no nosso passado. Fui estuprada e foi horrível, mas não vou perder meu tempo nem minha energia com um cara patético e perturbado que não pôde aceitar 'não' como resposta, ou com seus amigos ridículos que acharam que ele merecia ser recompensado por suas ações." Ela suspira de novo. "Deixei tudo isso pra trás. Você não precisava mesmo enfrentar Rob por minha causa."

"Eu sei." Lágrimas queimam meus olhos. Merda. A última vez em que chorei foi no funeral da minha mãe, quando tinha doze anos. Fico envergonhado que Hannah esteja assistindo a isso, mas, ao mesmo tempo, quero que entenda por que fiz o que fiz, mesmo que isso signifique me despedaçar na frente dela. "Você não entende? A ideia de alguém ter te machucado acaba comigo." Pisco depressa, lutando contra as lágrimas. "Não tinha percebido isso até hoje à noite, mas... Acho que eu também estava quebrado."

Hannah parece assustada. "O que você quer dizer?"

"Estava quebrado antes de conhecer você", murmuro. "Minha vida girava em torno do hóquei, de ser o melhor, de provar ao meu pai que não precisava dele. Não me permitia me aproximar de mulheres porque não queria me distrair de minhas metas. E sabia que se me aproximasse de alguém, a deixaria no instante em que fosse colocado contra a parede. Não permiti que ninguém entrasse na minha vida, nem meus amigos mais próximos, e, depois que você chegou, percebi como eu estava sozinho."

Deito a cabeça em seu ombro, tão cansado de... de tudo.

Depois de um segundo, ela puxa minha cabeça para seu colo e acaricia meu cabelo. Eu me enrolo nela, a voz soando abafada contra sua coxa. "Odeio que você tenha me visto perder a cabeça hoje." Uma onda de autoaversão corta minha carne. "Você me disse que eu não era capaz de te machucar, mas você *viu* o que fiz hoje à noite. Não fui lá pensando em bater nele, mas o filho da mãe era tão convencido, e quando ele chamou você de... chamou você de uma coisa feia... eu pirei."

"Você perdeu o controle", concorda ela. "Mas isso não muda o que sinto por você ou o que penso de você. Falei que nunca iria me machucar e ainda acredito nisso." Sua voz falha. "Meu Deus, Garrett, se você soubesse o quanto queria ter furado os olhos daquela criatura hoje..."

"Mas você não fez isso."

"Porque estava em estado de choque. Não esperava vê-lo ali." Seus dedos deslizam sobre meu couro cabeludo numa carícia suave. "Não quero que você se odeie por isso."

"Não quero que você me odeie por isso."

Ela se abaixa e roça os lábios no alto da minha cabeça. "Nunca conseguiria te odiar."

Ficamos assim por um tempo, com os dedos dela no meu cabelo e minha cabeça no seu colo. Por fim, ela me faz deitar na cama, e escorrego para dentro das cobertas completamente vestido. Estamos abraçados agora, só que é *ela* quem me envolve pelas costas, e estou cansado e constrangido demais para me mexer.

Pego no sono com sua mão acariciando meu peito.

39

HANNAH

Na manhã seguinte, deixo Garrett dormindo em minha cama e me arrumo para o trabalho. Embora ainda esteja abalada com o que aconteceu ontem à noite, fui totalmente sincera com ele. *Não* o culpo por perder a cabeça. Na verdade, uma parte rancorosa de mim está feliz que Rob tenha levado um soco na cara. Ele merece depois do que fez comigo. Mentir sob juramento, dar um testemunho que permitiu que o caso contra Aaron fosse encerrado... que tipo de pessoa faz algo tão cruel?

Mas sei que Garrett está chateado com o que fez e sei que vou ter que trabalhar duro para fazê-lo ver que não é o monstro que pensa que é.

Mas também não posso faltar ao trabalho, então a Operação Recuperar a Confiança vai ter que esperar.

Quando estou vestida e pronta para sair, sento na beira da cama e toco seu rosto. "Tenho que ir trabalhar", sussurro.

"Mmmlev mmcêee...?"

Deduzo que está se oferecendo para me levar, e um sorriso curva os cantos da minha boca. "Tô com o carro de Tracy hoje. Dorme mais um pouquinho, se quiser. Volto lá pelas cinco."

"Tá." Suas pálpebras tremem, e, um segundo depois, está dormindo de novo.

Preparo uma xícara de café instantâneo na cozinha e tomo em um gole, para fazer meu cérebro ainda enevoado pegar no tranco. Meu olhar se desloca para a porta escancarada do quarto de Allie. A cama feita me preocupa, mas é apenas por um momento, pois quando olho meu celular, encontro uma mensagem dela de ontem, avisando que passaria a noite na república de Sean.

Meu turno na lanchonete é caótico desde o início. As pessoas chegam para o café da manhã em bandos, e leva umas boas duas horas até que o período de maior movimento finalmente se dissipe. Quando a lanchonete esvazia, nem sequer tenho tempo de respirar, pois Della me pede para reorganizar os mantimentos embaixo da bancada antes da correria do almoço. Passo a hora seguinte de joelhos, movendo pilhas de guardanapos e pacotes de açúcar de uma prateleira para outra e trocando as canecas de café por copos de vidro.

Quando me levanto, levo um susto ao encontrar um homem sentado na banqueta à minha frente.

É o pai de Garrett.

"Sr. Graham", ranjo de surpresa. "Oi."

"Oi, Hannah." Sua voz é fria como o ar de inverno fora da lanchonete. "Precisamos conversar."

Precisamos?

Merda. Por que tenho um pressentimento de que sei *exatamente* sobre o que ele quer falar?

"Estou trabalhando", respondo, de um jeito estranho.

"Posso esperar."

Merda vezes merda. São dez horas, e não saio daqui até as cinco. Será que ele vai mesmo sentar e esperar por sete horas? Porque de jeito nenhum vou conseguir completar meu turno com ele aqui me olhando o tempo todo.

"Vou ver se posso fazer uma pausa", digo às pressas.

Ele assente. "Não vai demorar muito, garanto. Só preciso de alguns minutos do seu tempo."

Não sei se é uma promessa ou uma ameaça.

Engolindo em seco, passo no escritório para falar com Della, que me libera por cinco minutos, quando digo que o pai do meu namorado tem algo urgente para discutir comigo.

No momento em que o sr. Graham e eu saímos, descubro a resposta para a minha dúvida promessa versus ameaça — porque sua linguagem corporal indica ameaça séria.

"Aposto que você está muito satisfeita consigo mesma."

Franzo a testa. "Do que você tá falando?"

Ele enfia as mãos nos bolsos de seu sobretudo preto, e parece tanto com Garrett que chega a ser desconcertante. Mas não soa como Garrett, porque a voz do meu namorado não é assim dura, e definitivamente seus olhos não transmitem tanta hostilidade.

"Estive com um monte de mulheres, Hannah." O sr. Graham ri, mas sem um pingo de humor ou de cordialidade. "Você acha que não sei o quanto o ego de uma mulher dispara quando dois homens brigam por sua causa?"

É *isso* que acha que aconteceu na noite passada? Que Garrett e Rob estavam num duelo pelo meu amor? Deus do céu.

"Não foi por isso que eles brigaram", argumento, numa voz fraca.

Seus lábios se abrem num sorriso de escárnio. "Ah, não? Então a briga não teve *nada* a ver com você?" Quando não respondo, ele ri de novo. "Imaginei."

Não gosto do jeito como está me olhando, a crueldade tão evidente. E queria não ter esquecido minhas luvas lá dentro, porque minhas mãos parecem dois blocos de gelo.

Enfio-as nos bolsos e fito seus olhos. "O que você quer?"

"Quero que você pare de distrair meu filho", responde, rispidamente. "Você entende que ele levou uma suspensão de um jogo por conta dessa palhaçada? Por *sua* causa, Hannah. Porque em vez de se concentrar em ganhar, está babando por você feito um cachorrinho e se envolvendo em brigas em seu nome."

Minha garganta se fecha. "Não é verdade."

Ele dá um passo na minha direção, e fico realmente assustada por um momento. Mas, em seguida, me recrimino por isso, pois, convenhamos, ele não vai me machucar em público. Com a janela da lanchonete bem atrás de mim e à vista de qualquer um.

"Vejo a forma como Garrett olha para você e não gosto disso. E certamente não gosto que você tenha dividido a atenção dele. Por isso decidi que você não vai mais sair com meu filho."

Não posso conter uma risada de descrença. "Com todo o respeito, senhor, mas isso não é uma decisão sua."

"Você tem razão. Vai ser uma decisão *sua*."

Meu estômago revira. "Como assim?"

"Significa que você vai terminar com o meu filho."

Fico boquiaberta. "Hum... não. Desculpa, mas não."

"Imaginei que você ia dizer isso. Tudo bem. Estou confiante de que posso mudar sua opinião." Os olhos frios e cinzentos perfuram minha cara. "Você se importa com Garrett?"

"Claro que sim." Minha voz falha. "Amo seu filho."

A confissão produz um brilho de aborrecimento em seus olhos. Ele estuda o meu rosto e, em seguida, faz um som de escárnio. "Acredito que esteja dizendo a verdade." Dá de ombros com desdém. "Mas isso só significa que você quer que ele seja feliz, não é, Hannah? Você quer que ele seja bem-sucedido."

Não sei aonde quer chegar exatamente, mas já o odeio por isso.

"Você quer saber por que ele está sendo bem-sucedido agora? O que o permite ser vitorioso?" O sr. Graham sorri. "É por minha causa. Por causa da *minha* assinatura nos cheques que pagam a matrícula na Briar. Ele estuda por minha causa. Compra os livros didáticos e paga sua bebida por minha causa. O carro? O seguro? Quem você acha que paga isso tudo? E os equipamentos? O garoto nem sequer tem um trabalho. Como você acha que ele vive? Por *minha* causa."

Sinto náuseas. Porque agora *sei* aonde ele quer chegar com isso.

"Sou muito generoso em permitir esses luxos, porque sei que seus objetivos se alinham com os meus. Sei o que ele quer alcançar e sei que é capaz disso." Sua mandíbula se enrijece. "Mas nós chegamos a um pequeno impasse, não foi?"

O sr. Graham me lança um olhar feroz, e, sim, *eu* sou o pequeno impasse.

"Então o que vai acontecer é o seguinte." Seu tom é falsamente gentil. Garrett tem razão: esse homem é um monstro. "Você vai terminar com meu filho. Não vai mais vê-lo, não vai manter a amizade com ele. Será uma ruptura sem absolutamente nenhum contato posterior. Entendeu?"

"Ou o quê?", sussurro, porque preciso ouvi-lo dizer isso.

"Ou corto o dinheiro dele." Dá de ombros. "Adeus matrícula, livros, carros e comida. É isso que você quer, Hannah?"

Meu cérebro dispara, repassando depressa minhas opções. Não vou deixar um idiota me chantagear para terminar com Garrett, não quando obviamente temos outras soluções disponíveis.

Mas acho que subestimei Phil Graham, porque, além de babaca, aparentemente, ele é capaz de ler pensamento.

"Está pensando o que vai acontecer se disser 'não'?", adivinha. "Tá tentando encontrar um jeito de continuar com Garrett sem que ele perca tudo pelo que trabalhou tanto?" Ele ri. "Bom, vamos ver, vamos ver... ele pode concorrer a uma bolsa."

Amaldiçoo-o em silêncio por levantar a ideia que tinha acabado de me ocorrer.

"Mas espera, ele não cumpre os requisitos básicos." Graham parece estar mesmo se divertindo. "Quando a renda da sua família é tão substancial quanto a nossa, as universidades não dão ajuda de custo, Hannah. Acredite em mim, Garrett já tentou. A Briar recusou na hora."

Merda.

"Um empréstimo bancário?", sugere. "Acho que é difícil conseguir isso quando não se tem crédito no mercado nem renda fixa."

Meu cérebro luta para acompanhar. Mas Garrett *tem* que ter crédito. Algum tipo de renda. Ele me disse que trabalha durante o verão.

Mas o sr. Graham é o próprio franco-atirador, exterminando todas as possibilidades que me vêm à cabeça.

"Ele é pago em dinheiro pelo trabalho na empresa de construção. Que pena, não é? Nenhum registro de renda; sem crédito; não se qualifica como necessitado o suficiente para justificar uma bolsa." Ele faz um barulhinho de desaprovação com a língua, e minha vontade é quebrar-lhe a cara. "Então, onde isso nos deixa? Ah, certo, a outra opção que você está pensando. Meu filho vai encontrar um emprego e pagar por sua própria educação e despesas."

É, essa ideia também me ocorreu.

"Sabe quanto custa uma faculdade da Ivy League? Acha que ele é capaz de pagar a mensalidade trabalhando meio período?" O pai de Garrett balança a cabeça. "Não, ele vai ter que trabalhar em tempo integral para isso. E pode até ser capaz de frequentar a universidade, mas vai ter que largar o hóquei, não vai? E quão feliz ele será se fizer isso?" Seu sorriso me arrepia até os ossos. "Ou vamos supor que ele seja capaz de conciliar tudo — trabalho em tempo integral, faculdade, hóquei... não vai haver muito tempo para você, vai, Hannah?"

É exatamente o que ele quer.

Sinto ânsias de vômito. Sei que não está de brincadeira. Ele *vai* parar de financiar Garrett se eu não fizer o que está mandando.

Também sei que se Garrett soubesse da ameaça do pai, mandaria ele à merda na mesma hora. Entre mim e o dinheiro, ficaria comigo, mas isso é o que mais me dói, porque o sr. Graham tem razão. Garrett teria que largar a faculdade ou trabalhar feito um condenado, o que significa abandonar o hóquei de vez ou não ter tempo para se concentrar no esporte. E *quero* que ele se concentre nisso, porra. É o *sonho* da vida dele.

Minha cabeça continua a girar.

Se terminar com Garrett, o sr. Graham vence.

Se não terminar com Garrett, o sr. Graham continua vencendo.

Meus olhos se enchem de lágrimas. "Ele é seu filho..." Engasgo com as palavras. "Como pode ser tão cruel?"

Parece entediado. "Não sou cruel. Só pragmático. E, ao contrário de algumas pessoas, tenho minhas prioridades bem estabelecidas. Investi muito tempo e dinheiro nesse garoto e me recuso a ver todo esse trabalho ir para o ralo por causa de uma vadia de universidade."

Estremeço de repulsa.

"Não perca tempo, Hannah", ameaça, asperamente. "Estou falando sério, não me teste e não pense que estou blefando." Seu olhar gélido perfura meu rosto. "Pareço o tipo de homem que blefa?"

Sinto o ácido queimando em minha garganta enquanto nego lentamente com a cabeça. "Não. Não parece."

40

GARRETT

Há dias Hannah tem me evitado. Está dando uma de ocupada, e é verdade que tem o trabalho e os ensaios. Mas ela já trabalhava e ensaiava quando começamos a namorar, e isso nunca a impediu de passar na minha casa para um jantar rápido ou de conversar comigo pelo telefone antes de dormir.

Portanto, a resposta é só uma: ela está me evitando.

Não é preciso ser um gênio para concluir que é por causa da forma como fui atrás de Delaney. É o único motivo que consigo imaginar para estar chateada comigo, e não tenho certeza se a culpo por isso. Não deveria ter batido no cara. Muito menos na arena, na frente de centenas de testemunhas.

Mas a ideia de que ela possa estar... sei lá... com *medo* de mim agora... É de matar.

Apareço no seu alojamento sem avisar, porque sei que se mandar uma mensagem, ela vai inventar alguma história e dizer que está ocupada. Sei que está em casa, porque fiz a coisa mais patética do mundo — escrevi para Allie para descobrir —, e em seguida implorei para não contar a Hannah com a desculpa esfarrapada de que lhe faria uma surpresa.

Não tenho certeza se Allie acreditou. Quer dizer, meninas conversam, então é lógico que Hannah contou para a melhor amiga sobre o que a está incomodando.

Como eu esperava, Hannah não parece feliz em me ver à sua porta. Também não parece chateada, o que me deixa desconfortável, sobretudo quando noto o brilho de tristeza em seus olhos.

Merda.

"Oi", digo, rispidamente.

"Oi." Vejo sua garganta se mover, engolindo em seco. "O que tá fazendo aqui?"

Poderia fingir que está tudo bem, que só passei para ver a menina que eu amo, mas Hannah e eu não somos assim. Nunca evitamos a verdade antes, e não vou começar a fazê-lo agora.

"Queria saber por que a minha namorada está me evitando."

Ela suspira.

Só isso. Um *suspiro*. Quatro dias sem nenhum contato físico e raríssimas mensagens, e tudo o que recebo é um suspiro.

"O que tá acontecendo?", exijo saber, frustrado.

Ela hesita, voltando os olhos na direção da porta fechada de Allie. "A gente pode conversar no meu quarto?"

"Claro, contanto que a gente *converse* alguma coisa", resmungo.

Entramos no quarto, e ela fecha a porta. Quando se vira para mim, sei exatamente o que vai dizer.

"Me desculpa por ter andado tão estranha. Só estava tirando um tempo para pensar..."

Puta merda. Ela vai terminar comigo. Porque *ninguém* começa uma frase com "Só estava tirando um tempo para pensar..." sem terminar com "e acho que a gente não deve mais se ver".

Hannah solta um suspiro. "E acho que a gente não deve mais se ver."

Mesmo que estivesse esperando por isso, as palavras ditas em voz baixa apunhalam meu coração e me envolvem num tornado de dor.

Ao ver minha expressão, ela se apressa em acrescentar: "É que... está indo tudo muito rápido, Garrett. Mal se passaram dois meses, e já estamos falando 'eu te amo', e ficou tudo tão sério de repente, e...". Ela parece exausta e soa chateada.

Eu, por outro lado, não estou nem exausto nem chateado.

Estou destruído.

Engulo a amargura se acumulando em minha garganta. "Por que você não diz o que realmente quer dizer?"

Ela franze a testa. "O quê?"

"Você disse que não me odiava por perder a cabeça com Delaney, mas é esse o problema, não é? Você ficou assustada e passou a me ver como um homem das cavernas imprudente que não consegue controlar os impulsos violentos, não foi?"

Seus olhos se enchem de espanto. "*Não*. Claro que não."

A convicção em sua voz me faz vacilar. É tão fácil para mim entender esta menina. Examinando seus olhos, não consigo encontrar um indício sequer de que pudesse estar mentindo. Mas... porra. Se não está chateada por causa de Delaney, então por que *diabos* está fazendo isso?

"Estamos indo rápido demais", insiste. "É isso."

"Certo", respondo, lacônico. "Então vamos diminuir o passo. O que você quer? Que a gente se veja só uma vez por semana? Que pare de dormir um na casa do outro? O que você quer?"

Não achei que meu coração pudesse doer mais que isso, mas ela me apunhala com mais uma pontada de agonia.

"Quero sair com outras pessoas."

Tudo o que posso fazer é encará-la. Tenho medo do que pode sair da minha boca se tentar falar.

"É que só tive um relacionamento sério antes de você, Garrett. Como posso saber o que é amor? E que não tem outra coisa por aí... outra pessoa... outra coisa... *melhor*, acho."

Deus do céu. Ela enfia a faca mais e mais fundo.

"Na universidade a gente deveria explorar as opções, não é?" Está falando tão rápido agora que é difícil acompanhar. "Deveria estar conhecendo gente, saindo com outras pessoas, descobrindo quem eu sou e tudo o mais. Ou pelo menos foi o que achei que faria este ano. Não achei que fôssemos ficar juntos, e não achei mesmo que fosse ficar tão sério tão depressa." Ela dá de ombros, impotente. "Tô confusa, tá legal? E acho que o que preciso agora é de um tempo para... você sabe... pensar", conclui, com a voz baixa.

Mordo o interior da bochecha até sentir gosto de sangue na boca. Então exalo uma expiração longa e instável e cruzo os braços. "Tudo bem, então deixa ver se entendi... e me corrija se estiver errado. Você se apaixonou por mim e não esperava isso, então agora quer namorar outras pessoas e dar pra outros caras — desculpa, você quer *explorar* —, só pela possibilidade de encontrar alguém *melhor* do que eu."

Ela desvia o olhar.

"É isso que tá me dizendo?" A frieza da minha voz é capaz de congelar tudo o que existe ao sul do Equador.

Depois de um silêncio eterno, ela ergue os olhos.

Em seguida, assente com a cabeça.

Tenho certeza de que é capaz de ouvir o estalo enorme em meu peito quando meu coração se parte feito uma melancia. E ela é a responsável por isso.

Lá no fundo, uma vozinha sussurra em minha cabeça: "*Tem coisa errada aí*".

Não brinca, seu babaca. *Tudo* parece errado.

"Vou embora." Fico espantado que minhas cordas vocais paralisadas me permitam falar. Porém, a raiva crua em meu tom não me surpreende. "Porque, honestamente, não sou capaz de olhar para você agora."

Uma pequena respiração exala da boca de Hannah. Ela não diz uma palavra.

Arrasto-me em direção à porta, o cérebro, o coração e as funções motoras assustadoramente perto de me deixarem na mão, no entanto, dou conta de uma despedida rouca quando chego ao batente. "Sabe de uma coisa, Wellsy?" Nossos olhares se encontram, e seus lábios tremem como se estivesse tentando não chorar. "Para alguém que é tão forte, você tá se saindo uma covarde de merda."

Álcool. Preciso de álcool.

Não tem nada na geladeira.

Subo os degraus de dois em dois e invado o quarto de Logan sem bater. Por sorte, não está comendo uma maria-patins qualquer. Também não me importaria se estivesse. Sou um homem com uma missão: o armário de Logan.

"O que você tá fazendo?", pergunta, quando escancaro a porta do armário e me estico até a prateleira do alto.

"Pegando seu uísque."

"Por quê?"

Por quê? *Por quê?*

Talvez porque meu peito esteja como se alguém o tivesse raspado com uma navalha cega pelos últimos dez anos? E aí pegaram essa navalha e me enfiaram goela abaixo para rasgar minha traqueia e minhas entranhas. E depois, para piorar, arrancaram meu coração, jogaram no rinque e todo um time de hóquei o estraçalhou com seus patins.

Aham. É *assim* que estou agora.

"Meu Deus, G., o que tá acontecendo?"

Acho a garrafa de Jack Daniel's de Logan debaixo de um capacete velho de hóquei e a aperto sob meus dedos. "Hannah terminou comigo", murmuro.

Ouço a respiração chocada de Logan. Uma parte rancorosa e amarga de mim se pergunta se meu amigo está feliz com a notícia. Se acha que isso pode ser sua oportunidade de ouro para dar em cima da minha namorada.

Perdão. *Ex*-namorada.

Mas quando me viro, tudo que encontro em seus olhos é empatia. "Que merda, cara. Sinto muito."

"Pois é", murmuro. "Eu também."

"O que aconteceu?"

Abro a tampa da garrafa. "Pergunta de novo quando eu tiver enchido a cara. Talvez esteja bêbado o suficiente para dizer."

Dou um gole longo no uísque. Em geral, o álcool queimaria todo o caminho até meu intestino. Esta noite estou dormente demais para sentir.

Logan para de me fazer perguntas. Caminha na minha direção e toma a garrafa. "Bom", suspira ao levá-la aos lábios e deitar a cabeça para trás. "Então acho que vamos encher a cara."

41

HANNAH

Sabia que seria um zumbi pelo restante do semestre, mas não esperava que fosse por causa do vazio em meu peito onde antes ficava o coração.

Faz uma semana que não vejo ou falo com Garrett. Uma semana não é muito tempo. Reparei que, à medida que vou envelhecendo, o tempo parece voar em alta velocidade. Você pisca, e passou uma semana. Pisca de novo, passou um ano.

Mas desde que terminei com Garrett, o tempo voltou a ser como quando eu era criança. Naquela época, um ano escolar parecia uma eternidade, e o verão não chegava nunca ao fim. O tempo ficou devagar, e a sensação é insuportável. Estes últimos sete dias poderiam muito bem ter sido sete anos. Sete *décadas*.

Sinto falta do meu namorado.

E odeio o pai dele por me colocar nesta situação horrível. Odeio-o por me fazer partir o coração de Garrett.

Você quer explorar, só pela possibilidade de encontrar alguém melhor do que eu.

O resumo sombrio de Garrett do meu discurso mentiroso de separação continua a zumbir em meu cérebro como um enxame de gafanhotos.

Alguém melhor do que ele?

Deus do céu, foi a *morte* dizer aquilo. Machucá-lo daquele jeito. O gosto amargo dessas palavras ainda queima minha língua. *Alguém melhor do que ele*?

Não tem *ninguém* melhor do que ele. Garrett é o melhor homem que já conheci. E não só porque é inteligente, sensual, engraçado e muito mais gentil do que poderia imaginar. Ele me faz sentir *viva*. Certo, nós discutimos, e sem dúvida sua arrogância me deixa maluca às vezes, mas quando estou com ele, sinto-me completa. Sei que posso baixar a guarda totalmente e não me preocupar que me machuquem ou se aproveitem de mim, nem ficar com medo, porque Garrett Graham sempre vai estar lá para me amar e me proteger.

A única fagulha de esperança para esta terrível confusão é que o time está ganhando de novo. Eles perderam a partida que Garrett não jogou por causa da suspensão, mas já tiveram outras duas depois disso, inclusive uma contra o Eastwood, o rival deles na chave, e ganharam as duas. Se continuarem como estão, Garrett vai conseguir o que quer — ganhar o campeonato para a Briar em seu primeiro ano como capitão.

"Ai, Deus. Por favor, não me diga que é isso que vai usar esta noite." Allie marcha para dentro do meu quarto e franze a testa diante de minha roupa. "Não. Proíbo."

Olho para as calças xadrez surradas e o moletom de gola cortada. "Quê? Não." Aponto para a roupa dentro da capa protetora pendurada no gancho atrás da porta. "Vou usar aquilo."

"Uuuhhh. Deixe-me ver."

Allie abre o zíper da capa e continua com seus *uuuhs* e *aaahs* para o tomara que caia prateado lá dentro. Sua reação animada é uma prova de como andei fora de mim esta semana. Estava praticamente em transe quando dirigi até Hastings para comprar este vestido para o festival e, embora ele tenha ficado pendurado atrás da minha porta por *quatro* dias, não me preocupei em mostrar para Allie.

Não *quero* mostrá-lo. Merda, não quero nem usar esse vestido. O festival de inverno é daqui a duas horas, e não estou nem aí. O semestre inteiro foi uma preparação para esta apresentação idiota.

E. Não. Estou. Nem. Aí.

Quando Allie percebe meu desinteresse, sua expressão se suaviza. "Ah, Han-Han, por que você não chama o cara logo?"

"Porque nós terminamos", murmuro.

Lentamente, ela faz que sim com a cabeça. "E por que mesmo vocês terminaram?"

Estou deprimida demais para repetir a mesma desculpa esfarrapada que dei há uma semana. Não contei a Allie ou a nenhum de meus amigos o verdadeiro motivo por que terminei com Garrett. Não quero que saibam do pai idiota. Não quero ficar *pensando* nesse pai idiota.

Então, o que disse foi: "Não deu certo". Três míseras palavras, e eles não conseguiram arrancar um único detalhe de mim desde então.

Meu silêncio sepulcral se arrasta por tempo suficiente para Allie se ajeitar, desconfortável. Em seguida, suspira e pergunta: "Ainda quer que eu faça o seu cabelo?".

"Claro. Se você quiser." Não há entusiasmo algum em minha voz.

Passamos os trinta minutos seguintes nos arrumando, embora eu não saiba por que Allie se dá ao trabalho. Não é *ela* que tem que subir num palco e cantar para centenas de estranhos.

Se bem que, por curiosidade, será que é possível cantar uma música de amor quando seu coração foi esmagado até virar pó?

Acho que estou prestes a descobrir.

Os bastidores do auditório principal estão caóticos quando chego. Os alunos passam por mim apressados, alguns carregando instrumentos, todos bem-vestidos. Vozes em pânico e ordens enérgicas ecoam ao meu redor, mas mal as percebo.

O primeiro rosto que vejo é o de Cass. Nossos olhares se cruzam por um instante, e ele se aproxima, exalando milhões de dólares em um terno preto e uma camisa salmão de gola levantada. O cabelo escuro está arrumado com perfeição. Os olhos azuis não oferecem qualquer sinal de remorso ou desculpas.

"Bonito vestido", comenta.

Dou de ombros. "Obrigada."

"Nervosa?"

Outro dar de ombros. "Não."

Não estou nervosa porque *não estou nem aí*. Nunca pensei que fosse ser uma dessas palermas que anda por aí feito uma mosca-morta depois de uma separação e explode em lágrimas com a menor lembrança de seu verdadeiro amor, mas, lamentavelmente, é isso que sou.

"Bom, merda pra você", diz Cass ao perceber que não estou a fim de papo.

"Pra você também." Faço uma pausa e murmuro, não apenas para mim: "Literalmente".

De súbito, sua cabeça se vira para mim. "Desculpa, não ouvi a última parte."

Levanto a voz. "Eu disse '*literalmente*'."

Seus olhos azuis se escurecem. "Você é mesmo uma vaca, sabia?"

Um riso me escapa. "Aham. Sou *eu* a vaca."

Cass faz uma cara feia. "O quê, você quer que eu peça desculpas por falar com meu orientador? Porque não vou me desculpar. Nós dois sabemos que o dueto não estava funcionando. Só tive a coragem de tomar uma providência."

"Você tem razão", concordo. "Eu deveria agradecer. Na verdade, você me fez um grande favor." E não, não estou sendo sarcástica. Estou falando sério.

Sua expressão hipócrita vacila. "Eu fiz?" Então limpa a garganta. "Pois é, *fiz* sim. Fiz um favor a nós dois. Fico feliz que seja capaz de reconhecer isso." O sorriso convencido de sempre se reinstala em seus lábios. "De qualquer forma, tenho de encontrar M.J. antes do show."

Ele se afasta, e vou na direção oposta, em busca de Jae. Todas as passagens de som foram feitas de manhã, então está tudo praticamente pronto. Como sou a última aluna de terceiro ano a se apresentar, tenho que ficar olhando para as paredes até a hora de chamarem meu nome. Cass, é claro, vai ser o primeiro do nosso ano. Deve ter chupado alguém para conseguir a vaga, porque é a melhor da escala. É quando os juízes ainda estão descansados e animados, ansiosos para começar a *julgar*, depois de assistirem às apresentações do pessoal dos primeiros anos, que não se qualificam para bolsas de estudo. Quando o último aluno de terceiro ano sobe no palco — *eu*! —, está todo mundo exausto, ansioso para esticar as pernas ou fumar um cigarro, antes de começarem as apresentações dos alunos do último ano.

Procuro por Jae em alguns camarins, mas não o encontro em lugar algum. Espero que meu violoncelista não tenha me abandonado, mas se tiver ido embora... bom... não estou nem aí.

Sinto falta de Garrett. Não consigo passar cinco segundos sem pensar nele, e a lembrança de que não está na plateia hoje é como um golpe de karatê no pescoço. Minha traqueia se fecha, tornando impossível respirar.

"Hannah", uma voz mansa me chama.

Contenho um suspiro. Merda. Não estou com a *menor* vontade de falar com Mary Jane agora.

Mas a loura mignon dispara na minha direção antes que eu possa fugir, encurralando-me na porta do camarim no qual estava prestes a entrar. "A gente pode conversar?", dispara.

O suspiro me escapa. "Não tenho tempo pra isso agora. Tô procurando Jae."

"Ah, ele tá na sala verde no palco leste. Acabei de ver."

"Obrigada."

Começo a me afastar, mas ela bloqueia meu caminho. "Hannah, por favor. Preciso muito falar com você."

Sinto a irritação me subir até a garganta. "Olha, se você tá tentando se desculpar, não perca seu tempo. Desculpas não aceitas."

Vejo a mágoa em seus olhos. "Por favor, não diga isso. Porque estou mesmo triste. Muito, muito triste pelo que fiz. Não deveria ter deixado Cass me convencer."

"Não brinca!"

"Eu... eu simplesmente não conseguia dizer 'não' para ele." Sua voz oscila com um acorde de impotência. "Gostava tanto dele, e ele foi tão atento e encorajador, insistiu que a música foi feita para um cantor só e que apenas *ele* seria capaz de lhe fazer justiça." O rosto de Mary Jane parece se desfazer por inteiro. "Não podia ter agido pelas suas costas. Não podia ter feito isso com você. Me perdoa."

Não me escapa o fato de que está se referindo a Cass no passado. E embora eu seja uma canalha por fazer isso, não consigo conter o riso. "Ele terminou com você, né?"

M.J. evita os meus olhos, os dentes afundando em seu lábio inferior. "Logo depois de conseguir que a música virasse um solo."

Não sinto pena de muita gente. Mas empatia? Ofereço isso abertamente. Pena é algo que reservo para pessoas por quem sinto algo muito mais profundo.

Tenho pena de Mary Jane.

"Preciso perder meu tempo falando '*Eu não disse*'?", pergunto.

Ela balança a cabeça. "Não. Você tinha razão. Eu fui muito burra. Queria acreditar que um cara como ele estivesse mesmo interessado em alguém como eu. Quis tanto que aquilo fosse verdade que estraguei minha amizade com você."

"Não somos amigas, M.J." Sei que estou sendo dura, mas acho que minha noção de tato quebrou junto com meu coração, porque não me incomodo em suavizar o tom ou censurar minhas palavras. "Nunca passaria a perna numa amiga desse jeito. Principalmente por causa de um *cara*."

"Por favor..." Ela engole. "Será que a gente não pode começar de novo? Sinto muito."

"Sei que você sente." Ofereço um sorriso triste. "Olha, tenho certeza de que, um dia, vou ser capaz de falar com você sem pensar nessa merda toda, talvez até confiar em você de novo, mas ainda não cheguei lá."

"Entendo", responde ela, com a voz fraca.

"Preciso mesmo encontrar Jae." Forço um último sorriso. "Tenho certeza de que Cass vai fazer um grande trabalho com a sua música, M.J. Ele pode ser um idiota, mas canta bem pra caramba."

Disparo antes que ela possa me responder.

Encontro Jae e ficamos nos bastidores até as apresentações começarem. Depois de semanas de ensaios ininterruptos, viramos amigos, embora Jae continue muito tímido e com medo da própria sombra. Mas ele está só no primeiro ano, então estou torcendo para que saia da concha quando se adaptar à vida da faculdade.

Os alunos dos dois primeiros anos se apresentam primeiro. Jae e eu ficamos de pé nas coxias, à esquerda do palco, assistindo a um ato depois do outro, mas tenho dificuldade de me concentrar no que estou ouvindo e vendo.

Não estou com vontade de cantar esta noite. Só consigo pensar em Garrett e na agonia em seus olhos quando terminei com ele, na forma como seus ombros caíram quando saiu do meu quarto.

Preciso me lembrar de que fiz isso *por ele*, para que pudesse continuar na Briar fazendo o que ama sem ter que se preocupar com dinheiro. Se tivesse lhe contado das ameaças do pai, Garrett teria escolhido o nosso relacionamento em detrimento de seu futuro, mas não quero que ele trabalhe em tempo integral, caramba. Não quero que vá embora ou abandone o hóquei ou viva estressado com pagar o aluguel ou o carro. Quero que se torne profissional e mostre a todos o quanto ele é talentoso. Que prove ao mundo que está no gelo porque é o *lugar* dele, e não porque o pai o levou até lá.

Quero que seja feliz.

Mesmo que isso signifique a minha infelicidade.

Há um curto intervalo após a última apresentação do segundo ano, e os bastidores são atingidos por outra confusão. Jae e eu somos quase derrubados, quando um fluxo interminável de estudantes vestidos de toga invade o palco. Percebo que são os membros do coral de Cass.

"Poderíamos estar ali." Sorrio para Jae, enquanto assistimos o coro entrar em posição no palco escuro. "O exército de minions de Cass."

Seus lábios se contorcem. "Acho que nos livramos de uma."

"Concordo."

Desta vez, quando a apresentação recomeça, volto-me para ela com total atenção, porque o maravilhoso Cassidy Donovan chegou ao palco. Quando o pianista toca os acordes de abertura da canção de M.J., experimento uma pontada de ciúme. Droga, é uma música e tanto. Mordo o lábio, preocupada que minha simples balada fique muito aquém se comparada à bela composição de Mary Jane.

Não posso mentir. Cass canta pra caramba. Cada nota, cada vibrato, cada maldita *pausa* é da mais absoluta perfeição. Está lindo no palco e soa ainda mais bonito. Quando o coro se junta e dá uma de *Mudança de hábito*, a apresentação ganha uma energia totalmente nova.

Só tem uma coisa faltando — *emoção*. Quando M.J. tocou a música para mim pela primeira vez, eu a *senti* de verdade. Senti a conexão dela com a letra e a dor por trás dos versos. Hoje, não sinto nada, embora não saiba se é por uma falha de Cass ou se foi o término com Garrett que me roubou a capacidade de ter emoções.

Mas, com certeza, estou sentindo *alguma coisa* quando sento atrás do piano trinta minutos depois. Assim que as notas avassaladoras do violoncelo de Jae preenchem o palco, é como se uma represa se rompesse dentro de mim. Garrett foi a primeira pessoa para quem cantei esta música, quando ainda estava crua e incompleta, muito longe de terminada. E Garrett foi o único que me ouviu ensaiá-la, esmerá-la e aperfeiçoá-la.

Quando abro a boca e começo, é para Garrett que estou cantando. Sou transportada para aquele lugar tranquilo, minha bolha feliz em que nada de ruim acontece. Na qual meninas não são estupradas, sexo não é uma coisa complicada e as pessoas não se separam porque idiotas agressivos as obrigam a isso. Meus dedos tremem nas teclas de marfim, e meu coração se aperta a cada respiração, a cada palavra que canto.

Quando termino, um silêncio recai sobre o auditório.

E então sou aplaudida de pé.

Levanto-me, mas só porque Jae se aproxima e me faz ficar de pé para cumprimentarmos o público. Os holofotes me cegam e os aplausos me ensurdecem. Sei que Allie, Stella e Meg estão em algum lugar na plateia, em pé, se esgoelando de tanto gritar, mas não consigo ver seus rostos. Ao contrário do que vemos em filmes e programas de televisão, é impossível fazer contato visual com um rosto na multidão quando se tem uma explosão de luz nos olhos.

Jae e eu deixamos o palco em direção às coxias, e sou engolida por alguém num abraço de urso. É Dexter, e seu sorriso cobre todo o rosto ao me parabenizar.

"É melhor que isso sejam lágrimas de felicidade!", exclama.

Toco minha bochecha, surpresa de encontrá-la molhada. Nem tinha percebido que estava chorando.

"Você foi espetacular", explode uma voz, e viro-me para ver Fiona marchando na minha direção. Ela me puxa em seus braços e me aperta. "Você tava deslumbrante, Hannah. Melhor apresentação da noite."

Suas palavras não aliviam a dor que sinto no peito. Consigo apenas acenar com a cabeça e murmurar: "Preciso ir ao banheiro. Com licença".

Deixo Dex, Fiona e Jae me fitando confusos, mas não me importo, nem diminuo a velocidade. Foda-se o banheiro. Foda-se este festival. Não quero ficar aqui e assistir às apresentações do último ano. Não quero esperar a cerimônia da bolsa de estudos. Só quero sumir e encontrar um canto para chorar.

Corro em direção à saída, as sapatilhas prateadas batendo no piso de madeira diante da minha necessidade desesperada de fugir.

A um metro e meio da porta, bato num peito masculino rígido.

Meu olhar voa e pousa num par de olhos cinzentos. Levo um segundo para perceber que estou diante de Garrett.

Nenhum de nós fala. Está de calça preta e uma camisa social azul que se estica sobre seus ombros largos. Sua expressão é um misto de admiração radiante e tristeza infinita.

"Oi", diz, com a voz rouca.

Meu coração pula de felicidade, e tenho que me lembrar que esta não é uma ocasião feliz, que ainda estamos separados. "Oi."

"Você foi... sensacional." Os olhos bonitos ficam ligeiramente embaçados. "Absolutamente sensacional."

"Você tava na plateia?", sussurro.

"Onde mais eu poderia estar?" Mas não soa irritado, apenas triste. Então sua voz engrossa, e ele murmura: "Quantos?".

Uma confusão me invade. "Quantos o quê?"

"Com quantos caras você saiu esta semana?"

Estremeço de surpresa. "Nenhum", deixo escapar, antes de poder evitar.

E me arrependo na mesma hora, pois um vislumbre de perspicácia surge em seus olhos. "Foi o que imaginei."

"Garrett..."

"O negócio é o seguinte, Wellsy", me interrompe ele. "Tive sete dias inteiros para pensar nesta separação. Na primeira noite? Enchi a cara. Sério, fiquei um lixo."

Sou tomada por uma onda de pânico, porque, de repente, imagino que ele possa ter ficado com alguém quando estava bêbado, e a ideia de Garrett com outra garota é de *matar*.

No entanto, ele continua, e minha ansiedade diminui. "Depois, deixei a bebedeira passar, me acalmei e resolvi fazer melhor uso do meu tempo. Então... Tive sete dias inteiros para analisar e reavaliar o que aconteceu entre nós, para dissecar o que deu errado, reexaminar cada palavra do que você disse naquela noite..." Ele deita a cabeça. "Quer saber a conclusão a que cheguei?"

Meu Deus, tenho pavor de ouvir isso.

Quando não respondo, ele sorri. "Minha conclusão é que você mentiu para mim. Não sei por que fez isso, mas pode apostar que pretendo descobrir."

"Não menti", minto. "Realmente estávamos indo rápido demais para mim. E quero sair com outras pessoas."

"Aham. Sério?"

Adoto meu tom mais insistente. "*Sério.*"

Garrett fica em silêncio por um instante. Em seguida, estende a mão e acaricia de leve o meu rosto antes de afastá-lo e dizer: "Só acredito vendo".

42

HANNAH

As férias de Natal demoram uma eternidade para chegar. Estou literalmente um trapo ao embarcar no avião para Filadélfia — de moletom, descabelada e coberta de espinhas por causa do estresse. Desde o festival, topei com Garrett três vezes. Uma no Café Hut, uma no jardim do campus e uma na saída do auditório de ética, quando fui buscar minha nota final. Em todas as três vezes, ele me perguntou com quantos caras eu já tinha saído desde a separação.

Em todas as três vezes, entrei em pânico, deixei escapar alguma desculpa sobre estar atrasada e fugi feito uma covarde.

O problema de terminar com alguém sob falsos pretextos é o seguinte: a outra pessoa não aceita a sua desculpa, a menos que você faça o que disse que queria fazer. No meu caso, preciso sair com um monte de garotos aleatórios e começar a explorar, porque foi o que falei a Garrett que queria, e, se não partir logo para a ação, ele vai perceber que tem alguma coisa errada.

Acho que poderia chamar alguém para sair. Arrumar um encontro bem público, do qual Garrett sem dúvida ficasse sabendo, e convencer o cara que amo de que segui em frente. Mas a ideia de estar com alguém que não seja Garrett me dá náuseas.

Felizmente, não preciso me preocupar com nada disso agora. Vou ter uma folga, porque vou passar as próximas três semanas com minha família.

Entro no avião e, pela primeira vez desde que o pai de Garrett deu seu penoso ultimato, sou capaz de finalmente respirar.

Ver meus pais é exatamente o que precisava. Não se iludam, ainda penso em Garrett o tempo inteiro, mas é muito mais fácil me distrair da dor assando biscoitos de Natal com meu pai ou sendo arrastada para a cidade para fazer compras com minha mãe e minha tia.

Na segunda noite na Filadélfia, contei à minha mãe sobre Garrett. Ou melhor, ela arrancou de mim depois que me pegou deprimida no quarto de hóspedes. Disse-me que eu parecia uma mendiga que tinha acabado ser tirada das ruas e começou a me empurrar para o chuveiro e me forçou a escovar o cabelo. Depois disso, coloquei tudo para fora, o que a fez dar início ao que está chamando de Operação Férias Animadas. Em outras palavras, está me enfiando um zilhão de atividades de férias goela abaixo, e a amo muito por isso.

Não estou com pressa de voltar para a Briar daqui a três dias, onde Garrett, sem dúvida, está com seus próprios planos não tão secretos — a Operação Fazer Hannah Admitir Que Estava Mentindo. *Sei* que está tentando me reconquistar.

Também sei que não vai precisar de muito esforço. Basta me olhar com aqueles olhos cinzentos maravilhosos, abrir aquele sorriso torto, e vou me debulhar em lágrimas, jogar os braços em volta dele e contar tudo.

Sinto sua falta.

"Ei, querida, você vai descer para passar a virada com a gente?" Minha mãe aparece na porta com uma tigela sedutora de pipoca, e me lembro da primeira vez que passei a noite na casa de Garrett, quando enchemos a cara de pipoca e assistimos a horas de televisão.

"Já vou", respondo. "Só vou botar uma roupa confortável."

Quando ela se afasta, saio da cama e procuro uma calça de ginástica na mala. Tiro a calça jeans skinny e substituo pelo algodão macio, em seguida, desço as escadas até a sala, onde meus pais, meus tios e seus amigos Bill e Susan estão acomodados nos sofás em forma de L.

Vou passar a noite de Réveillon com três casais de meia-idade.

Iuuuuhuuu.

"E aí, Hannah?", me cumprimenta Susan. "Sua mãe estava me contando que você acabou de ganhar uma bolsa de prestígio."

Sinto-me corar. "Essa coisa de prestígio é uma baboseira. Mas, na verdade, todo ano eles distribuem bolsas nos festivais de inverno e de primavera. E é verdade, eu ganhei."

Engula essa, Cass Donovan, exclama meu convencido monstro interior.

Não tinha planejado voltar ao auditório depois que encontrei Garrett no festival, mas Fiona acabou me pegando bem na hora em que tentava fugir e me arrastou de volta para o palco. E sim, não posso negar que a sensação de vitória ao ouvir meu nome ser anunciado na cerimônia da bolsa de estudos tenha me deixado nas nuvens. E nunca vou esquecer a indignação no rosto de Cass quando percebeu que o *seu* nome não foi chamado.

Agora estou cinco mil dólares mais rica, e meus pais podem respirar aliviados, porque vou ser capaz de pagar eu mesma pelas despesas com residência e comida no semestre que vem.

Às dez para a meia-noite, tio Mark põe um fim à nossa tagarelice ligando de novo o som da televisão para assistirmos à festa da Times Square. Tia Nicole distribui línguas de sogra com serpentinas cor-de-rosa, enquanto minha mãe passa punhados de confete para todo mundo. Minha família é cafona, mas não a trocaria por nada neste mundo.

Meus olhos estão surpreendentemente enevoados quando começamos a contagem regressiva junto com o locutor na TV. Até aí, talvez as lágrimas *não sejam* exatamente uma surpresa, porque quando o relógio chega ao zero e todos gritam "*Feliz Ano-Novo*!", lembro que o bater da meia-noite não indica apenas o início de um novo ano.

Primeiro de janeiro é também o aniversário de Garrett.

Aperto os lábios para conter o turbilhão de lágrimas, forçando um riso quando meu pai me gira em seus braços e beija minha bochecha. "Feliz Ano-Novo, princesa."

"Feliz Ano-Novo, pai."

Seus olhos verdes suavizam ao perceber minha expressão triste. "Ah, filha, por que não pega o telefone e liga logo para aquele pobre menino? É Réveillon."

Fico boquiaberta, então viro a cabeça para minha mãe. "Você contou para ele?"

Ela pelo menos tem a decência de me lançar um olhar culpado. "Ele perguntou por que você estava deprimida. Não tinha como *não* contar."

Meu pai ri. "Ah, não culpe a sua mãe, Han. Percebi sozinho. Você tem estado tão triste que só podia ser problema com algum menino. Agora vá desejar a ele um feliz ano-novo. Vai se arrepender se não fizer isso."

Suspiro. Mas sei que ele está certo.

Subo as escadas às pressas, o pulso disparando. Pego o celular na bolsa, então hesito, porque, sério, isso *não é* uma boa ideia. Eu terminei com ele. Deveria estar seguindo em frente e saindo com outras pessoas e blá-blá-blá.

Mas é *aniversário* dele.

Solto um suspiro trêmulo e ligo.

Garrett atende ao primeiro toque. Achei que iria ouvir um burburinho. Conversa, gargalhadas, gritos bêbados. Mas onde quer que esteja, está um silêncio sepulcral.

Sua voz rouca faz cócegas em meu ouvido. "Feliz Ano-Novo, Hannah."

"Feliz aniversário, Garrett."

Há uma pequena pausa. "Você lembrou."

Pisco em cima das lágrimas. "Claro que lembrei."

Tem tantas outras coisas que quero falar. *Eu te amo. Sinto sua falta. Odeio o seu pai.* Mas reprimo a necessidade e não digo absolutamente nada.

"Como vão os namoros?", pergunta ele, alegremente.

Minha barriga se contrai. "Hmm... ótimos."

"Ah, é? Tem explorado muito? Feito uma pesquisa minuciosa do significado do amor?"

Há uma nota de sarcasmo em sua voz, porém, mais do que tudo, parece estar se divertindo. Parece presunçoso até.

"Tenho", digo, sem dar muita importância.

"Com quantos caras você saiu?"

"Alguns."

"Ótimo. Espero que estejam te tratando bem. Sabe como é, abrindo a porta, colocando o casaco no chão para você passar por cima de poças, esse tipo de coisa."

Nossa, que idiota. Amo esse homem.

"Não se preocupe, são todos muito cavalheiros", asseguro-lhe. "Estou me divertindo horrores."

"Bom saber." Ele faz uma pausa. "A gente se vê em poucos dias. Aí você vai poder me contar tudo."

Garrett desliga, e eu o amaldiçoo baixinho.

Droga. Por que está insistindo com isso? Por que não pode simplesmente aceitar que está tudo acabado entre nós e se concentrar na droga do time de hóquei?

E como diabos vou convencê-lo de que não quero estar com ele quando não consigo nem me convencer?

43

HANNAH

No meu segundo dia de volta ao campus, embarco em minha própria missão: Operação Só Acredito Vendo. Porque está na cara que o único jeito de convencer Garrett a recuar é provar a ele que estou seguindo em frente. O que significa que preciso encontrar um cara para sair comigo. Para ontem.

A primeira oportunidade surge quando passo no Café Hut para pegar um chocolate quente. Está nevando horrores lá fora, e bato a neve das botas no capacho perto da porta antes de entrar na fila. É então que percebo que o cara na minha frente parece conhecido. Quando faz seu pedido e vai até o balcão para recebê-lo, vejo seu perfil de relance e me dou conta de que se trata de Jimmy. Jimmy... o quê? Pauley? Não, Paulson. Jimmy Paulson, de literatura inglesa e da festa da Sigma. Perfeito. Temos passado. É praticamente um relacionamento.

"Oi, Jimmy", cumprimento depois de pedir minha bebida e me juntar a ele no balcão.

Jimmy se enrijece visivelmente ao som da minha voz. "Ah. Oi." Seus olhos disparam pelo ambiente, como se não quisesse que ninguém nos visse conversando.

"Escute", começo. "Estava pensando, nunca mais nos falamos desde aquela festa em outubro..."

A barista coloca um copo de isopor na frente de Jimmy, que o pega tão rápido que nem sequer vejo sua mão.

Continuo depressa. "Achei que seria bom colocar a conversa em dia e..."

Jimmy já está se afastando de mim. Meu Deus, por que parece tão aterrorizado? Será que pensa que vou esfaqueá-lo ou algo assim?

"... talvez você queira tomar um café um dia desses", termino.

"Ah." Afasta-se ainda mais. "Hmm. Obrigado pelo convite, mas... hmm, é, não bebo café."

Fico olhando para o copo em sua mão.

Ele segue meus olhos e engole em seco. "Desculpa, tenho que ir. Vou encontrar alguém... do outro lado do campus e... hmm... bem longe, então estou com um pouco de pressa."

Bom, pelo menos não está mentindo sobre estar com pressa, porque voa porta afora como um velocista olímpico.

Certo, isso foi... estranho.

Franzindo a testa, pego meu chocolate quente e vou na direção da Bristol House. É um processo lento, porque a neve está caindo mais rápido do que a equipe de limpeza do campus é capaz de escavar, e minhas botas afundam meio metro a cada passo. Mas o ritmo forçado me permite encontrar outro elemento de estranheza. Quando estava saindo com Garrett, as pessoas me cumprimentavam o tempo todo. Hoje, todo mundo por quem passo parece me evitar, principalmente os homens.

É assim que os amish desonrados se sentem quando são banidos? Porque ninguém está olhando para mim, e não gosto disso.

Também não entendo o que está acontecendo.

No caminho até o alojamento, decido ligar para Dexter e ver se ele quer sair hoje à noite. Talvez ir ao Malone's — não, Garrett poderia estar lá. Outro bar na cidade, então. Ou o salão de festas da faculdade. Qualquer lugar em que eu poderia conhecer um cara.

Perto da Bristol House, o garoto oportunidade número dois sai do prédio ao lado. É Justin, e, ao contrário do restante do mundo, ergue a mão para um aceno.

Aceno de volta, em grande parte pelo alívio de que *alguém* pareça feliz em me ver.

"Oi, estranha", cumprimenta ele, vindo na minha direção.

Está com o cabelo de quem acabou de sair da cama, e, no entanto, não acho mais isso tão bonitinho. Só o faz parecer um desleixado. Ou talvez um farsante, porque tenho certeza de que posso ver gel nos fios, o que significa que perdeu tempo criando o estilo "não estou nem aí". E isso faz dele um mentiroso.

Também caminho em sua direção. "Oi. Como foi de férias?"

"Bem. Não chove muito em Seattle nesta época do ano, por isso tive que me contentar com uma tonelada de neve. Andei de snowboard, esquiei, fiz hidromassagem. Foi divertido." As covinhas de Justin aparecem e não provocam nada em mim.

Mas... que inferno, é o único cara que olhou para mim hoje. Pedintes não contam, certo?

"Parece divertido. Hmm, então..."

Não.

Não, não, não. Simplesmente... não.

Não posso fazer isso. Não com *este* cara. Garrett me ajudou a fazer ciúmes em Justin em outubro. *Cancelei* um encontro com ele quando percebi que queria estar com Garrett. E sei o quanto Garrett não gosta de Justin.

Não posso, de jeito nenhum, abrir esta porta, e não é apenas porque meus sentimentos por Justin sejam inexistentes, mas porque seria como esfaquear Garrett no peito.

"Então, oi", termino. "Pois é... Só vim dizer oi." Ergo meu copo de chocolate quente como se de alguma forma fizesse parte desta conversa. "E vou lá dentro beber isto. Bom ver você."

Sua voz irritada faz minhas costas se arrepiarem. "O que diabos foi isso?", pergunta.

A culpa borbulhando em meu estômago me impele a virar de volta para ele. "Desculpa", digo, com um suspiro. "Sou uma idiota."

Um sorriso irônico surge em seus lábios. "Bom, eu não ia falar nada, mas..."

Caminho de volta até ele, as mãos enluvadas ainda envolvendo o copo. "Nunca quis te dar falsas esperanças", admito. "Quando disse que ia sair com você, era algo que queria muito na época. De verdade." A dor se instala em minha garganta. "Não achei que fosse me apaixonar por ele, Justin."

Agora ele parece apenas resignado. "E as pessoas *sabem* quando vão se apaixonar por alguém? Acho que é algo que simplesmente acontece."

"É, acho que sim. Ele... me pegou de surpresa." Encontro seus olhos, torcendo para que veja o arrependimento genuíno que estou sentindo. "Mas eu *estava* interessada em você. Nunca menti sobre isso."

"*Estava*, é?" Ele soa triste.

"Desculpa", digo mais uma vez. "Eu... droga, estou um caco, e ainda apaixonada por Garrett, mas se você quiser começar de novo, como amigos, estou cem por cento dentro. Podemos falar de Hemingway de vez em quando."

Justin franze os lábios. "Como você sabe que gosto de Hemingway?"

Ofereço-lhe um leve sorriso. "Hmm. Talvez eu tenha feito umas pesquisas quando tinha uma queda por você. Viu só? Não menti sobre isso."

Em vez de fazer o sinal da cruz e gritar "*Psicopata!*", ele ri baixinho. "É, acho que não. Bom saber, pelo menos."

Depois de um silêncio constrangedor, Justin enfia as mãos nos bolsos da jaqueta. "Tudo bem. Topo tentar esse negócio de amigo. Mande uma mensagem se quiser tomar um café um dia desses."

Ele se afasta, levando consigo um peso do meu peito.

Em meu quarto, parabenizo-me por ter evitado um desastre em potencial e volto a me remoer com minha missão. Allie está em Nova York até amanhã. Stella também está viajando. Quando mando uma mensagem para Dex, ele diz que não pode sair porque está estudando para sua última prova. Quando escrevo para Meg, ela explica que tem planos com Jeremy.

Suspirando, repasso a lista de contatos em meu telefone até que um nome chama minha atenção. Na verdade, quanto mais penso nisso, mais gosto da ideia de fazer essa ligação.

O namorado de Allie atende depois de vários toques. "E aí, como vai?"

"Oi. É Hannah."

"Não brinca", zomba Sean. "Tenho seu telefone."

"Ah, certo." Hesito. "Então, sei que Allie ainda não voltou da casa do pai, mas queria saber se..." Paro um segundo e, em seguida, deixo escapar: "O que você vai fazer hoje? Quer sair?".

O namorado da minha melhor amiga fica em silêncio. Não o culpo. Nunca liguei para ele e o chamei para sair sem Allie antes. Até aí, nunca liguei para ele, ponto.

"Você entende que isso é estranho, né?", diz Sean, com franqueza.

Solto um suspiro. "Entendo."

"O que tá acontecendo? Tá só entediada ou algo assim? Ou isso é uma loucura do tipo dar em cima do namorado da melhor amiga? Espera — Allie tá ouvindo isso?" Sean levanta a voz. "Allie, se você estiver aí, eu te amo. Eu nunca, nunca iria trair você com a sua melhor amiga."

Solto uma risada junto ao telefone. "Ela não tá na linha, seu bobão, mas é bom saber. E, vai por mim, não tô dando em cima de você. Eu... só... achei que a gente poderia sair com alguns dos seus amigos da fraternidade hoje. Talvez você pudesse, sabe, me apresentar a algum deles."

"Tá falando sério?", exclama. "De jeito nenhum. Você é boa demais para qualquer um desses idiotas, e tenho certeza de que Allie me mataria se eu apresentasse você a algum deles. Além do mais...", ele se cala, abruptamente.

"Além do mais o quê?", exijo.

Ele não responde.

"Termine essa frase, Sean."

"Melhor não."

"Melhor sim." Minhas suspeitas vão a mil. "Ai, meu Deus." Solto um suspiro. "Você sabe por que todos os homens da universidade de repente estão me tratando como se eu tivesse uma DST?"

"Talvez...", diz ele.

"Talvez?" Quando Sean não responde, solto um gemido de frustração. "Juro por Deus, se você não me disser o que sabe, vou..."

"Tudo bem, tudo bem", ele interrompe. "Vou contar."

E contou tudo.

E a minha resposta é um grito alto de indignação.

"Ele fez *o quê?*"

Vinte minutos depois, irrompo pelas portas da arena de hóquei da Briar. O ar frio envolve meu rosto na mesma hora, mas não consegue arrefecer o fogo queimando dentro de mim. São cinco e meia, o que significa que o treino de Garrett já acabou, então passo pelas portas do rinque e vou direito para os vestiários nos fundos da arena. Estou com tanta raiva que meu corpo inteiro treme.

Garrett chegou ao limite. Não, ele foi tão além que nem dá saber onde ficou a porcaria do limite. E de jeito nenhum vai se safar dessa palhaçada infantil e ridícula.

Chego à porta do vestiário quando um dos jogadores está saindo.

"Garrett tá aí?", berro.

Ele parece assustado de me ver. "Tá, mas..."

Passo por ele e agarro a maçaneta da porta.

O cara protesta atrás de mim. "Não acho que você devesse entrar no..."

Irrompo no vestiário e...

Pênis!

Minha Nossa Senhora.

Pênis *para todos os lados.*

Um horror me invade quando me dou conta do que estou vendo. Ai, Deus. Entrei numa convenção de pênis. Pênis grande, pênis pequeno, pênis gordo, pênis em forma de pênis. Não importa para onde movo a cabeça, para todo lado que olho, *vejo pênis.*

Meu arquejo mortificado chama a atenção de todos os pênis — digo, de todos os jogadores no vestiário. Num piscar de olhos, toalhas aparecem, mãos cobrem os pênis e corpos se atrapalham, enquanto permaneço na entrada, vermelha como um tomate.

"Wellsy?" Um Logan de peito nu sorri para mim, um dos ombros apoiados contra o armário. Parece estar se esforçando muito para não rir.

"Pênis... *Logan*", deixo escapar. "Oi." Faço o possível para evitar contato visual com os homens seminus andando de um lado para o outro, todos rindo divertidos ou brancos de susto. "Estou procurando Garrett."

Com um sorriso mal contido, Logan aponta com o polegar uma porta nos fundos do vestiário que imagino ser onde ficam os chuveiros, porque posso ver o vapor saindo por ela.

"Obrigada." Ofereço-lhe um olhar agradecido e sigo na direção da porta, bem no instante em que um vulto emerge do lugar embaçado.

Dean aparece, e vejo seu pênis.

"Oi, Wellsy", me cumprimenta. Indiferente à minha presença, ele passeia nu em direção ao seu armário, como se me encontrar aqui fosse uma ocorrência diária.

Sigo em frente, pensando se devo fechar os olhos, mas, felizmente, todos os chuveiros têm portas baixas e são separados por divisórias. À medida que caminho pelo piso de azulejos, cabeças se viram na minha direção. Uma delas pertence a Birdie, que arregala os olhos quando passo por ele.

"Hannah?", exclama.

Ignoro-o e continuo caminhando até achar as costas que me são familiares. Meu olhar dá uma conferida rápida, e, sim, pele dourada, tatuagem, cabelo escuro. É Garrett, sem dúvida.

Ao som dos meus passos, ele vira e fica boquiaberto com a minha presença. "Wellsy?"

Paro diante da porta, faço minha cara mais feia e grito: "Qual é seu problema?".

44

GARRETT

Estou sorrindo feito um bobo da corte. E agora *não é* hora de estar sorrindo feito um bobo da corte, não quando estou do jeito que vim ao mundo, com um monte de homens tomando banho à minha volta e minha namorada me encarando furiosa. Mas estou tão feliz de vê-la que não posso controlar meus músculos faciais.

Meus olhos engolem sua visão. O rosto lindo. O cabelo escuro puxado para trás num rabo de cavalo com um enfeite cor de rosa. Os olhos verdes enfurecidos.

Fica tão gata quando está com raiva de mim.

"Bom ver você também, linda", respondo, alegre. "Como foi de férias?"

"Nem vem com esse negócio de *linda* pra cima de mim. E não me pergunte das férias, porque você não *merece* saber disso!" Hannah me lança um olhar colérico, então se volta para os três jogadores nas cabines vizinhas. "Pelo amor de Deus, dá para se enxaguar e cair fora? Tô tentando gritar com o capitão de vocês."

Contenho o riso, mas ele acaba escapando quando meus colegas de time recobram a atenção como se tivessem recebido uma ordem de um sargento. Chuveiros são desligados, toalhas aparecem, e, um minuto depois, Hannah e eu estamos sozinhos.

Fecho a torneira e me viro de frente para ela. A porta da cabine faz um excelente trabalho em esconder minhas partes baixas, mas tudo o que Hannah tem que fazer é espiar por cima dela e terá uma bela visão do meu pau endurecendo depressa, pois está incrivelmente feliz em vê-la.

Mas ela não faz isso. Simplesmente mantém os olhos cravados nos meus. "Você baixou uma lei no campus inteiro para ninguém sair comigo? Está de *brincadeira* com a minha cara?"

Não demonstro o menor arrependimento ao fitar seus olhos. "Claro que baixei."

"Ai, meu Deus. Você é inacreditável." Ela balança a cabeça em descrença. "*Quem* você pensa que é, Garrett? Não pode simplesmente sair por aí e dizer para todos os homens da faculdade que eles não têm permissão de falar comigo ou você vai quebrar a cara deles!"

"Não falei com *todos* os homens. Você acha que tenho tempo para isso?" Abro um sorriso. "Falei só com algumas pessoas-chave e fiz questão de que espalhassem a notícia."

"Como assim? Se você não ficar comigo, ninguém mais pode, é isso?", pergunta, sombriamente.

Rio. "Bom, isso seria maluquice. Não sou um psicopata, gata. Fiz por você."

Ela fica boquiaberta. "E como você chegou a *essa* conclusão?"

"Porque você está apaixonada por mim e não quer sair com mais ninguém. Mas fiquei preocupado que a teimosa em você a obrigasse a sair com alguém só para justificar a sua mentira, então tive que tomar algumas medidas preventivas." Apoio os braços na porta da cabine. "Sabia que se saísse com outra pessoa iria acabar se arrependendo, e depois se sentiria um lixo quando finalmente recobrasse o juízo, então quis poupar você de toda essa dor e sofrimento. De nada."

Ela parece atordoada por um momento.

Então começa a rir.

Nossa, como senti falta do som da sua risada. Fico tentado a pular por cima da porta e beijá-la até dizer chega, mas não tenho a chance.

"Que *merda* é essa?"

Hannah dá um pulo de susto quando o treinador Jensen aparece na área do chuveiro.

"Ah, oi, treinador", digo. "Não é o que parece."

Suas sobrancelhas escuras se unem numa cara feia de quem não está nem um pouco satisfeito. "Parece que você está tomando banho na frente da sua namorada. No meu vestiário."

"Certo, então é o que parece. Mas, prometo, tudo muito respeitoso. Bom, exceto pelo fato de que estou pelado. Mas não se preocupe, não vai acontecer nada pornográfico." Sorrio para ele. "Tô tentando reconquistá-la."

A boca do treinador se abre, se fecha e se abre novamente. Não sei dizer se está achando graça, chateado ou se vai fazer vista grossa. Por fim, ele assente e opta pela opção número três. "Vá em frente."

O treinador balança a cabeça para si mesmo enquanto se dirige à saída, e me volto para Hannah bem a tempo de vê-la tentando escapar.

"Ah, merda, não", reclamo. "De jeito nenhum, Wellsy." Pego minha toalha, passo em volta da cintura e saio da cabine. "Você não vai fugir de mim."

"Vim aqui para gritar com você", gagueja ela, olhando para os pés. "Agora que já acabei de gritar, então..."

Hannah solta um ganido quando minhas mãos molhadas erguem seu rosto para obrigá-la a olhar para mim. "Ótimo, você já acabou de gritar. Agora quero que você *fale* comigo, e você não vai embora até terminar."

"Não quero falar."

"Só lamento, docinho." Examino sua expressão angustiada. "Por que você terminou comigo?"

"Já falei..."

"Eu sei o que você falou. Não acreditei na época e continuo não acreditando agora." Fecho a cara. "Por que você terminou comigo?"

Uma respiração instável exala de sua boca. "Porque estávamos indo rápido demais."

"Mentira. Por que você terminou comigo?"

"Porque queria sair com outras pessoas."

"Mais uma vez. Por que você terminou comigo?"

Quando ela não responde, uma explosão de frustração vara meu corpo, e reajo levando a boca até a dela num ímpeto. Beijo-a com força, desesperado, os dias e as semanas de saudade me invadindo e saindo na forma de beijos famintos e profundos que nos deixam sem fôlego. Hannah não se afasta. Simplesmente me beija de volta com a mesma paixão descontrolada, as mãos agarrando-se aos meus ombros molhados como se estivesse perdida no mar e eu fosse seu colete salva-vidas.

E aí percebo que ela ainda me ama. E sei que sentiu tanta saudade quanto eu. Por isso, separo a boca da sua e sussurro: "Por que você terminou comigo?".

Seu olhar angustiado se prende ao meu. O lábio inferior tremula, e, à medida que vários segundos vão passando, me pergunto se vai me responder. Me pergunto se...

"Porque o seu pai mandou."

O espanto quase me tira o chão. Com meu equilíbrio parecendo uma gangorra, deixo as mãos penderem na lateral do meu corpo e fito-a, incapaz de compreender o que acabei de ouvir.

Engulo em seco. Então engulo de novo. "O quê?"

"Seu pai me mandou terminar", admite. "Disse que se não obedecesse, ele..."

Ergo a mão para silenciá-la. Estou chocado demais para escutar. Enfurecido demais para me mover. Faço força para respirar. Inspirações longas e tranquilizantes que me ajudam a estabilizar o equilíbrio e limpar a confusão mental. Por fim, exalo uma longa expiração lenta e corro a mão pelo cabelo úmido.

"O que vai acontecer é o seguinte", digo, em voz baixa. "Você vai me esperar lá fora enquanto eu me visto, e depois você e eu vamos para... não importa para onde a gente vai. Seu quarto, meu carro, *qualquer lugar*. Vamos para algum lugar, e você vai me contar todas as palavras que o filho da puta falou para você." Tomo outro fôlego. "Você vai me contar *tudo*."

HANNAH

Garrett não diz um ai enquanto conto o que aconteceu entre mim e seu pai. Estamos no meu quarto, porque a arena fica mais perto dos alojamentos do que da sua casa, e ele estava com pressa demais para ter essa conversa. Mas tudo o que fez até agora foi ouvir atentamente, os braços cruzados e a testa franzida, à medida que praticamente vomito a confissão.

Não consigo parar de falar. Recito as ameaças do pai dele palavra por palavra. Explico por que o obedeci. Peço que entenda que fiz isso porque o amo e quero que seja bem-sucedido.

E, durante todo esse tempo, Garrett não diz nada. Nem sequer pisca.

"Fala alguma coisa, pelo amor de Deus!", murmuro, ao terminar de contar tudo e ainda encontrar o seu silêncio.

Seus olhos cinzentos estão fixos no meu rosto. Não sei se está com raiva ou irritado, se está decepcionado ou chateado. Todas essas emoções fariam sentido para mim.

Mas o que vem a seguir?

Não faz o menor sentido.

Garrett começa a rir. Risadas profundas e roucas que me fazem franzir os lábios. Sua testa relaxa, e ele deixa os braços caírem para os lados e senta na cama ao meu lado, os ombros imensos tremendo de contentamento.

"Você acha isso divertido?", indago, genuinamente ofendida. Passei um mês inteiro definhando de tanta tristeza, e ele acha *graça*?

"Não, acho que é uma pena", responde, entre as risadas.

"O que é uma pena?"

"Isso." Gesticula de mim para ele. "Você e eu. Perdemos a merda de um mês inteiro." E solta um suspiro pesado. "Por que não me *contou*?"

Minha garganta se fecha. "Porque sei o que você diria."

Outra risada salta de sua boca. "Duvido muito, mas tudo bem, vamos ver. O que eu diria?"

Não entendo a estranha reação petulante, e isso está me deixando inquieta. "Você falaria que não está nem aí que seu pai corte o seu dinheiro, porque não iria deixá-lo controlar você ou nós dois."

Garrett assente. "Sim, está no caminho certo, por enquanto. E o que mais?"

"Aí teria dito que se preocupa mais comigo do que com a porcaria do dinheiro dele."

"Aham."

"E teria deixado que ele cortasse o dinheiro."

"Certo de novo."

Meu estômago dá uma guinada. "Ele disse que você não pode pedir bolsa e que não conseguiria um empréstimo bancário."

Garrett faz que "sim" com a cabeça mais uma vez. "As duas coisas são verdade."

"Você ia ter que limpar a poupança para pagar a matrícula do ano que vem e... e aí? Nós dois sabemos que não pode bancar o aluguel, as suas despesas e o carro sem trabalhar, o que significa que precisaria arrumar um emprego e..."

"Vou interromper você aí, gata." O sorriso que me oferece é de uma ternura infinita. "Certo... vamos voltar um pouco. Eu deixo meu pai cortar o dinheiro. Pergunte o que eu diria em seguida."

Mordo a bochecha por dentro. Um pouco forte demais, então alivio a dor com a língua. "O quê?"

Garrett se aproxima e corre os dedos por meu rosto. "Eu teria dito: '*Não se preocupe, gata, em poucas semanas completo vinte e um anos, e meus avós me deixaram uma herança à qual tenho acesso desde o dia 2 de janeiro*'."

Inspiro fundo, espantada. "Espera aí... o quê?"

Ele belisca de leve meu lábio inferior, balançando a cabeça, frustrado. "Meus avós me deixaram uma herança, Hannah. Meu pai não sabia, porque minha mãe assinou tudo às escondidas. Minha avó e meu avô odiavam o filho da puta — odiavam mesmo — e perceberam como ele podia ser controlador quando o assunto era eu e o hóquei. Ficaram com medo de que ele pudesse tentar usar o dinheiro como bem entendesse, por isso se certificaram de que iriam cuidar de mim. Deixaram dinheiro suficiente para eu pagar ao meu pai de volta tudo o que ele gastou comigo. O suficiente para bancar o restante da minha educação, todas as minhas despesas e, provavelmente, me sustentar por alguns anos depois de me formar."

Minha mente dá voltas. Tenho dificuldade de processar a informação. "Sério?"

"Sério", confirma.

À medida que vou assimilando a importância do que acabou de me explicar, sou invadida por uma onda de puro horror. Minha Nossa Senhora. *Garrett está mesmo falando que terminei com ele à toa*?

Ele vê a expressão em meu rosto e ri. "Aposto que está se sentindo muito burra, não é?"

Fico boquiaberta, mas não consigo encontrar as palavras. Não acredito... Eu... Nossa, ele tem razão. Que burra que eu sou.

"Estava tentando fazer a coisa certa." Solto um gemido desesperado. "Sei a importância que o hóquei tem para você. Não queria que perdesse isso."

Garrett suspira de novo. "Eu sei, e confia em mim, esse é o único motivo que me faz não estar chateado com você agora. Quer dizer, tô com muita raiva que não tenha simplesmente falado comigo sobre isso, mas entendo por que não o fez." Seus olhos adquirem um brilho intenso. "Aquele filho da mãe não tinha o direito de fazer isso. Juro que..." Ele para e solta o ar. "Na verdade, não vou fazer absolutamente nada. Não vale o meu tempo nem minha energia, lembra?"

"Ele já sabe da herança?"

Um lampejo de triunfo transparece em seus olhos. "Ah, ele sabe. O procurador dos meus avós mandou um cheque para ele ontem. Fiz a conta de quanto tava devendo e coloquei mais um dinheiro em cima. Ele ligou ontem à noite e gritou comigo por uns vinte minutos antes de eu bater o telefone." O tom de Garrett fica mais sério. "Ah, e tem outra coisa que você precisa saber — Cindy deu um pé na bunda dele."

Espanto e alívio se misturam dentro de mim. "Sério?"

"Aham. Parece que fez as malas uma semana depois do feriado de Ação de Graças e saiu sem olhar para trás. Era outro motivo por que ele tava com tanta raiva no telefone. Acha que a gente disse alguma coisa para fazê-la ir embora." Garrett chupa as bochechas de raiva. "O filho da puta ainda é incapaz de assumir a responsabilidade pelo que faz. Não consegue entender como pode ser culpa *dele* que ela tenha ido embora."

Minha cabeça continua a girar. Estou feliz que Cindy tenha conseguido se desvencilhar do relacionamento abusivo, mas não estou feliz pelo mês que Garrett e eu passamos separados. Não estou feliz por ter permitido que Phil Graham tenha me assustado e me feito desistir do cara que amo.

"Desculpa", digo, baixinho. "Sinto muito, Garrett. Por tudo."

Ele segura a minha mão. "É, eu também."

"Não se atreva a pedir desculpas. Você não tem nada do que se desculpar. Fui *eu* que tentei dar uma de heroína e terminei com você para o seu próprio bem." Solto um gemido. "Deus, não consigo nem ser altruísta sem fazer besteira."

Garrett deixa escapar um riso reprimido. "Tudo bem. Pelo menos você é gostosa. Sem falar nesses peitos de stripper."

Solto um gritinho quando, de repente, ele segura meus seios por cima do suéter e dá um aperto com vontade.

Em seguida, ele faz um barulhinho contente ao esfregar as mãos sobre meus mamilos, que endurecem depressa. "Ah, que saudade senti disso. Você não tem ideia."

Um riso me escapa. "Sério? Nem voltamos oficialmente e você já está com segundas intenções?"

Seus lábios se grudam ao meu pescoço, e sua língua se lança numa lambida provocante. "Até onde sei, nunca terminamos." Então mordisca minha orelha, provocando uma onda de arrepios. "Por mim, a gente até pode se abraçar, se beijar e chorar, o que vai levar o quê, uns vinte minutos? Depois mais vinte minutos durante os quais eu perdoo você, e você me jura amor eterno. Talvez uns dez minutos de boquete para compensar o tempo perdido..."

Dou um soco em seu braço.

"Mas por que desperdiçar mais tempo quando podemos ir direto para a parte boa?"

Meus lábios tremem, divertidos. "E qual é, exatamente, a parte boa?"

Num piscar de olhos, estou de costas na cama com o corpo deliciosamente pesado de Garrett em cima de mim. Ele abre seu sorriso de sempre, aquele torto e sensual que nunca deixa de fazer meu coração disparar, e então sua boca cobre a minha num beijo faminto.

"*Esta...*", ele chupa meu lábio inferior e gira os quadris de um jeito sedutor, "... é a parte boa."

Passo os braços em volta dele e o aperto com força contra mim, e é tudo tão familiar, tão maravilhosamente perfeito, que o amor em meu coração transborda e arde em meus olhos. "Amo você, Garrett", sussurro.

Sua voz rouca faz cócegas em meus lábios. "Também te amo, Hannah."

Então ele me beija, e o meu mundo volta a ficar bem.

45

HANNAH

Março

“Por que a sua antiga paixonite está na minha sala?”, Garrett sussurra a acusação em meu ouvido ao se aproximar de mim.

Meu olhar se desloca para Justin, que está com Tucker, no sofá, jogando um video game de tiro que parece muito complicado. Então volto-me para Garrett, que parece mais divertido do que chateado. “Porque ele é meu amigo, e eu o convidei. Lide com isso.”

“Você não acha que foi meio canalha da sua parte chamá-lo aqui? Quer dizer, o time de futebol mandou mal a temporada inteira, e agora ele é obrigado a comemorar com a galera do hóquei que a gente foi para a semifinal? *E* é obrigado a conviver com o espécime perfeito de masculinidade que roubou você dele?” Os olhos cinzentos de Garrett brilham. “Você é uma pessoa terrível.”

“Ah, não enche. Ele está feliz que vocês vão para o Frozen Four.” Levo os lábios até o seu ouvido. “E não conte a *ninguém* que falei isso, ou vou matar você, mas ele tem saído com Stella este mês.”

“Sério?” Garrett fica boquiaberto ao se virar para o outro lado da sala, onde Stella, Dex e Allie estão no meio de uma conversa animada com Logan e Simms.

É meio estranho ver meus amigos interagindo com os de Garrett, mas já saímos todos juntos tantas vezes nos últimos três meses que estou começando a me acostumar.

De seu lugar ao lado de Dex, Logan percebe que estou olhando para eles, levanta a cabeça e... bom, *isso* é algo a que *não* me acostumei. O olhar que me lança é de um anseio inconfundível, e não é a primeira vez que olha assim para mim. Quando falei sobre isso com Garrett — só uma vez, a conversa mais desconfortável do mundo —, ele simplesmente suspirou e disse: "Ele vai superar isso". Não houve raiva alguma de sua parte, nem ressentimento, só essa mísera frase, que não teve muito sucesso em atenuar minhas preocupações.

Não gosto da ideia de que o melhor amigo de Garrett possa sentir alguma coisa por mim, mas Logan nunca tentou nada, muito menos falou comigo sobre isso, o que é um alívio, acho. Mas realmente torço para que supere o que quer que esteja sentindo, porque, por mais que goste do cara, estou total e inequivocamente apaixonada pelo melhor amigo dele, e isso nunca vai mudar.

O semestre tem sido agitado para nós dois. Estou ensaiando de novo, agora para o festival de primavera, e, dessa vez, vai ser um *dueto* até o fim — com Dexter, e nós dois estamos adorando trabalhar juntos. Garrett e o time estão detonando na segunda fase do campeonato. A final é na semana que vem, e o local é simplesmente o Wells Fargo Center, casa do Philadelphia Flyers, o que significa que, sim, vou assistir ao jogo ao vivo e ficar na casa da tia Nicole durante os três dias em que o time estiver na Filadélfia.

Não tenho dúvida de que eles vão destruir o adversário. Garrett e os caras trabalharam duro na temporada, e, se não ganharem a final, não me chamo Hannah. E vou dar ao meu homem muito, mas muito sexo de consolação. Que tarefa *difícil*.

"Olha só quem tá aqui", exclama Garrett, de repente. Viro para a porta e vejo Birdie e Natalie se aproximando de onde Garrett e eu estamos.

Estão com o rosto vermelho e têm um ar de segredo, o que não deixa a menor dúvida a respeito do motivo de estarem atrasados para a festa. Abraço Nat e sorrio para Birdie, que responde à provocação de Garrett com um olhar defensivo.

"Ei, já falei que sou contra esta festa. Dá azar comemorar antes de ganhar."

"Que isso, cara! Já ganhamos." Garrett sorri e se abaixa para me beijar na bochecha. "Além do mais, já faturei o prêmio mais importante de todos."

Tenho certeza de que minhas bochechas viraram dois tomates.

Natalie solta um gemido bem-humorado, mas Birdie, para minha surpresa, apenas assente, em aprovação.

"Tá vendo", conclui Garrett, passando um braço em volta do meu ombro, "posso dizer esse tipo de coisa para Birdie, porque sei que não vai zombar de mim."

"Pois devia", resmungo, "porque essa foi cafona até dizer chega."

"Ah, nem vem", devolve ele. "Você gosta quando sou romântico."

É. Gosto mesmo.

Birdie e Nat se afastam para cumprimentar os outros, mas Garrett e eu ficamos no nosso cantinho. Ele me puxa para junto de si e me beija, e, embora eu não goste muito de demonstrações públicas de afeto, é impossível pensar em etiqueta social quando Garrett Graham está me beijando.

Seus lábios são cálidos e firmes, sua língua é quente e úmida ao penetrar minha boca para uma prova fugaz do meu gosto. Abro os lábios ansiosos, querendo mais, ele, no entanto, ri e pega uma mecha do meu cabelo.

"Modos, Hannah. Estamos em *público*."

"Rá. Como se eu não estivesse vendo a sua barraca armada."

Ele baixa os olhos para a virilha e suspira ao notar a protuberância sob a calça jeans. "Pelo amor de Deus, Wellsy, você me deixa duro sem que eu perceba." Ele franze a testa. "Droga, agora vou ter que sair da minha própria festa para a gente poder ir lá em cima resolver isso. Muito obrigado."

Solto uma risada. "Pode ir sonhando. De jeito nenhum vou fazer a caminhada da vergonha na frente de todos os nossos amigos."

Ele fica lívido. "Você tem vergonha de mim?"

"Não me venha com suas trapaças infantis." Enfio o indicador no seu peito. "Elas não funcionam comigo."

"Infantis?", repete ele. Um sorriso malicioso curva seus lábios, e Garrett gira o corpo para ficar de costas para a sala. Então pega a minha mão e a coloca diretamente sobre seu pênis duro. "Isso parece infantil para você?"

Um arrepio corre minha espinha. Ah, não. Agora *eu* estou excitada.

Com o coração disparado e o corpo formigando, deixo escapar um gemido irritado e agarro sua mão. "Certo. Vamos lá pra cima."

"Não. Mudei de ideia. Vamos ficar aqui e aproveitar a festa."

Solto sua mão como se fosse uma batata quente e faço uma cara feia. "Você é tão irritante."

Garrett ri. "É, mas você me ama mesmo assim."

Minúsculas borboletas de felicidade revoam em meu estômago e ao redor do meu coração. Seguro sua mão de novo e entrelaço nossos dedos. "É", murmuro com um sorriso. "Amo mesmo assim."

Epílogo

GARRETT

Meu pai espera do lado de fora da arena quando o time sai pelas portas traseiras. Dean deu um jeito de arrumar um radinho daqueles antigos, portáteis, e o traz apoiado no ombro, enquanto "We Are the Champions", do Queen, explode nos alto-falantes. Não há ninguém por perto para ouvir a música da vitória além de nós e os parentes e amigos que vieram até a Filadélfia nos ver jogar. Ao passarmos desfilando como os campeões que somos, aplausos irrompem, e vários dos meus colegas se curvam em reverências exageradas antes de dizer oi às pessoas que vieram nos ver.

Eu consegui. Quer dizer, foi um trabalho de equipe — não, um *massacre* em equipe, porque, pela primeira vez em anos, a final do Frozen Four teve um placar de zero. Simms fechou o gol. Os adversários não marcaram nem uma única vez. E parece apropriado que os três gols do nosso lado tenham vindo de mim, Tuck e Birdie, respectivamente.

Estou orgulhoso do time. Estou orgulhoso de *mim* por ter nos trazido até aqui. É o final perfeito para a temporada perfeita, e fica ainda mais perfeito quando Hannah corre e se atira em meus braços.

"Ai, meu Deus! Foi o melhor jogo da *história*!", ela declara, antes de me beijar com tanta força que machuca meus lábios.

Sorrio diante do seu entusiasmo. "Gostou do tirinho que fiz com os dedos na sua direção depois do primeiro gol? Foi para você, gata."

Ela sorri de volta. "Desculpa destruir seu sonho, mas, na verdade, você estava apontando para um velho algumas cadeiras atrás de mim. Ele ficou louco e começou a gritar para todo mundo que você tinha marcado aquele gol para ele. Depois o ouvi perguntar à mulher se você sabia que ele tinha acabado de receber o diagnóstico de diabetes, então não tive coragem de explicar para quem o gol era na verdade."

Caio na gargalhada. "Por que com a gente nada é simples?"

"Ah", protesta ela. "Somos mais interessantes assim."

Não posso negar que ela tem razão.

De canto de olho, vejo meu pai à espreita perto do ônibus, mas não faço contato visual com ele. Na verdade, noto que *ninguém* está olhando para ele. Nem eu, nem Hannah, nem nenhum dos meus colegas de time. Há alguns meses, contei a eles a verdade sobre meu pai, porque a conversa que tive com Hannah sobre a vida não ser justa e meu pai ainda ser reverenciado ficou na minha cabeça. Assim, depois do Réveillon, quando um dos nossos jogadores de defesa do segundo ano me perguntou se eu poderia lhe dar um autógrafo de Phil Graham, não consegui mais me conter. Reuni todo mundo, até o treinador, e contei tudo.

Não preciso nem dizer que foi desconfortável e intenso pra cacete, mas, depois que acabou, meus amigos me provaram que não sou só o capitão deles, mas um irmão. E, agora, a caminho do ônibus, nem um único par de olhos se volta na direção do meu pai celebridade.

"Vejo você no campus?", pergunto a Hannah.

Ela faz que sim. "É. Tio Mark vai me levar de volta agora, então devo chegar lá mais ou menos junto com vocês."

"Me ligue assim que chegar em casa. Te amo, linda."

"Também te amo."

Dou um último beijo em seus lábios; em seguida, subo no ônibus e me acomodo em meu lugar de sempre ao lado de Logan. Quando a porta se fecha e o motorista se afasta, não fito pela janela o homem alto e mal-humorado que ainda está de pé no estacionamento.

Ultimamente não olho mais para trás.

Só para a frente.

Agradecimentos

Adorei cada segundo que dediquei a escrever este livro, mas, como em todos os meus projetos, não poderia ter feito isso sem a ajuda de algumas pessoas simplesmente fenomenais:

Jane Litte, por ter lido uma versão preliminar desta obra — que deveria ter sido algo secreto e só por diversão —, por me convencer a compartilhá-la com outros leitores e por depois segurar a minha mão durante a primeira tentativa de autopublicação.

Vivian Arend, por sair de sua zona de conforto para ler um livro de *new adult*! E por ser uma pessoa simplesmente incrível.

Kristen Callihan, pelos conselhos inestimáveis e pela torcida dedicada a este projeto.

Gwen Hayes, a editora mais gentil, inteligente e engraçada com quem já trabalhei.

Sharon Muha, pelos olhos de águia (e por nunca reclamar quando eu mandava um manuscrito de um zilhão de páginas e pedia uma revisão urgente).

Sarah Hansen (da Okay Creations) pela capa maravilhosa!

Nina Bocci, minha agente — também conhecida como salva-vidas —, por amar este livro tanto quanto eu e por se dedicar a fazer com que todas as pessoas ouvissem falar dele!

E a todos que leram/ amaram/ avaliaram/ falaram do livro — vocês são o máximo. De verdade.

TIPOGRAFIA Adriane por Marconi Lima
DIAGRAMAÇÃO Osmane Garcia Filho
PAPEL Pólen, Suzano S.A.
IMPRESSÃO Gráfica Bartira, agosto de 2025

A marca FSC® é a garantia de que a madeira utilizada na fabricação do papel deste livro provém de florestas que foram gerenciadas de maneira ambientalmente correta, socialmente justa e economicamente viável, além de outras fontes de origem controlada.